городской роман

городской роман

Наталья АНДРЕЕВА

Кен

АСТРЕЛЬ
МОСКВА
2004

УДК 821.161.1-31
ББК 84 (2Рос=Рус)6-44
А65

Серийное оформление
Кудрявцев А. А.

Подписано к печати 06.04.2004. Формат 84×108 1/32.
Усл. печ. л. 18,48. Печать офсетная.
Гарнитура «Школьная».
Тираж 5 000 экз. Заказ № 2369.

Общероссийский классификатор продукции
ОК-005-93, том 2; 953000 – книги, брошюры

Санитарно-эпидемиологическое заключение
№ 77.99.02.953.Д.000577.02.04 от 03.02.2004 г.

Андреева Н. В.
А65 Кен: Роман / Н. В. Андреева.— М.: ООО «Издательство Астрель»: ООО «Издательство АСТ», 2004. — 351, [1] с. — (Городской роман).

ISBN 5-17-024602-1 (ООО «Издательство АСТ»)
ISBN 5-271-09215-1 (ООО «Издательство Астрель»)

Убитая на корте теннисистка была осыпана богатством и привилегиями и у нее не было врагов. Кому нужна была ее смерть? Школьная подруга теннисистки уверена, что найдет убийцу, но девушка не подозревает, что своим решением подписала себе смертный приговор, и теперь на нее саму объявлена охота, которую ведет маньяк-убийца, но зачем ему понадобилось любой ценой добиваться ее смерти?

УДК 821.161.1-31
ББК 84 (2Рос=Рус)6-44

ISBN 5-17-024602-1 (ООО «Издательство АСТ»)
ISBN 5-271-09215-1 (ООО «Издательство Астрель»)

Матч второго круга

«Это лучший матч в моей жизни. Лучший матч. Лучший матч...»

И так до бесконечности, все полтора часа. Только бешеная гонка по корту, краткий восторг после особенно удачного удара и черное отчаяние после крика «аут», только чудовищное напряжение воли и всех до единой мышц, только каторжный труд, который для всех прочих зрелище, и больше в этом действе нет ничего, ни единой мысли, ни единого чувства. Думать некогда, рассуждать некогда, чувствовать — излишняя роскошь. Все происходит автоматически и так же автоматически резонирует в голове: «Я играю лучший матч в моей жизни».

Она жалела только об одном: ну почему это происходит не в одном из матчей Большого шлема, не в полуфинале, и не в финале крупного турнира, и не в борьбе за огромный денежный приз? Ведь всего раз в жизни получается так, что на твоей стороне все: и удача, и трос, срикошетив от которого мяч улетает на сторону противника, и судьи, которые точно

Спортивные термины, употребляемые в тексте.

Гейм — игра.

Сет — партия.

Бол — в русском варианте — «мяч».

Сет-бол — выигрышный мяч сета.

Матч-бол — выигрышный мяч матча.

Брейк-пойнт — переломный момент гейма, когда появляется возможность взять подачу соперника.

Тай-брейк — играется решающий тринадцатый гейм при равном счете (6:6).

фиксируют попадание в линию, и собственное тело, которое начало вдруг слушаться и сделалось удивительно ловким и сильным. И все это в каком-то заурядном матче второго круга, при полупустых трибунах!

Одна радость, что соперница досталась на редкость сильная. Из тех, сеяных, первой десятки. Раньше она проигрывала таким почти без боя. Не из-за погрешностей техники, а из обычного человеческого страха. И тогда исход матча был заранее предрешен. Сегодня вышла на корт с одной только мыслью: достойно проиграть. Вокруг свои, русские, они не надеются на победу соотечественницы над знаменитой звездой, но все равно радуются каждому выигранному тобой очку.

И первый сет тянулся долго. Она знала, что должна выиграть. Это уж само собой. Восходящая звезда женского тенниса, цепкая, атлетичная, моложе соперницы на целых восемь лет, да и русская, упорствующая по ту сторону сетки, всегда отличалась завидным постоянством: выигрывала у тех, кто ниже по рейтингу, в крайнем случае у наиболее близких из вышестоящих. Без борьбы проигрывала звездам и крепким игрокам второй, третьей и даже четвертой десятки. Ей уже двадцать семь, этой русской. Закат карьеры. Но почему тогда так тяжело складывается первый сет?

А она даже не поняла, каким образом удалось его выиграть. Только на тай-брейке вдруг догадалась: это он. Тот самый единственный в жизни звездный миг, который и не требует особых усилий. Просто она рано или поздно приходит — ее величество Удача. И тут она дала себе волю. Била по мячу так, словно это не только самый лучший в ее жизни матч, но и самый последний. Восходящая звезда по ту сторону сетки заметалась, забегала быстрее. Она видела загнанные глаза юной звезды, ее отчаяние и слезы. Даже жалость пришла к этой симпатичной девушке, которая, в сущности, делала то же, что и всегда. Только после того как, очередной раз попав в трос, мяч перевалился не на сторону русской, а к ней, она тоже поняла — это судьба.

И с первого же матч-бола все было решено. Трибуны взревели, журналисты, которые сбежались, почуяв назревающую сенсацию, тут же ринулись рвать на части неожиданную триумфаторшу. Действительно, красивая была игра. Для души, а не на результат. Ибо какие могут быть результаты, когда тебе уже двадцать семь? И позади не самая блестящая теннисная карьера. Но зрители ценят такие зрелищные матчи. И они рванули к победительнице — брать автографы, посмотреть вблизи на ту, кто сегодня играла, как настоящая звезда.

А она, вытирая полотенцем потное лицо, могла думать теперь только об одном: «С чего вдруг такой подарок?» Не заслужила. Как всегда, не изнуряла себя длительными тренировками, не соблюдала режима, не далее как вчера отправила в отставку последнего бой-френда, не обращая внимания на его отчаяние, поругалась с лучшей подругой. Так за что вдруг?

Хотелось задержаться, обдумать все, вспомнить, что могло быть причиной и какое может оказаться следствие из всего, что только что произошло. Но ее ждала послематчевая пресс-конференция, ждали зрители, обрадованные сенсацией, ждали журналисты, довольные тем, что вот сподобились присутствовать. Будь она лет на семь моложе, уже поспешили бы провозгласить восходящей звездой и раструбить по всем газетам, что видели лично ее второе рождение. Но она-то прекрасно понимала, что все произошедшее на корте — случайность. Только вот понять бы: «За что?»

Она шагнула в толпу обреченно, отдав себя на растерзание всем этим людям. Иметь личную охрану ей не позволял далеко не звездный статус. Пришлось принять на собственные плечи эту людскую массу, и толпа сдавила, окружила кольцом. Руки с блокнотами, с фотографиями, просто с листками. Схватив чью-то ручку, она поспешно чиркала по всему, что подсовывали. Короткие вспышки фотоаппаратов на миг ослепляли, и в глазах ее плясали цветные зайчики. Усталость, краткая слепота и боль, пришедшая наконец в измученное тело. Поэтому она подумала, что знакомое лицо в толпе только почудилось. И глаза, в которых читалось совсем другое выражение, почудились тоже. Выражение обреченности, то же, что и у проигравшей звезды. Это судьба.

Уже чувствуя, как что-то острое вдруг больно впилось в сердце, она за несколько секунд успела вспомнить и понять все. Откуда этот неожиданный подарок, чьи это глаза, и почему так остро запахло вдруг одеколоном «Саша». Тем дешевым запахом из детства, который ворвался вдруг на террасу, наполненную ароматом июньских цветов. И этот опрокинутый флакон, и ветки махровой густо-бордовой сирени, и его необыкновенные глаза — все вспыхнуло, закружилось разноцветным, рассыпающим огненные брызги колесом и — угасло.

А в толпе вдруг кто-то пронзительно закричал, люди отхлынули, сминая друг друга, и в кольце сдавленных вздохов, потных тел и спаявшего всех ужаса осталось лежать стройное женское тело, подставив сотням взглядов спину с торчащим в ней ножом.

— Зарезали! — взвизгнула какая-то женщина.

— Мамочки!

— Милиция!

И тут же вспышки фотоаппаратов в руках быстро пришедших в себя репортеров.

В поднявшейся суете невозможно было что-нибудь разобрать. Возникшая в толпе паника швыряла ее из одной стороны в другую, мешая людям расцепиться и броситься врассыпную. Представителям власти не сразу удалось пробиться через этот плотный ком людских тел и выяснить, что же случилось. Зрители были охвачены ужасом и долго потом никто не мог сообразить, как же все произошло. Только через час кто-то из стоящих совсем близко к убитой в тот момент, когда она покачнулась и начала оседать на землю, вспомнил вдруг, что мертвеющие губы прошептали:

— Шурик.

ПЕРВЫЙ СЕТ

Гейм первый

15 : 0

Ксения едва не плакала, чувствуя, как ее ответы падают по ту сторону сетки легко берущимися мячами, возвращаясь обратно высокими свечками, за которыми она бежала, бежала, но никак не могла догнать. Свечки падали точно под заднюю линию и невидимый судья тут же засчитывал противнику еще одно выигранное очко. Сама Ксения Вишнякова в теннис не играла. При ее невысоком росте, нескольких лишних килограммах веса и вялом характере это выглядело бы нелепо. К тому же Ксения была девушкой доброй. Она не могла как следует разозлиться на человека, даже если он сделал ей очень больно. И, выигрывая, тут же начинала жалеть своего противника. А жалея, начинала ему подыгрывать. Поэтому играть с ней было легко, но скучно. Хотя в свое время лучшая подруга пыталась обучить Ксению азам тенниса и хоть как-то приобщить к спорту. Но потом, разозлившись, махнула рукой:

— Бесполезно. Ни физических данных, ни реакции, ни элементарного желания хоть чему-то научиться. Твое место на трибуне. Иди с глаз моих.

Ксения послушно кивнула и охотно обосновалась там, на указанной трибуне. Тем более что она очень любила эту игру. Не участвовать (упаси Боже!), просто смотреть. Напряжение поединка, его красота и мудрость захватывали мгновенно. Не умея сделать ни одного удара по мячу, Ксения тем не менее знала их все. За несколько лет, проведенных на трибуне, она научилась не только разбираться в игре, но и мыслить ее терминами. Вот и сейчас, разговаривая со следователем, мысленно вела счет и записывала себе проигранные очки. Когда играла Евгения, все выглядело иначе. Если не на корте, то в жизни.

— Вы работаете?

— Нет. — (15 : 0).

— Учитесь?

— Нет. — (30 : 0).

— На что же вы тогда живете?

— ...

И сразу 40 : 0 не в ее пользу.

— Вам давала деньги Евгения Князева, так? Следовательно, вы были заинтересованы в ее смерти?

Все, проигранный с сухим счетом гейм. Хотя как она, невысокая, страшно робкая Ксения Вишнякова, могла убить свою лучшую подругу, девушку крупную, спортивную и ростом под метр восемьдесят? И пришлось набраться сил, зажмуриться и ударить наконец по мячу, перебросив его на ту сторону сетки:

— Послушайте, зачем же мне ее убивать, если она давала мне деньги?

Неужели попала? Ну надо же, взял! Потому что на свет Божий появляется эта нелепая бумажка, обычный тетрадный листок, исписанный крупным почерком Евгении Князевой. Ксения была уверена в том, что этот листок давно уже уничтожен. Потому что Женя и не собиралась умирать. А следователь кладет его на стол:

— Вам это знакомо, Ксения Максимовна?

Что делать? Что делать? Неужели из-за этой бумажки, из-за глупой шутки ее сейчас заберут в тюрьму?!

— Вы меня заберете, да? — прошептала она.

— Куда?

— В эту... В камеру.

— Ну, на основании этого документа санкции на содержание вас под стражей никто не даст. Материальная заинтересованность, конечно, мотив веский. Но вы же не одна упомянуты в завещании покойной. Кстати, что это за чепуха? Не похоже на серьезный документ. Поясните.

И она начала отыгрываться. Быстренько, пока следователь не опомнился и не начал опять свои коварные удары в те слабые места, за которые Ксения особенно боялась. Бегала она плохо и соображала медленно. «Реакции никакой», — как обычно говорила Женя, отбирая у подруги ракетку. Но противника можно и запутать, если говорить торопливо, бессвязно и в слезах. Так, как она сейчас:

— Видите ли, это была шутка. Собралась небольшая компания, одноклассники мои и Жени. Мы с ней вместе учились. Вспомнили вдруг, что в этот день, год назад, погиб один парень. Тоже из нашего класса. Разбился на машине. Представляете? Такой молодой! Ну, мы и выпили немного. Совсем чуть-чуть. И получилось так, что разговор зашел о смерти. О преждевременной смерти. Ну там трагический случай или автокатастрофа. Самолеты тоже падают иногда. А Евгения много летала. И вообще ездила. И она вдруг в шутку вспомнила, что завещания-то у нее нет. А с матерью... Не хочу об этом говорить. И Женя тут же написала эту бумажку. В шутку. А одноклассники тоже в шутку ее заверили. Видите, сколько здесь подписей?

Ксения пододвинула тетрадный листок к себе. Ну кто примет всерьез такую чепуху?

«Я, Князева Евгения Николаевна, находясь в здравом уме и твердой памяти, хотя и после выпитого бокала вина, торжественно заверяю: на мой рассудок это никак не повлияло. После ста граммов напитка крепостью в девять градусов я нахожусь все в том же здравом уме, который и подвигнул меня сделать следующие распоряжения на случай моей преждевременной смерти.

Все мое имущество я в равных долях завещаю моей подруге Черри и тому из Шуриков, который меня любил больше всех. Не факт, что это был последний. Ищи, Черри, ибо только при этом условии ты получишь наследство, а оно тебе ох как необходимо!

Для несведущих поясняю: Черри — это Ксения Вишнякова, иначе Вишенка, как мы все ее звали в школе. А Шурики — это мои бой-френды, которые клялись в неземной любви попеременно на протяжении всех лет моей теннисной карьеры. И, надеюсь, еще будут клясться. Если же они все в состоянии доказать, что любили меня одинаково сильно, то мое недвижимое имущество следует продать, сделать денежнокупюрнодвижимым и поделить на всех Шуриков сразу. Поняла, Черри?

В целом же все это шутка, ибо я собираюсь жить долго, и если не счастливо, то обеспеченно. А последнее и гарантирует то постоянство, которого, увы, не хватает простому человеческому счастью. Проверено и заверено:

Евгения Князева».

Далее стоял размашистый автограф и несколько подписей, подтверждающих, что завещание было написано в присутствии многих свидетелей. Все было бы ничего, если бы один из одноклассников не работал в нотариальной конторе. И на следующий день, так же шутки ради, он взял с собой злосчастную бумажку и ее заверил. Мол, самое смешное из всех завещаний, которые приходилось составлять. В нотариальной конторе тоже посмеялись, но дело сделали. Бумажку Женя сунула в сейф, тотчас о ней забыв. И теперь несчастная Ксения сидела и оправдывалась. А следователь забрал завещание назад и спросил:

— Сколько у Евгении Князевой было денег?

— Не знаю, — честно ответила Ксения. — Меня это не интересовало.

— А что за недвижимость?

— Трехкомнатная квартира почти в центре Москвы, евроремонт, улучшенная планировка.

— Ого! А машина?

— Две. «Тойота RAV— 4» и какое-то «пежо». Да, еще гараж. На две машины. Рядом с домом. И дача.

— Она так много зарабатывала?

— Ну...

— А прямые наследники? Братья, сестры?

— Нет, она одна. Отец умер несколько лет назад от инфаркта, а мать... Она намного моложе Жениного отца, очень красивая женщина. Бывшая манекенщица. Ездила с Женей по турнирам. Ездила, ездила, и... вышла замуж. За очень богатого человека. Миллионера. Она живет за границей, в Швеции или в Швейцарии. Нет, в Италии! Сама не соображаю, что говорю!

По ту сторону сетки мощное движение к мячу. Бац!

— Значит, наследство оспаривать некому? Не думаю, что эта богатая дамочка примчится сюда, чтобы судиться с вами и каким-то Шуриком.

— Да я бы сама ей все отдала!

— А вот тут написано... Кстати, почему Черри?

Ксения скромно опустила глаза. Карие, круглые, похожие на две перезрелые вишенки, налившиеся густым, сладким соком. Два листочка ресниц —

нижний и верхний — почти одинаковы по длине. Гладкие темные волосы коротко острижены, лицо почти круглое, а маленький ротик напоминает все ту же спелую ягодку. Черри. Вишенка.

— Моя фамилия Вишнякова. В школе, еще во втором классе, прозвали Вишенкой. Так и пошло. А Женя... Она очень много ездила по турнирам. Много времени проводила за границей. Английский был для нее почти родным языком. Она единственная вместо Вишенки употребляла Черри. Шутка.

— Что, с чувством юмора у Князевой было все в порядке? Судя по манере изложения, да. Кстати, а как ее в школе звали?

— Зачем это вам?

— Девушка, мы следствие ведем. Черри! — хмыкнул следователь.

— Ну и что? Женя уже в старших классах начала много ездить по турнирам. Правда, тогда это было сложно. Ну, больше десяти лет назад. А в классе ее звали Ферзя.

— Какая еще Ферзя? Почему Ферзя?

— Потому. Пробовали звать Княжной. Как и меня, по фамилии. Но не вязалось как-то. Не шло. Она была очень высокая, выше всех девочек и даже некоторых мальчиков. Потом только, достигнув почти ста восьмидесяти сантиметров, ее рост вдруг остановился. А сначала она словно возвышалась надо всеми. И в любой компании была стержнем. Главная фигура на доске. И кто-то из наших мальчиков-очкариков ляпнул: Ферзя. И, знаете, прижилось.

— Ну а почему она упоминает вашу чрезвычайную заинтересованность в наследстве, а, Черри?

— Не надо, — тихо попросила Ксения. — Не зовите так.

— Простите, сорвалось. Уж очень вам идет. Так на что вы все-таки живете?

— Ни на что. Я была замужем. Три года назад. Мы разошлись. И...

— Жить негде, да?

— Почему? При разводе мне досталась комната в коммуналке.

— А вашему мужу?

— Отдельная однокомнатная квартира.

— Эх вы! — Ксения почувствовала, как с его губ едва не сорвалось ироничное: «Черри!» И она опять поспешила с ударом:

— Вы не думайте! У меня все есть. И я могу работать.

— Кем? У вас есть образование?

— Нет. Я готовить умею. Хорошо.

— Как же вы жили до сих пор?

— Сначала я была замужем.

— Понятно. А потом стали ездить за Князевой по турнирам. А если бы не она?

— Не знаю, — честно ответила Ксения и почувствовала, что окончательно проиграла.

Она знала это чувство. Когда у Жени не шла игра, понимала это сразу. И с ужасом считала проигранные геймы. Потому что больше всего на свете Женя Князева не любила догонять. Она могла выиграть только в том случае, если с самого начала уверенно повела в счете. А если проиграла один гейм, другой, третий, то уже с легкостью сдавала сет. Чтобы скорее начать все сначала уже во втором. На корте Женя не была бойцом. Не то что в жизни. Хотя в жизни этой ей и так все давалось слишком легко. Богатые родители, единственный ребенок в семье, на образование и развитие которого мама и папа не жалели никаких средств. Теннис всегда был дорогим удовольствием. Может быть, если бы все вложенные в Женечку силы и средства достались кому-то другому, на теннисном небосклоне вспыхнула бы настоящая звезда. Без сомнения, у Евгении Князевой был талант. Но она не в силах была удержаться даже в третьей десятке, не говоря о чем-то большем.

— Почему? — словно в ответ на свои грустные мысли услышала Ксения.

— Что «почему»?

— Почему она так мало добилась? А?

— Спросите у специалистов, — вяло отмахнулась Ксения.

Она уже устала. Матч сдан. Игроки не равны друг другу по классу. Трудно защищаться, если тебе не дали даже времени обдумать тактику. Женю убили несколько часов назад, а Ксения, естественно, была среди зрителей, несмотря на вчерашнюю бурную ссору. И вцепились первым делом в нее. Привезли на квартиру убитой подруги, чтобы в присутствии Ксении все осмотреть. У нее же был свой собственный ключ. Потому что как не признаться в том, что жила Ксения не в своей комнате, среди агрессивных соседей по коммуналке, а в трехкомнатной квартире у своей подруги. Хотя вчера вечером все же собрала некоторые свои вещи и уехала ночевать на другой конец города. Чтобы не вернуться уже никогда. И все-таки Ксения сказала ту фразу, которой всегда объясняла любые неудачи подруги:

— Она слишком любила себя.

15 : 15

Ксения так надеялась, что после этого ее отпустят. Она всего лишь слабое, безвольное существо. Вчера вечером хлопнула дверью, а сегодня как ни в чем не бывало пришла на матч. В самом деле, как жить и на что жить? Условия, выдвинутые Женей, были неприемлемы, но еще более ужасным казалось расстаться с ней. Ксения поняла это утром, проснувшись не в той постели, в которой привыкла просыпаться. Сначала ей показалось, что за стеной слышится музыка. Женя начинала свой день с разминки и будила подругу громкими, бравурными мелодиями, под которые предпочитала терзать свое тело. На этот раз музыка была громкая, даже слишком громкая, да не та. Уже окончательно проснувшись, Ксения поняла, что это пьяница сосед начинает свой день тоже с разминки: легкого скандала с женой, толстой, заплаканной теткой. По вечерам скандалы были плотными, словно хороший, сытный ужин. С битьем посуды, обильными возлияниями и ко всему прочему сильно присолены непечатными словами обеих сражающихся сторон.

Сегодня утром ссору заглушал модный шлягер, и сосед был настроен в общем-то добродушно. Он только шуганул с кухни несчастную бабульку из третьей, самой маленькой комнатки, пришедшую сварить на завтрак яйцо в облупившейся эмалированной миске. А на появление в кухне самой Ксении протянул удивленно:

— Тю-ю! А это еще что за фря?

— Как вам не стыдно! — сказала Ксения ту самую банальную фразу, которая если и приносит в таких случаях результат, то весьма плачевный.

Вот и сейчас сосед хрюкнул насмешливо и рванул на груди грязную тельняшку:

— Ска-а-ажите пжалуйста! Ты когда здеся последний раз появлялась-то, кукла? Мы с Танькой выпишем тебя отсель на... С тем, что дома по полгода не живешь. Правда, Та-аню-ша?

Совершенно неожиданно толстая Танюша поддержала своего алкаша мужа. Ксения не ожидала, что женщина, еще вчера вечером получившая кулаком в глаз, сегодня утром будет поддакивать своему кормильцу, дабы дотянуть в мире и согласии хотя бы до вечера. Но соседка выступила внушительно:

— Замок надо бы сменить, Константин. А то мало того что сама вернулась, так и хахаля какого-нибудь приведет. Шлюха!

Уже на пару они освистали Ксению, так и не нашедшую подходящих ответных слов. И она не выдержала. Сбежала, вспомнив, что у Жени сегодня матч второго круга. Ксении едва хватило денег на билет. Раньше она всегда проходила на стадион вместе с подругой, а сегодня, заглянув в кошелек, с ужасом поняла, что даже пообедать не на что. Оказывается, прежде чем хлопать дверью, надо хорошенько пошарить в собственных карманах. Бедность, конечно, не порок, зато именно из нее берут начало многие пороки. Потому что, попав сегодня снова в квартиру Евгении, Ксения первым делом сказала следователю, что должна проверить, на месте ли ее собственные вещи. И под этим благовидным предлогом взяла из шкафчика несколько зеленых бумажек. Теперь ей показалось, что и без всякого обеда желудку стало теплее.

— Можно мне здесь остаться? — спросила она у следователя.

— Что ж, по закону здесь все равно половина вашего. Не положено, конечно, до вступления в права наследования, но... Если мать Евгении Князевой не будет оспаривать завещание... Выселить вас отсюда никто не может. Квартира эта — частная собственность. Одна только неясность: с этими Шуриками.

«Вот мы и дошли до сути», — подумала Ксения. И тут же пропустила такой мяч, за которым и бежать-то не стоило. Прицельно и без шансов.

— Кто такой Шурик?

— Который? — только очень тихо переспросила она.

— Что значит «который»? — удивился следователь. — Их что, было несколько?

— Да.

— И все Шурики?

— Нет, их звали по-разному. Сашей, кажется, одного. Или двух.

— Объясните.

— Видите ли... — Ксения замялась. — Это не совсем прилично.

— Послушайте, Че... Ксения Максимовна. В прессе такой шум подняли, а вы мне тут о приличиях толкуете!

— Это ее личная жизнь. — Она хотела сказать «наша», но удержалась. — Это были ее бой-френды. Из всех мужских имен Женя предпочитала имя Саша. Ну, а так как она к ним относилась... Словом, обобщающим «Шурики» сказано все. Это были ее игрушки.

— Она что, была красавицей? — Следователь внимательным взглядом окинул стены комнаты. Прямо перед ним висел замечательный портрет. Карандашный набросок красавицы блондинки.

— Женя? — вздрогнула Ксения. — Нет, что вы. Это ее мать. А Женя была... Обычная. Фигура, конечно, хорошая. Спортсменка же. Но это опять-таки на чей вкус. Высокого роста, широкие плечи, узкие бедра, и везде мышцы, мышцы, мышцы... Ноги у нее только были необыкновенные. Длинные, красивые и какие-то... особые. Если матч транслировали по телевидению, в кадр всегда брали прежде всего ее ноги. Как они двигаются, как замирают на миг, а потом вдруг отрываются от земли и летят, летят... Рывок к мячу, эти гигантские полупрыжки, потом шаги, повороты. Это было что-то необыкновенное. Очень красиво.

— Откуда же они брались, эти Шурики?

— Из разных мест, — уклончиво ответила Ксения.

— Вы знали их всех?

— Нет, не всех. Троих. По порядку: Андрей, Саша и последний, Герман.

— И все Шурики?

— Ну, зачем так? В хорошем настроении она говорила «Саша».

— А в плохом?

— А в плохом они ей были не нужны.

— Сколько их было всего?

— Шесть, кажется.

— Кажется или точно?

— Да какое это имеет значение!

— Имеет. Один из свидетелей ясно слышал, как убитая перед смертью шепнула что-то похожее на «Шурик». Евгения узнала убийцу. Она увидела его в толпе.

— Не может быть! Никто из них...

Она осеклась вдруг, вспомнив, что это такое было для Жени. Эта сцена стояла у Ксении перед глазами еще вчера вечером, когда они с подругой отчаянно ругались. Лето, жара, раскаленный песок на пляже. Не юг, подмосковный санаторий, куда веселая компания бывших одноклассников отправилась отмечать пятилетнюю годовщину со дня окончания школы. У Жени единственной уже была не просто машина — иномарка. И сама она, высокая, спортивная, загорелая, выглядела роскошно. А рядом с ней очень красивый парень. Прямо-таки внешность на уровне лучших стандартов Голливуда. Бывшие одноклассницы Женечки косились на него, замирая. Сама же она все время держала парня при себе, прося подать то полотенце, то бутылку воды, то принести забытые в машине солнцезащитные очки. Он бегал, приносил, подавал, накрывал, мазал девушке спину и все время молчал и одинаково улыбался. Безразлично и словно все время находясь в кадре. А Женя Князева при всех сказала:

— Это? А, это Шурик. Я их всех так зову.

— А тот, в прошлом году... — неуверенно заикнулась одна их школьных подруг, толстая девица в закрытом купальнике. — По-моему, он был просто прелесть...

— Нет, этот лучше, — не стесняясь парня, сказала Женя. — Тот был блондин, а мне вдруг разонравились блондины. А впрочем, нет в мире совершенства...

И, вспомнив эту сцену вновь, Ксения с ужасом поняла, что любой из Шуриков вполне мог Женю убить. В частности, прямо там, на пляже. Но тогдашний брюнет этого почему-то не сделал. Как его звали? Нет, не вспомнить. Кажется, номер второй. Первого она не знала, третьего... Нет, только не это! Для самой Ксении все началось с этого третьего, будь он проклят!

Никто из них? Любой!

— Ксения Максимовна, может быть, вы напряжетесь и вспомните имена первых трех номеров?

— Я не могу, — сдавленно сказала она. — Не помню. Мне плохо...

— Ну, ну, успокойтесь! Выпейте воды! Вы зря волнуетесь. Вас никто и не подозревает.

— Почему? — прошептала она.

— Потому что перед матчем на мобильный телефон Евгении Князевой был звонок. Она разговаривала очень резко. И тренер слышал, как имя «Шурик» было упомянуто несколько раз. Ее убил мужчина, Ксения Максимовна. Один из...

Ксения поняла только, что ее саму в тюрьму сажать никто не собирается. Это было выигранное очко, не более.

30 : 15

— Который? — тихо спросила она.

И по ту сторону сетки снова произошло движение. Все понятно: противник намерен взять свою подачу. Ему нужны подозреваемые, а в конечном итоге нужна победа. Раскрытое громкое дело. А после... После будут лавровые венки. От начальства.

Поднимут на щит журналисты, падкие до сенсаций. Евгения Князева не была звездой большого тенниса, но таких в России вообще не так уж много, и каждая маленькая звездочка на виду. А тут еще история — сенсационная игра и смерть на корте. Можно сказать, лебединая песня, оборванная злодейским ударом ножа. Ах, как про это напишут! Но сначала ведь надо убийцу найти. А этот человек даже не представляет себе, какую грязную историю собирается вытащить на свет! Поэтому и вцепился так в мяч, сорвавшийся у Ксении с ракетки:

— Что вы сказали?

— Ничего.

— Кажется, вас волнует, который из так называемых бой-френдов вашей подруги ее убил?

— Меня это не волнует, — как можно равнодушнее сказала она.

«Бесполезно! Как бы еще научиться врать? Все равно рано или поздно они узнают. Но лучше поздно. Нельзя проигрывать вот так, сразу. Нужно цепляться изо всех сил, а там кто знает? Каждого могут подвести нервы».

Ксения все еще не могла забыть сегодняшний матч. Казалось, что Женя решила напоследок показать, на что она способна. Ведь у нее было все: и хороший рост, и сильная подача, и реакция, и великолепные ноги. Причиной ее постоянных неудач был характер. Евгения Князева не умела выигрывать. Сильное сопротивление ставило ее в тупик. Стоило не получиться двум-трем ударам, и наступал конец хорошей игре. Но сегодня Ксения не узнавала подругу. Это было вдохновение, обычно не свойственное ее матчам. Женя всегда честно отрабатывала игру — бегала, подавала, била по мячу, доставала и в итоге проигрывала. И поражения на корте не сильно ее беспокоили.

— Мне хватает, — пожимала она плечами.

Действительно, чего ж еще? Мать уехала жить за границу, оставив роскошную, только что отремонтированную квартиру. Дача, в которую вложил немало средств покойный отец, работник торговли. Машины, и одну и вторую, она купила сама. А могла бы и у мамы попросить. К дорогим тряпкам Женя была почти равнодушна, драгоценности не носила. Единственным ее хобби были так называемые Шурики. Бой-френды. Каждый человек снимает стресс по-своему. Одни напиваются до чертиков, другие лезут в горы, третьи просто целыми днями смотрят телевизор, пытаясь чужими выдуманными проблемами заглушить свои. Евгения Князева предпочитала секс. Ее разрядка происходила в постели и могла затянуться на несколько дней. Ксения знала, что подруга хорошо за это платила.

Не деньгами, хотя бывало, что и деньгами тоже. Но главная схема была отрепетирована давно. Очередную игрушку Женя подбирала буквально на улице. У нее был отличный вкус. Она ездила в своей дорогой машине по городу и присматривалась. Роль играло и качество товара, и его цена. Потому что она искала не друга, она искала раба.

Ксения не раз испытывала на себе бездушную силу ее эгоизма. И мечтала о том, чтобы хоть раз в жизни подруга потерпела фиаско. Влюбилась или получила бы веский отказ на свое предложение. «Да есть ли среди вас такие, кто не продается, Господи?!» — про себя молилась она.

Увы, о халяве мечтали все. Одинокая женщина на дорогой машине вызывала у мужчин, идущих по улице пешком, единственную реакцию: желание быть замеченными. А потом из глухой дыры, из какой-нибудь заштатной провинции Шурик попадал не только в столицу, в ее парадные комнаты, Евгения сразу же вывозила его за границу, чтобы сильный разряд, вызывающий шок, мгновенно парализовал волю. Она умела делать из людей рабов. Ибо рабство — это вовсе не потеря свободы, это потеря человеческого достоинства.

Сама Ксения вместе с партнерами подруги пережила три оглушительных крушения. И вчера не выдержала. Она сказала следователю, что ее не волнует, который из бывших бой-френдов убил Женю — все они стали бывшими. Сегодня подруга собиралась вновь выйти на охоту. Но насчет безразличия... Это была ложь. И противник сразу понял.

— Вас связывали близкие отношения с кем-то из...

— Нет, нет!

— Мы все равно узнаем, Ксения Максимовна.

«Он еще и пугает! Чего можно бояться, когда все самое страшное уже произошло?» Ксения не собиралась ничего скрывать, у нее просто не нашлось сил начать этот разговор сегодня. И она мысленно засчитала себе еще одно проигранное очко.

40 : 15

— Ну, хорошо. Вы устали. Только поймите, лучше вас никто не знал ни саму Евгению, ни этих, как их там... — Следователь брезгливо поморщился. — Все же происходило у вас на глазах.

— Ну и что?

— Вы должны знать их характеры, привычки. Может, кто-то был агрессивен. Ссоры, скандалы. Это часто бывает между влюбленными.

— Между кем?!!

...Самое обидно, что Ксения относилась к ним лучше, чем сама подруга. За исключением одного.

Но это была особая история. А все остальные похожи одна на другую. А все из-за того, что Женя вдруг начинала уставать. Она злилась, нервничала и воспринимала свои поражения уже не с такой легкостью, как раньше. И созревала до того, что нуждалась в очередной победе. Она делала перерыв в посещении различных турниров, преимущественно не очень крупных. Возвращалась на родину, в столицу, в свою трехкомнатную квартиру. И начинала вечерами ездить по злачным местам. Ее тайны Ксения долгое время не могла раскрыть. Не могла понять, как, какими чувствами, какими инстинктами она выбирала, вдруг уверенно показывая пальцем:

— Этот.

Почему? Чем он лучше других? Тем более, что Женя никогда не придерживалась ни внешних примет — цвета волос, глаз, ни темперамента. Высокий рост, мощное сложение, правильные черты лица, в остальном же все ее Шурики были разные. Во всяком случае те, которых Ксения знала. А она соврала, когда сказала, что была знакома только с тремя. Конечно, был еще и четвертый, на котором Ксения споткнулась...

Подруга чувствовала их, словно натасканная собака наркотик. И именно то количество, которого должно хватить. Не на всю жизнь, но на тот срок, когда есть потребность принимать его, и вновь и вновь вызывать в себе прилив сил, вдохновение и то удивительное чувство полета, которое опьяняет пусть кратко, но сильно. Проходить все эти стадии: первые прикосновения, новизну ощущений, движения, которые становятся все увереннее, и первые разочарования, потому что, закончив очередной роман, Женя всегда говорила одну и ту же фразу:

— Не он. Нет в мире совершенства.

Какое совершенство она искала?

Сама Ксения знала, что в мире отношений между мужчиной и женщиной есть только одно совершенство: любовь. Тогда прощаются все мелкие недостатки и не замечаются крупные. До тех пор, пока не наступает прозрение. А с ним и конец этой самой любви. Но даже тогда остаются воспоминания, которые могут вызвать только боль, но не способны породить ненависть.

Между Женей и ее избранниками никогда не было любви. Или Ксения ее просто проглядела. Теперь она думала, кого же отдать? Потому что так просто эти люди из квартиры Евгении Князевой не уберутся. И ее, Черри, не оставят в покое. Господи, если каждый день слышать эту кличку, то можно к ней в конце концов и привыкнуть!

Мысленно перебирая последнюю троицу, Ксения не могла ни на ком остановиться. Разум подсказывал одно, а совесть — совсем другое. И не было к ним той ненависти, которую Ксения вызывала в себе годами. Она уже хотела поступить не по совести, а из чувства мелкой, подлой мести, когда с языка как-то само сорвалось:

— Герман.

И мяч был пойман на лету.

— Почему?

— Они вчера поругались.

— Вот как? Это кто, последний?

— Да. Шестой.

Ксения уже пожалела прежде всего себя. Упустить такой шанс! Вот что значит, выигрывая, начать жалеть противника! Бедный Герман!

— В конце концов, трудно, что ли, проверить, откуда был звонок на ее мобильный телефон?

— А вы не простая девушка. Только он руку-то носовым платком обернул. Конечно, мы все проверим. Так что там с этим Германом? Кто такой? Фамилия? Адрес?

Ксения никогда не слышала, чтобы кто-то называл его Германом. Он охотно принимал условия игры. Только после одной безобразной сцены Ксения не выдержала и сама спросила:

— А как тебя на самом деле зовут?

И он кое-что рассказал. Правда это была или полуправда, но теперь Ксения не испытывала к нему неприязни. За что, собственно?

— Бедный Герман! — вслух сказала она.

— Почему это он бедный? — проворчал следователь. Похоже, сам он начал испытывать ко всем этим Шурикам откровенную неприязнь. Может, потому, что сам был толст и некрасив? И не мог бы заработать на обеспеченную жизнь в чужих постелях. Человек всегда останется только человеком, даже если он находится на работе, требующей прежде всего объективности.

Ксения вздохнула:

— Ему некуда было идти. Знаете, у меня есть хотя бы маленькая комнатка. Соседи, конечно, негодяи. Но это хоть что-то. А он приезжий. Женя просто-напросто выставила его за дверь.

— Она что, всегда так делала?

— Нет. Она так никогда не делала. Наоборот, очень любила устраивать жизнь своих старых, поломанных игрушек. Находила им работу или новую любовницу. Денег давала в крайнем случае.

— Почему же этого, последнего, просто выставила за дверь?

— Не знаю. Может быть, сгоряча. Я уверена, что если бы он сегодня...

Ксения испуганно замолчала. А вдруг не одна она, проснувшись сегодня утром на раскладушке, вспомнила про другую, удобную постель и в сытом, обеспеченном доме? И он мог оказаться на стадионе. Тоже купить билет, дождаться удобного момента и...

Она зажала ладонью рот, чтобы не испортить все окончательно.

— Куда же он пошел, этот ваш Герман?

— Я позвонила одной моей подруге. Не подруге, так, старой знакомой. Она в разводе сейчас, но в отличие от меня муж выменял ей отдельную двухкомнатную квартиру. Я просто не могла оставить Германа на улице.

— С чего вдруг такая забота, а?

— Жалко.

— Кого вам еще жалко?

«Себя», — хотела было сказать она. Больше всего себя. Но потом вспомнила, что именно поэтому проигрывала самые важные в жизни матчи Женя. От жалости к себе, от неумения не щадить себя. Стоит ли так себя мучить, если дома все равно ждут уютная постель, хороший ужин и красивый мужчина, всегда готовый приласкать?

— Я просто... — начала она и не договорила.

Противник решил передохнуть и тоже со вздохом спросил:

— Хорошо, давайте адрес. Поедем к этому вашему Герману. И хорошо, если бы...

Ксения и так все поняла. Хочет закончить все быстро, с первого же матч-бола. А она была уверена, что Герман не убивал, потому и дала его адрес. Хотя в чем можно быть уверенным до конца?..

Уже провожая следователя к дверям, Ксения замерла на пороге. Услышала:

— Очень хотелось бы оставить вас в покое. Но...

Сама знала, что это вряд ли получится. Он еще вернется. Потому что, уже закрывая за собой дверь, с насмешливой улыбочкой сказал:

— И все-таки, Черри...

1 : 0

Оставшись одна, она прежде всего подумала: как много успела сказать и как, в сущности, не сказала ничего. Как объяснить ему, что Женя не была такой уж плохой, хотя и хорошей не была тоже? Просто такой, какой ее вырастили обеспеченные родители. В детстве ей дарили игрушечных людей — Барби и Кенов, а потом она так же легко стала получать живых. Денег у Евгении Князевой для этого хватало.

Сказать, что она никого не любила, значило солгать. Ксения столько раз слышала романтическую историю из счастливого детства подруги, что ей в конце концов стало казаться, будто все это происходило с ней самой. Освещенная солнцем терраса, старинная скатерть с золотистой шелковой бахромой и букет сирени в керамической вазе шоколадного цвета. Ох как пахла эта поздняя, темно-бордовая сирень! Она была вся такая мохнатая, упругая на ощупь, а когда белая ножка «счастливого» цветка с пятью лепестками касалась губ, то казалась удивительно сладкой.

На этой даче восьмилетняя Женечка была счастлива, как никогда. Теннис был для нее еще игрой, интересной и увлекательной, а не способом зарабатывать деньги на жизнь. Ей нравилась и новая, очень красивая ракетка, и шершавые мячики, цветом похожие на неспелые лимоны. Женечка играла в спорт, это получалось у нее очень здорово, и взрослые умилялись.

«Ах, какая очаровательная девочка! У нее, должно быть, настоящий талант!» — говорили гости семейства Князевых в один голос. И Женечка старалась, все выше подбрасывая свой шершавый мячик, и ракетка в ее руках была удивительно легкой и точной.

И был соседский мальчик, двумя годами старше. Женечке казалось, что он похож на маленького ангела. Удивительно красивый мальчик, с кудрявыми светлыми волосами. Женечка звала его про себя «маленький принц». В самом деле, в мальчике было что-то печальное. Прекрасная поэтическая обреченность. И для него Женечка старалась гораздо больше, чем для всех этих навязчивых взрослых. На солнечной террасе они играли в свои игры, и влюбленность Женечки хотя и была детской, но настоящей и острой.

Однажды они бегали вокруг стола, и «маленький принц» случайно зацепился за длинную бахрому скатерти. Женечка вспоминала потом не его лицо, не опрокинутую вазу с сиренью, не капельки холодной воды, стекавшие на пол по золотистой бахромс, в памяти остался запах разлитого одеколона, потому что испуганный мальчик схватился за скатившийся на пол пузырек. Его руки и губы пахли одеколоном, и этот запах Женечка почувствовала на своей щеке, когда ее коснулся легкий детский поцелуй. Она в отчаянии смотрела, как он бежит к дверям, сжимая в руках злосчастный пузырек, и в сознании ее отпечаталось слово: «Саша». Потом она не могла вспомнить, было ли то название одеколона или имя «маленького принца». Но одно знала определенно: никого с тех пор она так не любила, как этого кудрявого мальчика, исчезнувшего в то лето из ее жизни навсегда.

И сейчас Ксения вспомнила эту историю. Было в ней что-то тревожное и для нее самой. Таились какие-то воспоминания, спрятанные за другие, менее больные и спокойные. Следователь мог думать про Женю все, что угодно, но Ксения и не собиралась ему рассказывать никаких романтических историй детства. К чему? Пусть думает, что у Князевой все было лишь прихотью: одинаковые имена, красивая внешность, бесконечные поиски и безболезненные потери. Женя цеплялась за свои детские воспоминания, потому что взрослые не приносили ей радости. Цепь ассоциаций замкнулась в тот момент, когда разлился одеколон из стеклянного флакона. Это был постоянно повторяющийся сон. А наутро ее неудержимо тянуло на новые поиски.

Ксения тяжело вздохнула, вспомнив про завещание. Если бы с ней самой все было в порядке, то самым разумным было бы ни в коем случае не выяснять, кто из приятелей любил Женю больше, а кто меньше. Ибо нет такого прибора, который с точностью мог бы замерить чью-то привязанность. Но хорошая девочка Черри решила все сделать как должно. По крайней мере попробовать. Найти их всех и узнать, что они испытывали к убитой подруге.

Ксения уже заранее ругала себя. Но ей не хотелось получить все даром. Потому что задача решалась просто: тот, кто больше всех любил Женю, тот и убил ее. Кто хотел доказать, что он не игрушка, и остановить ее вечный поиск. Кто-то из шестерых — тот, кто был в последний момент Женей узнан. И попал ножом точно в сердце, потому что уж очень хотел его наконец найти.

«Славная девочка Черри. Добрая девочка. Послушная девочка», — ругала себя Ксения, но знала, что завтра все равно пойдет туда, куда долгое время запрещала себе ходить. Следователь начал с конца списка, она же решила отыскать его начало. Все-таки Женя была ей не чужой. И те шестеро тоже не все чужие. И заснула она с единственной мыслью: «Сегодня я проиграла гейм на чужой подаче. Это нормально. Но не все потеряно. Это было только начало партии. Завтра я буду играть уже не на чужой, а на своей подаче. Я сама к нему пойду».

Гейм второй

15 : 0

Долгое время она запрещала себе думать о том, что в Москве есть такая улица. Потом упорно не признавала, что на этой улице есть дом с таким номером. А выяснив номер дома, заставляла себя пропускать цифру 28 в нумерации квартир. Двадцать седьмая и сразу же двадцать девятая. Нет квартиры, нет и того человека, который в ней живет.

Сегодня Ксения успокаивала себя тем, что в этот запретный дом ее ведет крайняя необходимость. Она дождалась вечера, потому что знала: днем он на работе. Евгения считала своим долгом упомянуть к слову некоторые подробности о том, кто долгое время был между подругами яблоком раздора.

«Ты знаешь, одна моя знакомая недавно сказала...»

«Мы как-то случайно встретились...»

Хотя Ксения отлично знала, что в жизни Евгении Князевой ничего не происходит случайно. Во всяком случае Ксения знала теперь не только номер дома, но и номер квартиры, и график его работы, и даже должность на фирме.

«Если он не один, я тут же развернусь и уйду. Развернусь и...»

Он был один.

В первый момент, как только открылась дверь, она хотела убежать. Потом услышала:

— Черри, детка, ты вернулась?!

Если бы он назвал ее иначе, Ксения тут же бросилась бы ему на шею. Но это имя было не из первой их жизни и даже не из второй. Ибо во время второй она еще не была Черри. И, отталкивая его руки, она отчаянно крикнула:

— Пусти!

— Ну хорошо, хорошо, — отступил он. — Проходи.

Все равно Ксения видела, что он обрадовался. За шесть лет можно было изучить выражение его красивого лица: от крайнего недовольства до щенячьего, безрассудного блаженства. И только потому, что

Ксения знала его так же хорошо, как себя, она подумала: самое смешное то, что они до сих пор любят друг друга.

— Только не трогай меня! — заявила она, сразу же проходя в единственную комнату. Прямо в ботинках, потому что знала — стоит ей в его присутствии снять с себя хоть что-то, как она тут же окажется перед ним голой.

Если честно, то больше всего на свете ей хотелось сейчас не отталкивать его изо всех сил, а, собирая все накопленные за несколько лет силы, обнять покрепче и про все забыть.

— Какая глупость! — вслух сказала она. — Какая же глупость все это!

Он оставил попытки ее соблазнить, сделал серьезное лицо и открыл бар:

— Выпьешь что-нибудь?

Ксения едва не рассмеялась. Каким еще манерам обучила его подруга в течение почти года совместной жизни? Все так театрально, и чувствуется, что поставлено хорошим режиссером — вкрадчивый голос, осторожные движения и даже манера одеваться. Раньше-то он был совсем другим. Но и под лоском его отрепетированных жестов она все равно видела того мальчишку, который глупо таращил глаза на каждую красивую проезжающую мимо машину:

— Ух ты! Классная тачка, а?

И она улыбнулась:

— Ты же знаешь, что я не пью.

— Ну, все меняется. Ты не пила, я не изменял любимой жене. Детские запреты детских игр. А почему, собственно, нельзя, а?

Ксения не ответила. Спросила безразлично:

— Как живешь?

— Да неплохо. — Он налил себе немного джина, разбавил тоником. Даже дома был одет в тонкий свитер, вне всякого сомнения дорогой, светлые джинсы в обтяжку. Отличная фигура, даже не располнел, хотя в свое время Ксения его неплохо кормила.

— Работаешь? — спросила она. Несколько пробных мячей, ответ на которые хорошо предсказуем. Да, он работает, да, живет неплохо. Отлично выглядит, в меру пьет, водит хорошую машину.

— Слушай, зачем ты все-таки пришла?

Она закончила пробный обмен ударами на задней линии. И после подачи вышла к сетке:

— Ты знаешь, что Евгению убили?

Он проиграл мяч тут же, потому что слишком уж обрадовался:

— Как, совсем?!

— Разве можно убить наполовину?

— Ну, всегда есть шанс промахнуться. Значит, ее больше нет?

— Что-то ты не слишком удивился и не слишком огорчился.

— Чему? Удивляться и огорчаться чему? Она сделала из меня то, что хотела сделать. Спрашиваешь, как я живу? Да никак. У меня все есть и ничего нет. Я вполне благополучен, но так же безнадежен. Когда ты выставила меня за дверь...

— Только не делай из себя обиженного, пожалуйста. Не надо, — тихо проговорила она.

— Хорошо. Я виноват. Я всегда это признавал: я виноват. Ну сколько можно карать? Что касается жизненных ценностей, то я проверил на прочность их все. И, знаешь, как ни странно, вернулся к юношескому идеалу. А поскольку Евгении больше нет, то всю эту историю лучше оставить в прошлом... Иди сюда.

Сама не понимая как, Ксения оказалась у него на коленях. Господи, ну сколько же можно помнить?! Но нет, в нем изменилось все, только не вкус его губ и не та нежность, с которой он всегда гладил ее лицо. Ксения знала, что он любил ее, любил по-настоящему. Потому что в этих незначительных жестах, в том, как он гладил ее волосы, как подавал ей чашку кофе или застегивал молнию платья на спине, в том, как смотрел, чуть наклонив голову влево и всегда с улыбкой, — во всем этом могла быть только любовь, иначе все в мире являлось бы ложью. Похоже, что он тосковал. И тогда, когда ушел, и сейчас, когда привычно потянулся к ее груди, стягивая тонкий свитер:

— Черри...

— Только не это! Пусти!

Вот это уже было в нем чужое: имя, подхваченное у Жени Князевой, словно заразная болезнь. Раньше он называл ее по-человечески. Разными ласковыми именами, какие придумывал сам. А после она уже его к себе не подпускала. Вот и сейчас начала раздражаться от птичьего чириканья: Черри, Черри. Болван.

— Послушай, Ксюша, я подумал, что раз мы от нее избавились, то можно сделать вид, будто этих четырех лет просто не было.

А она решила добить мяч сразу же, чтобы не было больше никаких глупых вопросов:

— Я тогда сделала аборт...

Конечно, он пробормотал растерянно:

— Прости. Я не знал.

— Да ничего ты и не хотел знать!

— Нет, ну если бы ты тогда сказала...

— Тогда ты ушел бы в ту комнату в коммуналке, которую выторговал мне? Или вообще никуда не ушел бы?

И он пересел на диван, взял свой стакан и спросил наконец о главном:

— Зачем ты пришла?

Поправляя волосы, Ксения подумала, с каким же огромным трудом было взято это очко! Это отвоеванное расстояние в полтора метра между ними! Ибо тогда, несколько лет назад, после того, как он ушел, ее маленький мир оказался разбитым вдребезги.

15 : 15

Это был ее муж. Теперь уже несколько лет, как бывший. Она так и называла его про себя: просто «бывший». Некоторые любят восклицать с поддельной ностальгией: «Где мои семнадцать лет!» Ксения думала о своих семнадцати с ужасом. Она и сейчас была наивна и беспомощна, но тогда, после школы, растерялась так, что испытала сильнейший стресс. Жизнь по расписанию закончилась, и вступать во взрослую жизнь, ничего не зная и не умея, казалось очень страшным.

В семье Ксению всегда считали неудачницей. Она неважно училась, не блистала особыми талантами, не участвовала в самодеятельности и не посещала кружков. Одним словом, ничем не выделялась среди своих сверстников. Обилием поклонников она не могла похвастаться так же, как и наличием талантов. Ксения пугалась всего запретного, и ровесницы обходили ее стороной, не поверяя ей своих маленьких секретов. Она обычно затыкала уши, услышав слишком смелое слово, и убегала, едва кто-то из провожавших ее мальчиков позволял себе намек на интимность. Втайне над ней подсмеивались и старались держаться подальше. Тихая, скромная девочка, которую Бог обделил страстями.

Мама и папа всю свою любовь отдали ее старшему брату. Особенно это стало заметно, когда после школы Ксения провалилась на экзаменах в институт. Не в какой-то престижный вуз, а в обычный педагогический. Ее же брат был умницей, он не только поступил в физтех, но и остался при аспирантуре. И тут же женился, а вскоре и родил ребенка, что сделало жизнь в двухкомнатной квартирке невыносимой. Брат штурмовал научные вершины, его жена третировала родителей, малыш отчаянно ревел, а молодые еще бабушка с дедушкой после работы нянькались с внуком, стараясь завоевать расположение грозной снохи подарками и различного рода поблажками. Ксения же чувствовала себя в семье лишней, ютясь на раскладушке, за ширмой, а рядом громко храпел отец.

После неудачи с институтом, Ксения совсем растерялась. Подруги утешали ее, мол, попробуешь на следующий год, но Ксения знала, что если уж сейчас, со свежими знаниями ничего не вышло, то потом она забудет все окончательно. Месяц выдержав недовольное брюзжание родителей, Ксения обратилась за помощью к Женечке Князевой. Та помогла, помогла в тот первый раз. Поэтому во второй Ксения пришла тоже к ней.

Ксения получила необременительную, хотя и низкооплачиваемую работу секретарши у одного из знакомых Николая Семеновича Князева. Но тут выяснилась совершенно странная вещь: неизбалованная вроде бы Ксения не умеет работать, то есть находиться на работе с девяти до шести, как все. Если она не опаздывала, то старалась пораньше улизнуть или продлить обеденный перерыв. Отсиживать положенные часы, чтобы получать за это деньги, оказалось ей не под силу. Работа не доставляла Ксении никакого удовольствия, и она бросила ее без сожаления через несколько месяцев.

И тут появился он.

Это была самая настоящая любовь. С романтическими свиданиями, с цветами, прогулками при луне и долгими ночными телефонными разговорами, где нет слов — сплошные паузы и вздохи. Четыре месяца спустя Ксения вышла замуж, без сожаления расставшись с родительской квартирой, с братом, с его женой и племянником, который уже начал превращаться в маленького деспота. Влюбленным повезло.

Восьмидесятилетняя бабушка внезапно скончалась, оставив внуку-студенту небольшую комнату в коммунальной квартире, с такой же дряхлой и полуглухой соседкой, какой была сама. Ксения испытывала полное счастье. Оказалось, что у нее есть один талант, но зато самый главный: она хорошая жена. Все эти кастрюли, утюги и сковородки в сложенном любовью сонете звучали не хуже скрипок. Музыка кипящего борща, пенящиеся рифмы стирального порошка в крохотной ванной, его чистые носки и рубашки — все возвышало и радовало. Ксения была маленькой феей в этой сказке, где он постепенно превращался в принца.

Они жили на его стипендию и приработок, а он брался за любую работу, и каждым маленьким деньгам Ксения радовалась так, как никогда потом не радовалась большим. Они были счастливы не так уж мало: целых шесть лет. Вернее, пять с половиной, потому что шестой год оказался последним.

Долгое время Ксения просто не замечала, что ее муж красив. Она полюбила его не за это. Просто сразу поняла, а главное, почувствовала, что в ее жизни появился ее мужчина. И ей было безразлично, какого цвета у него глаза, как удивительно уравновешены в его лице все пропорции. Во внешности ее любимого природа первым делом старалась соблюсти их, заботясь, чтобы не взять откуда-нибудь ничего лишнего, но и не выделить что-то одно. Единственной пикантной особенностью его лица были темные глаза при очень светлых волосах и чуть выступающие высокие скулы. Когда Ксения любовалась им, она не ощущала себя собственницей. Все было так естественно: он принадлежит ей, а она — ему.

К тому же, кроме красивой внешности, у ее мужа не было ничего такого, на что можно было бы претендовать. Он закончил свой институт, но и высшее образование стало в это время не бог весть какой ценностью. Что престижного в политехническом, ведь не МГИМО же. Хорошую работу можно было получить через крепких знакомых. А без связей, просто с дипломом в кармане можно было рассчитывать только на то, что в итоге он и получил — работу на заводе в качестве инженера, с маленькой зарплатой, конечно, большей, чем студенческая стипендия, но зато без времени на всякие подработки.

Ксения, конечно, пробовала работать, но как-то не складывалось. «Ни реакции, ни элементарного желания хоть чему-нибудь научиться», — как сказала потом про подругу Евгения. Ксения не умела вырывать зубами у жизни свой кусок, она охотно отдавала его тому, кто сильнее тянул на себя. Да она и без того была счастлива.

Ксении никогда и в голову не приходило ругать мужа за то, что он приносит мало денег. Он созрел для этой мысли сам. Почему это другие разворачиваются, покупают себе машины, квартиры, дачи, а он — нет? Любимая жена тоже должна ходить в норковой шубке.

Все сбережения и взятое в долг у друзей ушло на дело, которое в итоге прогорело. Те, которые покупают машины, квартиры и дачи, делают это за счет тех, кого «кидают». Мужа Ксении тоже «кинули».

К тому времени их соседка умерла, и муж Ксении получил и вторую комнату. Таким образом у них теперь появилась отдельная квартира, но она могла уплыть за долги. А в доме родителей Ксении назревала своя драма: стерва сноха затеяла развод. А поскольку и она, и ребенок были прописаны у родителей мужа, то даже на раскладушку за ширмой в случае раздела жилплощади Ксения не могла теперь рассчитывать.

И она сделала то же, что и в первом случае: пошла к своей подруге. Ибо только Женя Князева могла спокойно одолжить несколько тысяч долларов, без процентов, без расписки и на неопределенный срок. Почему она была в этом так уверена, Ксения не знала, но чувствовала, что не ошибается.

Подруга выслушала ее молча. Она только что вернулась из Англии и была очень собой недовольна. Не прошла даже квалификацию. В ее квартире Ксения встретила симпатичного молодого человека, только это был не прошлогодний брюнет, а рыжий парень, с глазами такими синими, что они казались нарисованными на очень бледном лице.

— А где... — начала было она, но быстренько осеклась. Не обидеть бы кого!

Евгения же равнодушно бросила:

— Шурик, быстренько свари нам кофе. И не крутись здесь, это женские разговоры.

А когда рыжий ушел на кухню, зевнула, обратившись к подруге:

— С тем все давно уже кончено. Надоел. Он слишком много молчал.

— Но ... — опять начала было Ксения.

— А этот слишком много разговаривает. Нет в мире совершенства.

Так Ксения поняла, что и этот роман подруги подходит в концу. Но значения этому не придала.

— Так ты одолжишь мне денег?

— Слушай, ты все время попадаешь в какие-нибудь истории. Ну чего тебе не работалось у этого, как там его... Я думала, ты умнее.

— Почему? — удивилась Ксения. — Работа была неинтересная.

— Да уж потому, Вишенка. И не обязательно было работать. Не за этим и устраивала. Такие женщины, как ты, созданы для удовольствия. Крепкий, сладкий ликер. «Черри».

Тогда-то и появилась эта злосчастная кличка. Но в тот момент Ксения не придала ей значения. Она думала только о деньгах. А Женя опять лениво зевнула:

— Слушай, я совсем не знаю твоего мужа. Вдруг это урод какой-нибудь?

— Нет, что ты! Он очень красивый!

— Да я не об этом, дурочка. Мне не денег жалко. Просто всегда надо знать, за что платишь. Заходи завтра вместе с ним. Посидим, кофе выпьем. Он, кстати, пьет?

— Кофе?

— Нет, сладкий ликер. Водку, Вишенка, водку.

— Что ты!

— Курит?

— Нет. Зачем?

— Значит, ты его единственная радость в этой жизни?

— Наверное. Я очень его люблю.

— Речь не о тебе...

В это время рыжий принес поднос, поставил его перед Женей. Она небрежно дернула его за руку:

— Сядь сюда. Тебе нравится эта девушка?

— Женя, ты что?!

— А ты, Вишенка, помолчи.

— Вишенка? — рассмеялся рыжий. — Нравится!

— А она, между прочим, имеет глупость быть жутко влюбленной. Ибо только глупая влюбленная дура может примчаться устраивать дела своего муженька, который должен все делать сам, ведь он же глава семьи.

— А как же я? — еще громче рассмеялся рыжий.

— Ну, с твоими талантами проще иметь любовницу, чем жену.

— Между прочим, мой муж не хуже! — с гордостью заявила Ксения.

— Вот как? — усмехнулась Женя. — Что ж в нем такого особенного? Редкий экземпляр, да?

— Он тебе не бабочка!

— Бабочка не бабочка. Все они становятся бабочками, когда идешь на них с сачком.

И Женя притянула к себе своего рыжего, обняв его за шею. Запустила руку в жесткие, густые волосы, звонко чмокнула в ухо. Рыжий, словно кот, замотал головой. Потом шутливо заломил Евгении руку. Она ловко вывернулась, слегка оцарапав его гладким розовым ногтем:

— Не кусается.

— Я, пожалуй, пойду, — поднялась Ксения, чего-то вдруг застеснявшись.

Евгения же посмотрела на нее очень пристально:

— Все такая же. Ладно, иди. — И, не удержавшись, добавила: — Черри.

30 : 75

Сначала Ксении показалось, что она проиграла все. События разворачивались настолько стремительно, что, как и всякое крушение, они стали понятными не сразу, а некоторое время спустя. На следующий день после разговора с подругой Ксения пришла к Жене вместе с мужем. И вот тогда-то, впервые взглянув на него чужими женскими глазами, Ксения поняла, как же он красив! Даже рыжий не мог с ним сравниться. Тот был ярок, а муж Ксении удивительно гармоничен. И лубочная живопись по всем статьям проиграла творению кисти талантливого мастера.

— Откуда у тебя такое? — шепнула Женя, когда пришла на кухню за тарелкой с бутербродами. Ксения уже суетилась там, на кухне она всегда чувствовала себя более комфортно.

— Я замужем уже более пяти лет, — простодушно ответила она.

Женя ничего не сказала, только посмотрела как бы мимо подруги, а взгляд ее Ксения поняла только год спустя, когда они сидели вдвоем в каком-то дешевом баре и Князева чуть наклонила голову в своем знаменитом кивке:

— Этот.

Ксения не знала чувства ревности. Муж никогда не давал ей повода. И в тот день хозяйка роскошной квартиры впечатления на него не произвела. Он не любил таких долговязых, безгрудых, с мальчишеской фигурой и маловыразительным, плоским лицом. А Женя в конце вечера сказала:

— Конечно, я вам помогу. Дам денег, и без всяких процентов. Я неплохо зарабатываю. Одно условие.

— Какое? — поинтересовалась Ксения.

— Мне скоро ехать за границу, на турнир. А Шурик мой поступает в институт.

И тут Ксения поймала удивленный взгляд рыжего. Подруга же усмехнулась:

— Да-да. Чего ты так смотришь? Забыл, что у тебя вступительные экзамены?

— А у тебя что, выпускные? — огрызнулся рыжий. И Ксения поняла, что этот, в отличие от прежнего, брюнета, не безреберный. И совершенно неожиданно он стал ей вдруг симпатичен.

— У меня все по графику, — осадила его Женя. — Так вот. Я не могу поехать одна. Мне нужен сопровождающий. Мужчина. И желательно симпатичный. Твой муж, Вишенка, подойдет.

Ксения растерялась:

— А почему...

Не договаривать фразы до конца было ее плохой привычкой. Замахнуться ракеткой для удара и вдруг замереть. Ксения только спросила своего любимого:

— И ты поедешь?

— У меня нет загранпаспорта, — как-то странно задумчиво сказал он. — И работа.

— Ну, работу мы потом поищем другую, — усмехнулась Женя. — А документы — не проблема. Я за все заплачу.

И она действительно за все заплатила. Ксения всегда была так наивна. Она собирала любимого в дорогу, вовсе не думая, что это билет в один конец. Он уехал, но к ней уже не вернулся. Да и их двухкомнатную квартирку вскоре отобрал. Ксения при редких встречах видела перед собой другого человека. Откуда-то появились и жадность, и мелочная расчетливость, и привычки к дорогим вещам, во имя которых он готов был теперь жертвовать всем.

Он был тогда словно опоен и опьянен Евгенией. И делал все, как она хотела. Ксения была беременна, и это парализовало ее волю. Ее выворачивало наизнанку в туалете каждые полчаса: от сильного токсикоза или на нервной почве. Она была готова на все, лишь бы это поскорее кончилось — и ненужная теперь беременность, и развод. Без детей разводили быстрее и проще. Ксения думала недолго, быстренько сделала аборт и, получив обратно паспорт с новым штампом и девичью фамилию, подумала, что это навсегда. Она заимела свою собственную комнату в коммуналке, ее бывший муж переехал в отдельную однокомнатную квартиру, мотивируя это тем, что изначально жилплощадь принадлежала ему.

Следующий год был в жизни Ксении самым страшным. Она осталась одна, в ужасной комнате, с ужасными соседями, без денег и без работы. Без образования, без знакомств, без стажа — она могла найти лишь место библиотекарши с самым маленьким окладом. Ксения почти голодала, влача серую, безрадостную жизнь. Она донашивала старые вещи, покупала на оптовом рынке кости и обрезки, чтобы сварить себе на неделю маленькую кастрюльку супа. Она не хотела знать, как живут подруга и бывший муж. Боль от предательства отступила перед постоянным чувством голода. Терзаться от душевных ран можно только тогда, когда не хочется есть. А Ксении надо было думать и о том времени, когда износится последняя пара обуви, купленная еще при муже. Она радовалась только, что страдает одна. Обречь на такую жизнь еще и ребенка было бы совсем невыносимо.

Да, это был страшный год. Зачем? Но она жила. По инерции и потому что просто была трусихой. Ей казалось, что резать себе вены — больно, веревка может оборваться, таблетки подействовать как-то не так и что умирать вообще страшно. Но за год она дошла до крайней степени нервного и физического истощения и тогда-то, ранней весной, вновь встретила Женю Князеву. Подруга окликнула ее из своей новой машины:

— Эй! Черри!

Ксения так и не поняла, как Женечка Князева оказалась в этом районе столицы. Но машина и наряд подруги произвели на нее впечатление. Это стоило таких денег, на которые Ксения, при ее скромных запросах, могла бы прожить если не всю жизнь, то уж точно добрую ее половину.

— А где... — начала было Ксения, но по своей глупой привычке не договорила.

— Плохо выглядишь, — окинула ее внимательным взглядом подруга. — Жаль.

Ксения повернулась было к ней спиной и двинулась к своему дому, но тут же услышала, как хлопнула дверца машины:

— Черри! Подожди.

Женя догнала ее в несколько звериных прыжков. Она была в отличной форме и даже дошла недавно до финала в одном не слишком крупном турнире. Двигалась Женя очень легко, и сила, с которой она схватила подругу за плечо и развернула лицом к себе, была не женской.

— Подожди. Я к тебе приехала. Можешь забрать своего мужа назад, если хочешь.

— Как это забрать? — удивилась Ксения.

— Он мне больше не нужен. К тому же ты была права: он тебя любит.

Ксения не помнила этих своих слов. Ничего себе любовь!

— Нет, спасибо, — ответила она подруге. — Я пойду, пожалуй.

— Значит, ты здорово на него злишься? — обрадовалась Женя. — Я так и думала, что ты вздохнешь с облегчением, избавившись от этого типа. В сущности, все они мерзавцы. Проверено: мин нет. Знаешь, я вытравила у него все. И гордость, и дурные привычки. Он стал совсем ручной. Но, черт возьми, он все время тебя вспоминает!

— И что он при этом говорит? — почти равнодушно поинтересовалась Ксения.

— Да ничего не говорит! Что, это обязательно надо говорить, дурочка? Он чумной, твой бывший благоверный. Такой же, как и ты. Я уже жалею, что совратила его. Обрадовать тебя?

— Чем еще ты можешь меня обрадовать? — горько усмехнулась Ксения.

— Мы расстались. Если ты его не заберешь, я пристрою его к моей подруге на фирму. А ты учти, что она девушка зубастая. А твой, как всегда, хорош. Между прочим, отличный экземпляр, только нежизнеспособный. Раритет какой-то. В смысле характера. Знаешь, зачах. Скажешь «иди» — идет. Скажешь «сиди» — сядет. Даже не интересно. А в постели...

Ксения рванулась от подруги почти бегом. А та за ней.

— Эй, Черри! Так заберешь?

— Что он, чемодан?! — И тут у Ксении закружилась голова. Она вспомнила, что еще ничего не ела с самого утра. Зарплату опять задержали, и даже суп сварить сегодня было не из чего. Она свалилась прямо на руки Жене, и подруга испытала что-то похожее на человеческое сострадание:

— Ты что? Плохо, да? Ты не беременная?

— С чего? Просто голодная.

— Как это? — удивилась подруга.

И Ксения не выдержала и расплакалась:

— У меня совсем, ну совсем нет денег.

И в следующий момент она была уже в машине, в теплом, кожаном салоне, укрывшем ее от моросящего дождя и ледяного ветра, и ела соленую от слез шоколадку, которую Женя достала из бардачка. А потом они сидели в ресторане, и Ксения не знала, что делать с едой, которую принес официант. Пока Женя не взяла нож и сама не порезала мясо на маленькие кусочки. Было тепло, сытно, а вокруг удивительно красиво. Люди сидели, веселились и, казалось, не знали никаких проблем. Ксения с ужасом вспоминала о том, что завтра ей опять на работу. С девяти до шести, как обычно. С перерывом на обед, во время которого не будет еды, потому что вряд ли дадут зарплату.

Она выпила немного шампанского и сама не помнила, как оказалась вечером в квартире подруги. Ксения уснула крепко, а утром поняла, что на работу давно уже проспала. Так своим полуобмороком она выиграла одно очень важное очко: обеспеченную и необременительную на первых порах жизнь с бывшей одноклассницей.

40 : 75

Появившись в то утро в дверях спальни, Женя сказала:

— Тебе никуда не надо идти. Тем более на работу. Если не хочешь даром есть свой хлеб, можешь приготовить завтрак на двоих.

И Ксения пошла на кухню. Там, поджаривая хлеб для бутербродов, она все время оглядывалась, пытаясь определить, есть ли в квартире мужские вещи: тапочки в прихожей, крепкие сигареты в кухне на столе и, главное, тот особый запах, который действует на женщину, словно кнут. Запах этих самых сигарет и дорогого одеколона, чистых рубашек и тех, что уже успели пропитаться потом. Запах силы и той надежности, за которую всегда хочется спрятаться, словно за стену.

Женя заглянула наконец в кухню, и Ксения не выдержала:

— Ты одна?

— Между двумя романами, старым и новым, — усмехнулась она. — Не переживай, твоего здесь уже нет.

— А кто будет?

— Сама пока не знаю. От твоего мужика у меня в душе остался неприятный осадок. Вроде и не плюнули туда, но здорово намутили. Я впервые задумалась над тем, что на свете есть любовь. Есть ведь, а, Черри?

— Есть.

— Упрямая. Так что ж тебе не простить его? А? Разменять свои квартирки обратно, в одну, и все начать сначала?

Ксения с ужасом вспомнила об аборте. Ей было ужасно больно, так больно, что она кричала. Но еще больнее была мысль о совершаемом убийстве. Случись это еще раз, она бы не пережила. Только не зная, на что идешь, можно пойти на такое. Она не могла думать о бывшем муже, не вспоминая больницу, холод клеенки, постеленной на кушетку, и страшную, убивающую боль.

Именно поэтому когда он зашел внезапно, без всякого предварительного звонка в квартиру к подруге, и Ксения открыла ему дверь, то кнутом хлестнуло воспоминание о боли. И о том страшном годе одиночества и нищеты, который пришлось пережить.

— Ты? — удивился бывший муж. — Как здорово! Откуда?

— А тебе что здесь надо? — Ксения замерла на пороге, решив не пускать. Подруга ушла куда-то, а без нее она чувствовала свою беззащитность.

— Поговорить хотел... С ней... А теперь с тобой.

— Слушай, чего тебе еще? Сломал две жизни — свою, мою, а третью ... — Она хотела сказать о ребенке, но удержалась, а он почему-то подумал о Жене.

— Ха, ничего с ней не случилось. Послушай, ну дай я хоть в прихожую войду?

Ксения слегка посторонилась. А он заторопился, словно понимая, что времени немного и можно снова оказаться там, за порогом, перед закрытой дверью.

— Я виноват. Словно затмение какое-то нашло. Понимаешь, здесь нищета, долг, который тянул на дно камнем, впереди непонятно что... Ты даже себе не представляешь! Сам не понял, как случилось. Там другие люди, нарядные, беспечные, богатые. Думают только о том, как бы потратить деньги. Потом турнир, журналисты, телекамеры. Она здорово играла!

— Для тебя, наверное, старалась, — съязвила Ксения.

— Она просила только помочь выиграть. Не сбивать настроение, после матча просто пожалеть. Она так выматывалась, ты себе даже не представляешь! А потом...

— Потом проиграла и просила пожалеть уже за это. А потом сказала, что будет и другой турнир. И ты подумал, что еще раз можно побыть на трибуне, поймать на себе внимание телекамеры, представить, как все женщины, сидящие перед экранами в этот момент подумали: «Кто это? Какой милашка!»... Убирайся!

— Да любой на моем месте поступил бы точно так же! Понимаешь ты?! Любой!!

— Послушай, но что-то же есть еще на свете? Кроме этой вечной сытости, праздника жизни и бешеных денег? Кроме такого счастья есть же еще и другое?

— Да, есть. Но только для сильных, а не для слабых. А таких, сильных, все меньше и меньше.

— Уходи.

— Значит...

— Да. Иди туда, к слабым. Каждое новое предательство совершать все легче и легче. — Она наморщила носик, произнеся эти торжественные слова и так же торжественно указала ему на дверь.

— Как я ее ненавижу! — сжал кулаки бывший муж.

— Не она, так другая.

— Нет, она! Я хочу ее убить.

Ксения стала подталкивать его к двери.

— Не надо. Руки убери, — как-то по-детски взмолился он. — Черри!

Вот тут она осатанела и сильным толчком выпихнула его за дверь. Захлопнула, повернула в замке ключ. Потом налегла всем телом, словно боялась, что дверь вывернется с петель. После нескольких неуверенных стуков все было кончено. До того дня, когда он открыл дверь и появился на пороге уже собственной квартиры с этим глупым:

— Черри, детка, ты вернулась?!

7 : 7

Она внимательно смотрела, как бывший муж маленьким глотками пьет джин с тоником из стакана чешского стекла, до краев наполненного льдом. Аккуратно и словно наблюдая себя со стороны. Нельзя было не признать, что он теперь похож на героя какого-нибудь мыльного сериала. Так же красив, ухожен, так же вышколен и даже вызывает у зрителей, а главное, у зрительниц, чувство симпатии. Смотреть на него приятно, что ни говори. А раньше был просто мальчишка, немного смешной, немного озорной. Мог позволить себе глупые детские шутки, например подкрасться к ней сзади и, обняв крепко-крепко, куснуть в шею, сказав при этом громко и весело:

— Ам!

Ксения вдруг представила себе этого, с бокалом, на цыпочках или с глупой улыбкой на лице, и не выдержала, улыбнулась.

— Ты чего? — обрадовался он.

— Так. Ничего у нас не выйдет. А пришла я потому, что первым делом подумала про тебя. Ты же сказал тогда, что больше всего на свете мечтаешь ее убить.

— И что?

— Меня вчера следователь расспрашивал. Долго. Евгения перед смертью узнала убийцу. Кто-то слышал, как она сказала: «Шурик».

— И ты подумала?

— Тебя я знаю лучше, чем остальных. Вернее, твою к ней ненависть. Ты мог бы...

— Да, — очень легко согласился он. — Мог.

— Надеюсь, ты был на работе?

И он опять очень легко покачал головой:

— Нет, я не был на работе.

— А где?

— На шоссе. Машина сломалась.

— И конечно, никто тебя не видел.

— Почему же? Видели. Многие. Только найди теперь попробуй этих людей!

— Куда же тебя понесло?

— А тебе-то что? Скажи, что ты ко мне вернешься, и я тебе тоже все расскажу.

— Тебе не надоело? Нельзя, понимаешь, нельзя вернуть ни те годы, ни эти. Пойми, мы с тобой новые, и отношения между нами тоже будут новыми.

— А вдруг они станут лучше прежних?
— Вряд ли. Ты прожил с ней только год, а я три.
— И что было? — вдруг насторожился он.
— Ничего. — Ксения резко встала. — Я пойду. — Она испугалась. Потому что бывший муж вдруг перестал быть героем сериала. Потерял всю свою респектабельность и закричал зло и уже совсем не театрально:
— Я так и знал! Я должен был ее убить еще тогда! Трус несчастный! Я догадывался, зачем она нас развела! Это правда?!
— Да успокойся ты в конце концов! Ты должен прежде всего найти тех людей, которые могли видеть тебя на шоссе.
— Если я там был, — непонятно сказал он.
— Они пока пошли к Герману. Я их туда отправила. Будут проверять всех «шуриков». Ты — третий. Я могу вспомнить тебя и последним.
— Вот спасибо! Благодетельница! А зачем ты вдруг это для меня делаешь? Так и не разлюбила, да? Жить со мной не хочешь, но от тюрьмы спасешь.
— И еще, — перебила его Ксения. — Она оставила очень странное завещание. Я должна найти того из «шуриков», который ее любил больше всех, и поделить с ним все Женины деньги, квартиру там, машины, дачу, гараж. Наследство, одним словом.
— Это что, шутка?
— Если бы!
— Так за чем же дело стало? Заверь у нотариуса мои горячие чувства к покойной, и заживем припеваючи. Зачем делить? Соображаешь, как мы с тобой теперь можем быть счастливы?
Ксения заметила у него в глазах огонек неприкрытой жадности. И это тоже новое. Раньше он восторгался чужими красивыми вещами без всякой зависти. Просто так.
— Ты знал о завещании?
— Нет, конечно. А когда она его написала?

— Да какая теперь разница! Я тебе все, что хотела, сказала. И не лезь с этими дурацкими поцелуями! Не терпится продемонстрировать, чему успел научиться в чужих постелях?

— В общем-то, да.

Он совсем как раньше чуть нагнул голову влево, разглядывая ее. Ох уж этот взгляд! И улыбка. Даже не обязательно до нее, Ксении, дотрагиваться. Просто посмотреть вот так, и по телу побегут знакомые мурашки. Словно иголочки покалывают в самых чувствительных местах. А ведь он просто смотрит. Как же она его любила! И любит! Бежать!

— Все, пока!

— Ты еще придешь, надеюсь?

«И не мечтай!» — подумала она про себя, но почему-то крикнула туда, наверх, в лестничный пролет, где была дверь его квартиры:

— Да!

Но все равно записала себе еще одно выигранное очко. Все-таки не осталась. И он не сказал прямо, что убил Женю. Хотя и признался в том, что вполне мог это сделать. А значит, им вдвоем по силам выиграть эту партию. И почему бы не сыграть в паре? Ведь было же так несколько лет назад.

Гейм третий

0 : 15

Но до победы было еще далеко. Евгению Князеву убили вчера, и следствие по ее делу только-только набирало обороты. Выйдя из дома, где жил бывший муж, Ксения почувствовала странную тревогу и ноющую боль в груди. «Разве может болеть совесть?» — подумала Ксения. «Герман!» — вспомнила она.

Надо же было отправить следователя прямиком к нему, вернее, на квартиру своей приятельницы Валентины! Когда-то, еще до размена, они жили в одном доме, та на пятом этаже, Ксения на шестом. Здоровались, иногда разговаривали о пустяках и без сожаления расходились. Ксения близко сошлась с Валентиной во время своего развода. Обе переживали крушение брака почти одновременно и охотно делились друг с другом подробностями:

— А мой-то, а?

— А мой!

— Нет, ты только послушай!

— Какие же мужики сволочи!

Степень сволочизма обоих бывших мужей имела существенное различие. Если Ксения после развода впала в настоящую нищету, то приятельнице муж оставил и квартиру, и обстановку, и машину, да еще стал платить на ребенка такие алименты, что бывшей жене даже не пришлось устраиваться на работу. Она занялась собой и дальнейшим изучением явления сволочизма у мужчин и теперь могла по этой теме написать целую диссертацию. Ибо была вся обвешена бриллиантами, поменяла уже третью иномарку, а теперь собиралась отъехать в Париж. Наверное, последняя сволочь мужского пола, попавшая в ее поле зрения, оказалась совсем уж гнусной.

Ксения богатой знакомой не завидовала. Однако, зная ее свободные нравы, не постеснялась пристроить к ней на первое время Германа. Хотя бы на те несколько дней, что остались до отъезда приятельницы за границу.

Теперь же, войдя в открытую Германом дверь, она поняла, что та в Париж уже не собирается. По крайней мере в ближайшее время. И Герман того стоил. Для самой Ксении существовал только один идеал мужчины — ее бывший муж. Всех остальных она невольно с ним сравнивала. Преимущественно это было: хуже, намного хуже, совсем никуда не годится. Но, увидев Германа вместе с Женей, в баре, Ксения испытала легкую дрожь: «Ничего себе!» Это был совсем другой тип мужчины, чем ее бывший, но, без сомнения, самый опасный. У Германа были зеленые глаза и черные волосы. Когда он улыбался, все женщины в баре готовы были тут же, подбодрив себя бокалом шампанского, выскочить на сцену и исполнить танцевальный номер со стриптизом.

Но улыбался он в тот день редко. Причину его тайной грусти Ксения так и не узнала. Позже Герман бывал с ней откровенен только по некоторым незначительным фактам своей биографии, как-то: родился в Сочи, учился в обычной школе, потом работал спасателем на пляже. Ксения так поняла, что заработанных летом денег ему хватало на всю осень, зиму и половину весны. До нового наплыва отдыхающих. Спасение утопающих... и так далее.

Да и после того как Герман закончил школу, прошло уже девять лет! Неужели же все они прошли на сочинском пляже? Это был первый бой-френд, который оказался младше Евгении, но тут уж она не смогла устоять. Стесняться Женя Князева не привыкла. Сказав свое знаменитое: «Этот», — она пошла прямиком к столику, за которым с большим бокалом светлого пива сидел задумчивый зеленоглазый юноша. Конечно, в приглушенном освещении бара цвет его глаз невозможно было определить точно, но то, что он не «мальчик-лапочка», было понятно еще тогда. В романтических мелодрамах Герман мог бы играть только злодея-обольстителя, который вызывает у зрительниц тайную дрожь обожания, несмотря на замысел режиссера, навязывающего общественному мнению жутко отрицательный персонаж.

Возможно, он и в жизни был злодеем, но Ксения потащилась за подругой, мгновенно сообразив, что завтрак придется готовить снова на троих. Именно на нее Герман и посмотрел с интересом, проигнорировав Евгению Князеву. А та спокойно присела рядом с ним, указав Ксении ее место:

— Черри, сядь здесь.

Это чтобы он сразу понял, кто за все платит. Герман отбил мяч на лету:

— А ты кто? Богатая дочка богатых родителей или сама по себе?

Такими ударами пробить Женю Князеву было невозможно. Она была не звезда, но крепкая профессионалка:

— Я не только сама по себе. Я еще имею привычку хорошо оплачивать услуги тех, кто придется по мне.

И задумчивый Герман повертел в руках почти пустой бокал со светлым пивом:

— Мне ночевать негде.

— А за пиво ты заплатил? — спросила Женя.

И Герман рассмеялся:

— Да, но от стаканчика чего-нибудь покрепче не отказался бы.

И они друг друга прекрасно поняли. Женя догадалась, что деньги, потраченные только что Германом в баре, у него последние. И ночевать ему негде, кроме как на вокзале. Но не хочется. Следовательно, он продается. Или сдается внаем. Это уж как кто понимает. И она тут же достала тугой кошелек, чтобы сделать заказ.

Из бара они ушли втроем, и уже на улице, увидев машину новой приятельницы, Герман еще раз улыбнулся:

— Не знаю, кому из нас больше повезло.

Ксения поняла только, что не ей. Потому что в тот вечер она выиграла не только его внимание к собственной персоне, но и ревность подруги. Ревность тем более непонятную, что о ней и бывшем ее муже Женя Князева говорила совершенно спокойно.

0 : 30

— Черри? Проходи, сокровище мое, не стесняйся!

Герман посторонился, ровно настолько, чтобы, проходя мимо, Ксения почувствовала его запах, его тело. У него всегда были скверные манеры. Ксения замялась в прихожей. Прислушалась к звукам, доносящимся из квартиры.

— Может, я не вовремя?

— Да брось'

Герман подтолкнул ее в сторону спальни. Ксения прекрасно знала расположение комнат в квартире приятельницы. Интересно, они уже легли, или еще не вставали?

— Герман, я не...

И уже знакомый женский голос из спальни:

— Герман! Кто там?

— Давай, давай!

Он выдвинул Ксению прямо туда, в удушливое облако крепких духов и звуков томной музыки, должно быть располагающих к... Ксению передернуло, потому что приятельница лежала в смятых простынях и курила. Ее алое белье застыло на растерзанном смелыми ласками теле кровавыми рубцами. Ксения подумала об этом, ей отчего-то стало вдруг противно.

— Может, присоединишься? — где-то за спиной ухмыльнулся Герман. — Тебе не привыкать.

— Чем ты еще успел с ней поделиться? — огрызнулась Ксения. — Кроме своего щедрого тела и подробностей последнего года жизни?

Герман рассмеялся. Ксении показалось, что они с приятельницей немного выпили. А может, и накурились? В Германе Ксения подозревала многие пороки. Этот последний год ее и его жизни неумолимо вел к развязке драмы, которая слишком уж затянулась. Никогда еще жизнь в кругу приближенных Евгении Князевой не была такой нервной. Из всех «шуриков» Герман был самым самостоятельным. Он знал себе цену. И не давал подруге ее занижать. Иногда они сходились насмерть в словесных баталиях, и Ксения часто думала: «Или он сейчас придушит Женечку, или она выставит его вон».

Женя обычно отступала первой и потом говорила подруге:

— Трудный случай в практике.

Та спрашивала с надеждой:

— Что, этот парень тебе не по зубам?

— Он здорово натаскался бегать за мячом по всему корту. Его не загоняешь. Учителя, видно, хорошие были. Вернее, учительницы. Он все равно сам по себе, понимаешь? Видно, что парень нигде не работал и работать не умеет. Но деньги у него всегда были.

— Ну, ты же у него не первая...

— Б... — смело закончила Женя мысль близкой подруги. — Не то. Он не умеет зависеть от женщины. Он живет со мной... А черт его знает, зачем он со мной живет!

— Выгони, — подсказывала Ксения.

— Я хочу его понять. Тебе он ничего не рассказывал?

— Нет, — врала Ксения.

— Черри, а он не предлагал... Нет, не то. Он тебе нравится?

— Так же, как и другим женщинам, — пожала она плечами. В самом деле: странный вопрос. Кто ж может совладать с дрожью тайного обожания? И добавила на всякий случай: — Не больше.

— Но и не меньше. Ладно, продолжим. Любой матч рано или поздно подходит к своему концу.

— Да, но всегда можно сослаться на травму и отказаться.

— Оставь! Он всего лишь очередной «шурик».

Это имя Герман принимал со злой улыбкой. Как и все, что Женя заставляла для себя делать. Надо было видеть, с каким лицом он подавал ей чашку кофе или стакан сока! Как будто заранее всыпал туда яд. Стоило взглянуть ему в лицо, как пить уже не хотелось. Ксения вздрагивала, а подруга ничего, пила. Яда там не было.

На людях они первое время держались словно два голубка. Ксению настораживало только одно: Герман всегда отворачивался от телекамеры. Уходил в тень и, кроме того, запрещал себя фотографировать. Говорил, что ужасно не фотогеничен. Это была откровенная ложь: застывая, черты его красивого лица становились еще привлекательнее. Первое время Евгения не придавала этому значения. А потом поведение Германа и ее насторожило. Почему такой интересный парень не хочет покрасоваться на экранах? Почему его не прельщают фотографии в журналах? Однажды она насильно выставила Германа напоказ. Их засняли вместе, а после этого произошел жуткий скандал. Это и было начало разрыва. Герман перестал повиноваться совсем.

— Шурик, подай полотенце! — кричала Женя из ванной.

— Сама возьми! — слышала в ответ.

А потом Герман появлялся перед ней во всей красе, высокий, с крепкими, широкими плечами и высокими скулами, под смуглой кожей перекатываются желваки, руки нервно сжимаются в кулаки, а зубы стиснуты. И глаза от злости совсем зеленые, яркие, словно просветление на него вдруг находило:

— Я тебе не Шурик. Запомни!

Ксения сжималась от страха, а подруга только фыркала:

— Подумаешь! Только не думай, что я тебя боюсь!

И Ксения тащила Германа прочь, тщетно пытаясь разжать его пальцы с побелевшими костяшками. А потом слышала злое:

— Я ее ненавижу!

— Но как же так? — терялась Ксения.

— Ей все досталось даром. А если б, как меня, в веселую семейку, где папаша-пьяница и братец-наркоман? А мамочка надрывается с утра до ночи, устраивая быт богатым постояльцам. И то только летом, потому что зимой просто холодно. И жрать нечего.

— И ты?..

— Что я? Нет, я себя не продавал. Это они думали, что продавал. Но я не такой. Я сильный. Слушай, Черри, ты-то здесь как оказалась? — Герман всегда знал ее только как Черри. Никакой Ксении Вишняковой для него не существовало. И поэтому он спокойно говорил такие вещи: — Давай кинем ее? Ты и я. Мы классно устроимся. Ты красивая девушка, у нас с тобой будет свой маленький бизнес.

— Какой?

— А ты как думаешь?

— Я думаю, все это плохо кончится, Герман.

— Как бы ни кончилось. В принципе до нее я не был такой сволочью. В смысле не думал, что с такой силой захочу кого-нибудь убить. Просто так. Не за деньги, не из мести и не из ревности. Самое страшное — это захотеть убить просто так. Из тупого инстинкта, а не из каких-то там корыстных соображений. Зайти со спины, положить руки ей на горло, и...

В этот момент Ксения чувствовала на своем запястье его сжимающуюся руку и вскрикивала оттого, что боялась: вдруг тонкая кость сейчас хрустнет?

— Прости, — вытирал он со лба пот. — Ты-то здесь точно ни при чем, Черри.

Ксения разводила их тонко. Противостояние Германа и Жени Князевой не могло угаснуть, как огонь под проливным дождем. Даже всей воды на земле здесь бы не хватило. Она вздохнула с облегчением, когда подруга наконец указала Герману на дверь.

Ксения обрадовалась своей маленькой победе, потому что не поняла, как и почему это случилось на самом деле. Последнее объяснение состоялось без нее. Она пришла на площадку к последнему гейму, когда Женя уже имела матч-бол. Потому что победила она. Это было видно по лицу Германа, который молча собирал свои вещи.

— Когда я вернусь, чтобы тебя уже здесь не было, — сказала Женя, швырнув ему в лицо джинсы. — И ни одной из твоих мерзких вещей. Мразь. Черри, проследи.

Услышав, как хлопнула дверь, Ксения испуганно спросила:

— Что это с ней?

— Не знаю, — хмуро ответил Герман. — Черт, надо же, не подготовился! Не знаешь, где можно несколько дней пожить? Пока я сниму квартиру.

И Ксения послала его к своей приятельнице. И ошибочно засчитала себе выигранное очко.

0 : 40

Почему-то у Черри Герман отказывался брать хотя бы один гейм. Ксения долго пыталась понять причину этой симпатии. Герман говорил ей, что они очень похожи. Сходные биографии, родительская любовь, доставшаяся их старшим братьям, невозможность жить в отчем доме, бедность, которую оба хорошо знали.

— Ты мне как сестра, — отшучивался он.

Но сестру он оберегал бы, а не втягивал в свои игры. Как сейчас, например, когда затащил в чужую спальню.

— Я пришла по делу. — Ксения подошла к магнитофону и выключила его. Хоть одной интимной деталью меньше. Томная музыка захлебнулась на какой-то жалобной ноте. Словно оборванная гитарная струна дзинькнула и еще несколько секунд вибрировала, раздражая слух.

— А мы чем здесь заняты? — хихикнула приятельница.

— Ладно, успокойся! — нахмурился Герман. — Это ты, Черри, их сюда послала?

— Милицию? Я.

— Правильно. А позвонить перед этим не могла?

— Герман, я...

— Все очень вовремя. Хорошо, что я был готов.

— Ты что, знал, что Женю убили?!

— Глупо скрывать. Конечно знал. Я был на стадионе. А у меня весьма примечательная внешность. Какая-нибудь дура вахтерша обязательно вспомнит и заложит. Как же! «Та-а-акой кра-а-асивый ма-ла-адой человек!» — пропел он.

Приятельница опять глупо хихикнула, и Герман зло на нее зыркнул. Ксения давно поняла, что он не дурак. Не в смысле, что учен или чересчур образован, а в простом житейском смысле. Как добыть денег и не попасться. Как решить проблему с Евгенией Князевой и опять же не попасться.

— И тебе не арестовали? — удивилась Ксения.

— За что? За то, что пришел посмотреть теннисный матч с участием своей любовницы?

— Бывшей любовницы. Я сказала следователю, что вы расстались, — упавшим голосом пробормотала Ксения. — Прости.

— Ничего. Все знают, что милые бранятся — только тешатся. Так, что ли, Черри? Что ж тут такого, если я пошел мириться?

— Как это мириться, Герман? — поднялась на локте женщина в алом белье. — А я? Разве мы не вместе собирались в Париж? Я и Виталика к матери отправила.

— Дура! — не выдержал Герман. — Кто меня сейчас пустит в Париж? С меня взяли подписку о невыезде. Я сейчас как собака на коротком поводке. Щелкаю зубами рядом с заветным куском мяса, а дотянуться не могу. Что это за странное завещание, Черри?

— Тебе разве сказали? — удивилась она.

— Спросили, знаю ли я суть завещания, оставленного Евгенией Князевой. Ха, завещание! Но это же полная чушь, так?

— Почти. Все поделить между мною и тем «шуриком», который ее больше всех любил. Последнее именно я должна засвидетельствовать.

— А если это определить невозможно? — осторожно спросил Герман. — Что за величина такая призрачная — любовь?

«Да, он явно не дурак». Сразу уловил суть. Ксения была уверена, что следующий вопрос Германа будет о том, много ли на счету Евгении Князевой денег. Про трехкомнатную квартиру, дачу гараж и две машины он уже знал.

— Я тоже так думаю. Насчет того, что лучше будет все поделить, — сказала она.

— Между кем?

— Между вами всеми. Действительно, как и чем можно измерить любовь?

— А много нас всех было? — поинтересовался Герман.

— Шестеро.

— Черт побери! Где сейчас все эти «шурики»? Я даже предшественника своего не знаю!

— Я знаю. Почти всех... Герман, ты ее не убивал?

— Черри, это не имеет никакого значения. Думаешь, им будет легко это доказать? Ножом, в толпе.

Тухлое дело. А вдруг это был маньяк? Разозленный поклонник поверженной соперницы. Такое ведь бывало, а?

— Она же перед смертью сказала...

— Ах да! Тогда просто повезло, что нас шестеро. И один уже отпадает, потому что он убийца. Раз убил Женьку, значит — здорово ненавидел. Какое еще нужно доказательство, чтобы исключить его из списка наследников? Кстати, много у нее было денег?

— А тебе много надо?

— Ну, от половины всего я бы не отказался. А, Черри?

— Я подумаю.

— Я тоже.

— Знаете, я пойду, пожалуй.

— Иди, иди, — хихикнула приятельница. — Герман, ты проводишь? Только возвращайся быстрее. Я жутко хочу в Париж!

Когда они снова оказались в прихожей, Герман сморщился, словно от кислого, и тяжело вздохнул:

— О Господи! Почему ты не создал идеальных женщин?! Богатых, красивых и умных?

— По той же причине, что не создал и идеальных мужчин. Человек должен хоть чем-то оставаться недовольным.

— Черри, хочешь, я на тебе женюсь?

— На мне?

— Ну да. Тебе же только денег не хватает до идеала, так? А они у тебя скоро будут.

— У Жени есть мать.

— Где? Что-то я не припоминаю, — усмехнулся он.

— Она за границей. То ли в Италии, то ли в Испании. Вспомнила — в Италии. Потому что ее муж — итальянец. Вышла замуж за иностранца, познакомившись с ним на одном из теннисных турниров. А он миллионер.

— Тогда ей это наследство на хрен не нужно. — Он задумался, что-то про себя прикидывая, потом таинственно сказал: — Слушай, Черри, давай встретимся как-нибудь по-другому. Я чувствую, что тебе эта мымра приятельница тоже не очень нравится... Ты долго привыкаешь.

— К чему?

— К интересным отношениям. Долго Женька тебя ломала?

— Отстань!

— Хорошо. Где и когда?

— Я позвоню.

— Ты у нее в квартире живешь?

— Да.

— А мне нельзя?

— Хочешь, чтобы возникла версия, будто мы с тобой убили ее на пару?

— Ладно, тогда сам сниму квартиру.

— Это же дорого! Откуда у тебя деньги?

Герман рассмеялся. В скудном освещении прихожей глаза его были совсем не зеленые, а почти черные, как и блестящие, гладкие волосы. Улыбка же показалась Ксении не просто злой, а хищной. Охотиться он умел. И Женя Князева недаром насторожилась. Она упомянула как-то, что наводит справки.

— Откуда, Герман? — повторила Ксения.

— Разве Женька ничего не рассказывала? Не успела или не хотела? А впрочем, теперь уже без разницы. Вовремя ей ножичек-то в спину воткнулся.

— Не сам. Его воткнули.

— Слушай, поди сюда, — горячо зашептал он, потянув Ксению на себя. — Разве нам с тобой было плохо? Даже в ее присутствии? Дай я тебя хоть потрогаю...

— Герман! — раздался из спальной капризный голос. — Герман, ты где?

— Еще эта корова здесь! — Герман выругался.

— Это ее квартира, — напомнила Ксения.

— Ладно, проехали. Как только сниму хату — позвоню. Жди.

Он все-таки успел несколько раз ее поцеловать. Даже в этих торопливых поцелуях Герман умел показать себя всего. Ксения выскочила из квартиры, думая: «Да что они, с ума все сошли, что ли?» Ксения чувствовала себя так, будто за ней началась охота. Но она знала по крайней мере одного человека, который ни за что не будет себя вести так. Тот, четвертый, на котором споткнулась вчера. Самый симпатичный из всей шестерки. Не внешне, нет. Ксении почему-то казалось, что он единственный был среди «шуриков» человеком.

Брейк-пойнт

1 : 2

Только выйдя из подъезда, Ксения вспомнила, что времени уже много и на улице совсем темно. Глубокая осень, почти зима. Самое неприятное в году время, которое лучше пережить в тепле, под одеялом. В такое время неприятно жить, а вот умирать легко. Потому что и на земле, и под землей одинаково холодно... Ксения никак не могла согреться, стоя на автобусной остановке, и мрачные мысли сами собой лезли в голову.

«Давно уже пора одеться в зимнее», — подумала она. Ее тонкую куртку насквозь продувал холодный ноябрьский ветер.

Ксения не сомневалась, что ей звонили. Похоже, что с Германом у следователя ничего не вышло. Ну, был он на стадионе, и что? Любить теннис никто еще не запрещал.

Так и есть: звонил следователь. Едва Ксения добралась до дома и немного согрелась, выпив кофе, телефон вновь подал голос. Мягко и тихо, бывшая хозяйка не любила резких звуков. Дома она отдыхала.

— Ксения Максимовна?

— Да. Я вас узнала.

— Вы ничего не вспомнили?

— Нет.

— А адрес?

— Чей?

— Желательно все адреса и фамилии.

— Послушайте, я не поддерживала с ними никаких отношений.

— Не заставляйте меня вызывать вас к себе в кабинет.

— Хорошо. Записывайте. Единственный, кого я хорошо помню, потому что это было уже при мне. Но он-то уж точно Женю не убивал.

И Ксения без всяких сомнений отдала следователю того, кто был перед Германом. Этот роман в жизни Жени Князевой был самым странным и самым легким. Ксения так и не поняла, почему эти двое расстались. Никаких причин для этого не было. Женя потом говорила, что просто срок подошел. К тому же Ксения знала, что днем он на работе. И даже знала где. Но специально дала следователю домашний адрес, чтобы успеть раньше. Найти его первой, прямо с утра и предупредить. У Ксении был номер его сотового.

— Откуда? — сразу же поинтересовался он.

— Случайно узнала.

— В моей жизни не бывает таких случайностей.

— Ох ты Боже мой! Сама того не ведая позвонила по случайному номеру и попала к президенту! Прости. Нам просто срочно надо встретиться... Женю убили.

Пауза ничего не означала, он всегда был очень сдержан.

— А зачем нам с тобой встречаться? — услышала Ксения в телефонной трубке очень спокойный голос.

— Разве тебе не интересно, о чем спрашивала милиция? И потом... это странное завещание.

— А, завещание! Совсем забыл. А его ведь писали при мне. Спасибо, что позвонила, но...

— Давай просто пообедаем вместе. Лень для себя одной готовить.

— Тебе лень готовить, Черри? Тогда чем же ты занимаешься?

Он не просто был равнодушен к ней, а, похоже, даже недолюбливал. Считал глупой или пустой. Ксения помнила, что он ее почти не замечал. И вдруг рассердилась.

— Когда у тебя обеденный перерыв? Говори, где мы встретимся.

Он назвал адрес. Знакомое обоим заведение, где подавали неплохую пиццу. И не слишком дешевую.

— Ты что, разбогател? — удивилась она.

Он не ответил, сразу же повесил трубку. Похоже, перспектива разделить с Ксенией наследство Евгении Князевой его не заинтересовала. Как и совместный обед.

И Ксения неожиданно для себя расплакалась. Ксения знала, что по сути своей она — существо никчемное. Не приспособленное к жизни. До сих пор не нашла себя, да и не желала искать. После смерти подруги оказалось, что ей нечем занять себя, совершенно нечем заполнить время. А тут еще этот с вечным укором в золотых глазах. Всегда почему-то считал, что имеет право напомнить о ее никчемности. Но Ксения не испытывала к нему неприязни. Ведь он прав!

И она, громко всхлипнув, набрала еще один номер.

— Генка, ты? Мне плохо, Генка... Женю убили.

— Да?

Сквозь слезы Ксения не поняла, насколько искренне он удивился. Да и не хотела понимать. Подозревать Генку — это подло. Он был единственным другом Ксении те несколько лет, что она колесила по миру с подругой, изредка возвращаясь в Москву.

— Генка, поговори со мной.

— Сейчас? По телефону?

— Нет. Я всего боюсь.

— Боишься, что...

— Да.

— Тогда где? У меня?

— А можно? Ты еще один?

— Нет, я женился, Черри. Понимаешь, как-то все вышло неожиданно.

— Любовь, да?

— И это тоже. Но моя жена не ревнива. Ты приходи. Посидим, чаю попьем.

— Ладно. Завтра вечером, да? Ты работаешь?

— Конечно. Все там же. Кто ж будет меня кормить? А теперь еще и молодую жену. Давай, Черри, жду.

Генка женился! Ксении стало немного грустно. Но ведь они всегда были просто друзьями, если действительно существует дружба в отношениях между мужчиной и женщиной. И ничто не мешает разнополым друзьям друг друга утешить. Никакой эротики, даже немного скучно. Но когда между ними появляется кто-то третий, это все равно неприятно. Вдруг жена какая-то...

Вообще же Ксения сочла этот день удачным. Те дни, когда не случалось чего-нибудь ужасного, казались ей удачными. С некоторых пор она умела ценить затишье. Когда ничего не случается, завтрак, обед и ужин появляются на столе в положенное время, автобусы и электрички идут по расписанию, а это тоже маленькая победа.

Гейм четвертый

15 : 0

Ксения всегда знала, что можно с легкостью проиграть и на своей подаче. Только Герман мог подарить ей гейм на своей, потому что чувствовал себя намного сильнее и знал, что в итоге все равно победит. Герман к женщинам относился снисходительно, не считая их достойными противниками. Недаром и пришел на стадион в тот день, когда убили Евгению Князеву. Вернулся, чтобы сыграть матч-реванш, потому что не мог спокойно позволить женщине выставить себя за дверь.

Но тот человек, к которому Ксения шла сегодня, никаких поблажек ей делать не собирался. Между ним и Черри всегда существовала скрытая неприязнь. И начиналось все странно, и закончилось так же. Она прекрасно помнила тот день: июнь, запахи первых цветов, удивительно жаркая для начала лета погода и — болезненная раздражительность Жени. Подруга собиралась во Францию, на крупный турнир, в котором не надеялась пройти даже во второй круг.

— Не могу, не могу, не могу... — твердила она, проклиная свой резко упавший за последний год рейтинг.

У Жени сильно болело колено, и она пропустила уже несколько турниров подряд. Все говорили, что ее карьера близится к закату. Травмы одна за другой, вялая, скучная игра. А всего-то двадцать пять! Но какие подросли девчонки — уверенные, мощные, неутомимые, цепкие и не жалеющие себя! Женя не выносила их напора и ломалась мгновенно.

И дело было не в травмированном колене. Женечка Князева не могла понять, почему одного ее бесспорного таланта мало для победы. Почему надо потеть и пахать. Ездить по турнирам и снова пахать. Потом снова ездить. Больше всего на свете Женя любила свою московскую квартиру, ее удобства, стряпню подруги и поклонение людей, которым и ее скромный успех казался грандиозным. К черту бесконечные гостиницы!

Но самое смешное, что именно Ксению беспокоило — во Францию подруга поедет без бой-френда. Вот уже три месяца Ксения жила в ее квартире, а мужчина там так и не появился. Давно уже выветрился из кухни запах дорогого мужского одеколона и крепких сигарет.

— Ты не представляешь, что это такое! — говорила она подруге, все больше и больше нервничая. — От мужика должно пахнуть мужиком. Когда я подхожу к нему совсем близко, то меня тянет именно этот запах, эта смесь парфюмерии и табака. С ума сойти! Я, кажется, чувствую себя больной.

— Ты ненормальная, — вздыхала Ксения.

— Нет, Черри, не думай, мне хорошо с тобой. Но в этом доме чего-то не хватает.

— Яблока раздора, — усмехалась Ксения, вспоминая своего бывшего мужа.

И все же непонятная пауза, которую обе почему-то боялись прервать, тянулась и тянулась. А потом наступил тот июньский день, буквально накануне отъезда. Все время до шести часов вечера Женя провела на стадионе. Работала как никогда и себя не жалела.

«Ах, если бы всегда так! — вздыхала Ксения, сидя на трибуне. — Если б всегда!»

А вечером они потащились в небольшой и недорогой ресторанчик. Ксения поняла, что началась охота. Когда подруга опускалась до низкопробных заведений, это значило, что она рассчитывает именно на их контингент. Мужской стриптиз в дорогих ресторанах ее не привлекал. Подругу коробило от такой откровенной купли-продажи. Она хотела думать, что все происходит по взаимной симпатии мужчины и женщины, просто один случайно беден, а другая так же случайно — богата. Стечение обстоятельств, не более. И еще Жене Князевой хотелось побеждать, а не брать то, что уже успели сломать и переделать под себя другие.

Когда этот парень спустился в маленький зал, Ксения даже вздрогнула: ей показалось на минуту, что пришел ее бывший муж. Такие же светлые, чуть волнистые волосы, темные глаза, породистое тело. Именно породистое, потому что и ступни, и кисти рук тонкие, а бедра узкие. Но плечи широкие, торс хорошо развит, а ловкие движения выдают хорошего спортсмена. Когда человек отлично владеет собственным телом, это сразу заметно. Чтобы тело так слушалось, надо ежедневно заново узнавать каждую мышцу.

Подруга тоже вздрогнула, но тут же обе облегченно вздохнули:

— Не он!

Ксения почувствовала, как ее соседка вся подобралась. Действительно, больше смотреть в этом зальчике было не на кого. А парень словно нарочно сел так, чтобы его было хорошо видно обеим. Сделал заказ и расположился за столиком с таким видом, что девушкам стало понятно: никуда не спешит. Согласно сценарию, должен был последовать знаменитый кивок:

— Этот.

Но она почему-то медлила. «Неужели потому, что он так похож на моего бывшего?» — гадала Ксения. И вдруг услышала жаркий шепот подруги:

— Черри! Ты не знаешь, кто это?

— Откуда? Понятия не имею!

— А разве сегодня не он был на стадионе? Кажется, он... Галлюцинации у меня, что ли?

— Все красивые люди, в сущности, похожи. Вот уродливые — те разные. А красивые...

— Мне кажется, что я вижу его не в первый раз. Понимаешь, Черри. Это мой фантом. Появляется в определенные моменты жизни. Я его замечаю, но боюсь подойти.

— Глупостей только не говори. Это мужчина. Интересный, между прочим.

— Это само собой. Но где же я его видела? На стадионе? На каком-то турнире за границей? Берлин?.. Лондон?.. Бирмингем?..

— Да ты посмотри на него, Женя! Какой Берлин? Какой Лондон?

— Неправда, он хорошо одет.

— Женя, нельзя так нервничать. Совсем себя довела. Ну, хочешь, я сама к нему подойду? Хотя бы потрогаю, узнаю, что теплый, живой.

— Нет!

— Ну как хочешь. — Ксения тайком вздохнула с облегчением. Что-то в этом парне нервировало и ее. Она его не знала, и никогда раньше не замечала рядом с Женей, но кожей чувствовала, что он какой-то свой.

Подруга, видимо, приняла решение и перестала дрожать.

— Знаешь, Черри, я все больше прихожу к мысли, что все это глупо. Мои игрушки. Ведь это не любовь. А хочется...

— Тогда не спеши. Пойдем?

— Да, пожалуй.

— В Париж поедем вдвоем? Ты и я?

— Ох, и пойдут же сплетни! И пусть! — И подруга достала из сумочки кошелек, чтобы расплатиться с официантом.

Ксения облегченно вздохнула: как хорошо, что этот парень останется сидеть за своим столиком, а они с Женей сядут сейчас в машину, и за окнами замелькает такая знакомая и родная вечерняя Москва! Как хорошо!

15 : 15

Он поднялся первым, немного опережая подруг. Официанта не подозвал, просто достал из кармана пачку сигарет и всем корпусом развернулся в сторону Жени Князевой:

— Извините, зажигалки у вас не найдется?

На каждом столике в резных чугунных чашечках цветков горели розовые свечи.

Ксения растерялась от такой откровенной провокации, а Женя, не долго думая, схватила со своего столика подсвечник:

— Подойдет?

Он рассмеялся. Ксения сразу же отметила немного сколотый левый клык. У ее бывшего мужа зубы были идеальные. И вообще, вблизи сходство было не столь разительным. Глаза у этого парня тоже были темные, но гораздо больше, а скулы не такие высокие. В его глаза, похожие на два маленьких солнца, Ксения смотрела с опаской.

— Конечно, я искал повод, — все так же смеясь, сказал он. В его улыбке и сколотом левом клыке была какая-то заманивающая чертовщинка.

И Женя Князева тут же подвинулась:

— Садись.

— Уходить собирались?

— Да, пора.

— Так, может, вместе?

— Что, за ужин нечем заплатить? — понимающе усмехнулась Женя.

— Ну, если женщина просит.

Он с первых же минут странным образом отдал инициативу ей. Казалось, знал и сценарий, и все правила игры. Ксения почему-то была уверена, что деньги у парня есть. Но за ужин, и свой, и его, заплатила Женя Князева. Потом поднялась из-за столика и пошла вперед, уверенная, что оба следуют за ней.

На улице он совершенно неожиданно достал из кармана ключи от машины. Небрежно спросил:

— Куда едем?

— Что, приятель спихнул старого «Жигуленка» за пятьсот баксов? Девушек решил покатать? — прищурилась Женя.

— А что?

— Бросай свою тачку и двигай в мою машину. Прокачу с ветерком.

— Нет, я так не могу. А с моей что?

— Кто позарится на твою жестянку?

— Пять секунд, да? — Он все-таки решил поручить кому-то свою машину. Чуть ли не бегом двинулся за угол.

Ксения тут же сказала подруге:

— Уйдем?

— Да ты что? — возмутилась она. — По-моему, он — прелесть.

— А как насчет фантома?

— Показалось. Нервы, нервы. Мерещится черт знает что. Хорош, правда?

— И ты его раньше никогда не видела?

— Видела, не видела — какая разница? Он мне нравится. Точка. Пойди посмотри, где там его консервная банка? Что-то парень долго копается.

Ксения завернула за тот же угол. Почему-то не в открытую, а тихонько, чтобы не привлекать внимания. Только что «снятый» подругой парень захлопнул дверцу машины и кивнул сидящему за рулем мужику:

— Поезжай!

То, что тут же отъехало с платной стоянки после его слов, нельзя было назвать консервной банкой. И стоила эта «жестянка» не пятьсот баксов. Насколько Ксения разбиралась в машинах, значок на бампере означал марку «Тойота». У Жени тоже была когда-то такая машина, только классом похуже. И подруга все время жаловалась на дороговизну запчастей к «японкам».

Ксения бросилась прочь, стараясь избавиться от глупых мыслей. Кто он такой? За ужин платить не хочет, а на дорогой машине ездит. Угнал? Взял у приятеля? Почему-то, вернувшись к Жене, она ничего подруге не сказала. А вскоре подошел и он. Женя достала ключи от своей машины. Подошла к ней, открыла переднюю дверцу:

— Ну как? Отличается?

— Сильно, — сказал парень, залезая в салон. В его собственной, только что уехавшей машине, было заметно просторнее.

Ксения понимала, что надо было все сказать еще тогда. Что он не похож на всех предыдущих, что никакой он не альфонс и нет у него особой нужды жить в квартире у Евгении Князевой. Они с подругой вскоре выяснили, что он москвич, имеет свою двухкомнатную квартиру, где прописан один, и даже как-то заезжали туда. Поэтому Ксения и запомнила адрес. Хорошая, между прочим, квартира. Но тем не менее он сразу же поселился у своей новой подруги, и во Францию они все-таки поехали втроем.

0 : 30

Женя Князева никогда не подвергала своих бойфрендов жесткому контролю. Само собой подразумевалось, что ей не изменяют. За полный пансион и заграничные вояжи она могла на время стать для своего избранника самой идеальной из всех существующих на земле женщин. Насколько Ксения знала, никто из «шуриков» не тяготился бездельем и бесконечным зеванием на трибунах, пока Женя Князева бегала как безумная по всему корту за мячом.

Этот не зевал, на игру смотрел с интересом, но бездельем явно тяготился. Вскоре он начал исчезать из квартиры, сначала ненадолго, а потом и с утра до позднего вечера. То же самое происходило за границей. Обязательным было только присутствие на матчах, и то Ксения иногда ловила себя на мысли, что не видит его на трибунах. Только что был — и вдруг исчез. Понятно, что самой Жене там, на корте, было не до него. И на трибуны смотреть некогда. Надо думать, искать ключи к победе, переживать каждый проигранный мяч. Но Ксения по сторонам смотрела всегда. Чтобы понять, как дела у подруги и есть ли шанс. Сама она разбиралась в теннисе не настолько хорошо, чтобы видеть все эти скрытые гейм- и матч-болы, когда очко вроде бы и проиграно, но инициатива не на стороне того, кто его взял. И, глядя на соседние кресла, Ксения часто думала: «Где он?»

Через некоторое время тот же вопрос все чаще начала задавать и Женя.

— Где был?

— Дела, — коротко отмахивался «шурик».

— Я — твое главное дело. Понял?

— Само собой. В любое время. Но друг от друга надо отдыхать, верно?

Должно быть благодаря своим постоянным ежедневным исчезновениям этот «шурик» протянул дольше других. Подруга видела его почти каждый день, но слишком мало для того, чтобы понять. Ксения намекала подруге, что ее парень непрост. Но та только отмахивалась:

— У меня такое ощущение, что он мне не изменяет.

— Да откуда ты знаешь?! — возмущалась Ксения.

— Понятия не имею. Знаю, и все. И вообще у меня сложилось впечатление, что мы с Сашей давно уже состоим в законном браке. Живем, словно муж с женой. Видимся вечерами, днем у каждого свои дела. Я работаю, он работает.

— Ты думаешь, он на работу бегает?

— Ну да.

— А за границей куда?

— Не знаю. Понятно же, что рано или поздно наши отношения завершатся. Если за ним останется место на фирме, что ж тут такого?

— Почему же он не оставит тебе рабочий телефон? Почему берет у тебя деньги?

— Не знаю.

— А тебе не кажется, что он прикрывается тобой, как щитом?

— Кто ж он на самом деле?

— А ты выясни.

— Не хочу.

— Тебе с ним хорошо?

— Спокойно.

И Ксения со стыдом прислушивалась к звукам, доносящимся ночью из спальни. *Впервые в жизни ее это интересовало.* Странные ощущения, берущиеся откуда-то из подсознания. Она ловила себя на мысли, что никак не может вспомнить что-то очень важное. Под слоями бесполезных воспоминаний таился островок света, который был ко всему ключом. И звуки за стенкой являлись тем кодом, который зашифровывал путь к заветному островку. Она не спала ночами. Она мучилась, пытаясь понять, что скрывается за каждым стоном и скрипом. Она представляла себе, что они могут делать там, в спальне. Как все происходит? И не могла понять, почему ее это интересует.

А между тем он питал к живущей в доме девушке заметную неприязнь. Поначалу старался ее не замечать. Ксению это обижало, и она пыталась поговорить откровенно:

— Я тебе что, мешаю?

— Да.

— Ты же дома бываешь редко.

— А почему ты дома не бываешь совсем?

— Как это не бываю? — пугалась она.

— Ну, где-то же есть у тебя дом? Это чужая квартира, пойми. Кто ты здесь? Домашнее животное? Приживалка?

— Я ее подруга.

— Настоящая дружба — это прежде всего равноправие. А не когда один дает, а другой берет.

— Ну что, что тебе так во мне не нравится?

— Все. И твоя птичья кличка, и твой характер, и твоя внешность. Все.

— Нормальная внешность, — совсем уже обижалась Ксения и в слезах бежала к подруге: — Мне уйти?

Кончилось тем, что ушел он. А до этого Ксения долгое время не могла понять, почему постоянно ловит его на вранье, но не выдает. Так, однажды ночью, прослушав очередную серенаду стонов и вздохов, она спряталась в ванной и целый час плакала там. Тихонечко, чтобы никто не слышал. А потом так же на цыпочках вышла. Женя должна была давно уже спать. После того как ее организм получал долгожданную разрядку, подруга отключалась мгновенно. И Ксения очень удивилась, увидев, что на кухне горит свет.

Он был там, разговаривал по телефону. По сотовому, хотя Ксения знала, что никакого телефона ему не дарили. Подруга собиралась сделать это на какой-нибудь из праздников. У нее была сложившаяся система подарков. Единая для всех. Стоимость последнего подарка зависела от того, сколько протянул бой-френд. Насколько Ксения помнила, сотовый телефон следовал сразу за именным портсигаром. С вензелями Евгении Князевой и нежными надписями. После, но никак не до. Портсигар у «шурика» уже был. Ксения сама относила недавно заказ гравировщику на все эти глупости.

Значит, это был его личный сотовый телефон, где-то спрятанный до того момента, когда можно было им пользоваться. Почему не воспользоваться аппаратом в квартире? Тогда придут счета, если звонок междугородний. Следовательно, он не хотел, чтобы женщины знали, куда идут звонки. И Ксения, пригнувшись, нырнула в коридор, чтобы никто не догадался, что она не спит. Пусть сами разбираются.

Первый брейк-пойнт

75 : 40

Ксения боялась заходить в такие офисы. Ничего сомнительного и дешевого не могло размещаться там, где за солидными металлическими дверями наверняка сидела охрана. Шикарно отремонтированный лифт, плавно скользящий между этажами офисов и дорогих магазинов, везде только импортные отделочные материалы. Респектабельность, стерильная чистота, и за всем — деньги, деньги, деньги...

Номер его сотового Ксения узнала случайно, ночью стащив из забытого на столе портмоне визитную карточку. Там было указано название фирмы, адрес и телефон. И его имя и отчество, без указания занимаемой должности. А на обратной стороне от руки записан номер сотового, по которому она и позвонила. И не ошиблась. Зачем без толку беспокоить секретарей? Вскоре после похищения Ксенией визитки подруга с ним рассталась, и объясняться по поводу ее бывшего бой-френда смысла не имело. Все и так было кончено.

Теперь Ксения все же решила заехать к нему на работу, навести справки. Долго стояла перед дверями, не решаясь нажать на кнопку звонка. Прикинуться клиенткой, что ли? А чем они торгуют? Может, работают с организациями, а не с частными лицами?

Сразу же после звонка ей открыл дверь высокий, крепкий парень в камуфляжной форме:

— Вы к кому, девушка?

— Мне нужен Звягин.

— Звягин?

Охранник явно замялся, потом оглянулся на секретаршу, сидевшую за его спиной перед монитором и разглядывающую длинные, отливающие металлом ногти.

— Здесь Звягина спрашивают.

— Просто Звягина? — хмыкнула девушка. — А кто спрашивает?

— Я. — Ксения нерешительно выглянула из-за широкой спины.

— Подойдите.

Ксения замерла перед ее столом. Совершенно непонятно, почему в таких местах ее охватывает робость и даже слегка подташнивает. От страха, не иначе. Но чего бояться?

— Вы по какому вопросу?

— По личному.

— По личному? К Звягину? — Девушка вытянулась струной за своим столом.

— А что тут такого?

— А какой именно Звягин вам нужен?

— Менеджер.

— Девушка, вы что-то путаете. У нас два Звягиных, но среди них нет ни одного менеджера.

— Ну хорошо, дайте мне взглянуть на обоих.

И секретарша и охранник переглянулись и скептически хмыкнули. Девушка с металлическими ногтями надменно уронила:

— Не думаю, что это возможно. Николай Кириллович сейчас очень занят. Это заместитель директора. А что касается второго Звягина...

— К нему можно пройти?

— Его нет. — Секретарша даже из-за стола приподнялась, чтобы перекрыть Ксении проход к внутренней двери. Похожее движение сделал и охранник. — И вообще вы не туда попали. Мы не работаем с частными лицами.

— Он что, вышел? — продолжала настаивать Ксения, набравшись мужества.

— Вы ошиблись. Пожалуйста, покиньте помещение.

Ксения оглянулась и поняла, что лучше уйти. Ничего она здесь не узнает.

Уже зайдя в лифт, она поняла, что охранник очень хорошо запомнил ее лицо. Такими цепкими взглядами мгновенно фиксируют облик людей нежелательных, которым вход навсегда закрыт. Но что она такого сделала?!

...Он сидел за столиком, еще не сделав заказ. Смотрел на часы и хмурился. Лицо его как-то поблекло с тех пор, как они виделись в последний раз. Но глаза по-прежнему напоминали два маленьких золотистых солнца.

— Опаздываешь. Тебе какую пиццу?

— С грибами.

Он подозвал официанта и, естественно, себе заказал совсем другое. Ксения опять остро почувствовала это противопоставление: она помнила, как он любит грибы. Сама готовила не раз и замечала, что еда нравится.

— Милиция у тебя еще не была? — сразу спросила она.

— Где?

— В офисе.

Он только плечами пожал, и Ксения догадалась, что и следователь получит тот же ответ, что и она сегодня, если попытается установить место его работы.

— Послушай, Черри. — Он поморщился, выговаривая это имя, и Ксения почувствовала, что проиграет. Она не могла пробиться через эту странную неприязнь, плотную и надежную, как уверенная оборона на задней линии. — Черри, я не понимаю, зачем я тебе нужен.

— А завещание? Разве ты не помнишь его условия?

— Меня это не интересует. Глупая шутка. Мы все были слегка на взводе, разве не помнишь?

— Да. Теперь очень хорошо помню, что это было при тебе. Ты единственный знал. Это мотив, между прочим.

— Что? Деньги? Да пошли бы они. У меня нет особого желания видеть ни тебя, ни милицию. Конечно, я с ними объяснюсь.

— Что, алиби есть?

— Найдется. Какой это был день?

— Позавчера. Днем.

— Тем более. А ты как? На что жить собираешься?

— Работу хочешь предложить?

— Нет. Не хочу. Толку от тебя. Знаешь, а ты сама во всем виновата.

— В чем это?

— В своей глупой, никчемной жизни. Никогда не мог тебя понять. Зачем нужны такие люди? А потом мы удивляемся, почему не хватает тем, кто хоть что-то делает — руками, головой. Просто процент таких, как ты, слишком велик. А вам всем кушать хочется. Тряпки эти дорогие носить. — Он брезгливо ткнул пальцем в ее сторону.

Ксения покраснела. Она же никогда и ничего для себя не просила! У него тем более. Ну за что? И разве играть в теннис — это работа? От нее-то людям какая польза?

— Ты злой.

— Скажи еще — противный. Господи, какая тоска! Ну так это все, или у тебя ко мне еще что-то?

— Я тебе аппетит, что ли, порчу?

— Когда я голоден, мне ничто не испортит аппетит.

Минут десять они ели молча. Он и на самом деле был голоден, а Ксения просто хотела чем-то себя занять. Есть ей не хотелось. Что бы такое ему сказать, чтобы перестал говорить такие злые и обидные вещи? И Ксения заявила:

— Я найду того, кто ее убил. Вот.

Он перестал жевать. Два золотистых маленьких солнца выбросили в ее сторону миллион градусов раскаленной плазмы:

— Ты что, девочка Черри?!

Двойная ошибка

30 : 40

— Ты ее тоже ненавидел, да?

— Интересная мысль. — Он стал уже неторопливо приканчивать свою пиццу с колбасой салями.

Ксения вдруг вспомнила, что они никогда не говорили откровенно. Как с Германом, например, или как с тайным другом Генкой.

Все правильно: все люди разные. Одни ненавидят явно, а другие тайно. Отношения между этим «шуриком» и Женей Князевой всегда были ровными. И в самом деле похожими на законный брак. Он строил их ненавязчиво, но прочно. Словно приучал свою девушку к мысли, что будет с ней всегда. Прошло уже больше года, когда Женя была шокирована предложением официально оформить отношения.

— Я?! Замуж?!

Но он опять-таки сделал вид, что ничего не произошло. Нет так нет. А Женя еще несколько месяцев тянула потом с окончательным разрывом.

— Что со мной? — спрашивала она Ксению. — Черри, что? Все сроки вышли.

— Быть может, ты его просто любишь?

— Я не знаю, что это такое. Вернее, помню, но смутно. Я же тебе рассказывала, помнишь?

— Женя, это же было в детстве!

— А все берется из детства. И любовь, и ненависть. Если ты в детском садике возненавидел манную кашку с комочками, то даже под старость ее в тебя не вотрешь. Не замечала, как часто мы рассказываем о своем детстве? Своим любимым, друзьям и просто знакомым. Как хотим в него вернуться, приезжаем в те места, где оно проходило? Последнее время я без конца пытаюсь что-то вспомнить. Что-то очень важное. Оно вроде бы проходит мимо, а я не пойму что. А, Черри?

— Я не знаю, что тебе посоветовать.

— Да что ты вообще можешь знать!

...Когда Женя наконец очень мирно предложила ему расстаться, внешне он принял это очень спокойно.

— Я тебя чем-то не устраиваю?

— Все нормально. Просто у нас разные пути. В жизни.

— Ты так считаешь? Что ж...

Он собрал свои вещи и ушел. А теперь на вопрос о том, ненавидел ли он Евгению Князеву, ответил безразличным тоном:

— Интересная мысль.

— А может, ты ее любил? — высказалась Ксения.

— А эта мысль еще интереснее. — Он подцепил пластмассовой вилочкой кусок салями с пиццы, рассмотрел его на свет и брезгливо отложил в сторону.

— Надо было заказать с грибами, — не удержалась Ксения.

— Что?..

— Ничего. Так, может, это с тобой я должна разделить ее деньги?

— Еще раз повторяю: мне это не интересно.

— Ну, хорошо, — сдалась она. — Тогда скажи, не знаешь ли ты случайно имена и адреса ее предыдущих... Ну, «шуриков»?

Он нисколько не обиделся. Допил сок и сказал:

— Случайно знаю.

— Откуда?!

— Она обожала рассказывать о своих мужчинах. Тут она была просто болтлива. Естественно, что я знаю и первого, и второго, и третьего...

— Дальше не надо. Первый кто?

— Некий Владимир Попов. Домашний адрес не знаю, а место работы скажу. Записывай. — Ксения записала, а он продолжал: — Второго звали Анатолий. Здесь история интересней.

— Такой симпатичный брюнет?.. Видела летом, на подмосковном пляже. Что ты так смотришь? Он с Женей туда приезжал. Тоже известно место работы?

— Нет. Он часто ее меняет. И живет в общежитии... Не думаю, что он успел переехать. Записывай.

И Ксения сделала еще одну пометку в своем блокнотике.

— А третий...

— Спасибо, не надо.

— Тогда четвертый? — усмехнулся он. Оба поняли друг друга.

— Откуда знаешь? — спросила Ксения.

— Потому что мы разминулись всего лишь на три месяца. Эти воспоминания у Женечки были самыми свежими.

— Ты мне очень помог, спасибо.

— Вежливая девочка Черри. Это все?

— Да. Значит, тебе не звонить, если прояснится вопрос с наследством?

— Ты всегда была туповата. Третий раз то же самое повторить? Или запомнила? Раздели мою долю на всех оставшихся. И не звони больше. Я так подозреваю, что кроме всего прочего ты занимаешься мелким воровством?

Ксения покраснела, догадавшись, что он намекает на украденную визитку.

— А ты знаешь, сколько раз я могла тебя выдать?

— В смысле?

— Твои исчезновения, ночные звонки, твоя дорогая машина. Помнишь, как ты поручил ее отогнать, когда познакомился с Женей? Я все видела. И не только это. Откуда у тебя были деньги?

— А вот это совсем не твое дело. Если появится необходимость, я все смогу объяснить. Но только не тебе.

— Следователю, да?

Он не ответил, тут же подозвал официанта. Ксения вытащила из сумочки свой кошелек.

— За себя я заплачу сама.

— Ее деньгами? Тоже мелкое воровство?

— А вот это уже не твое дело.

Они расстались не просто холодно, а очень холодно. Ксения привыкла к тому, что она мужчинам нравится, а этот поставил под сомнение ценность самого дорого, что у нее было: ее женской привлекательности. Оказывается, то, что человек из себя представляет в жизни, тоже имеет некоторую ценность. И никакое обаяние здесь не поможет. Она, Черри, бездельница, и все тут. И для чего надо было с ним встречаться?

Снова брейк-пойнт

2 : 2

Что бы ни случилось, он все равно вел в счете. Ксения так у него ничего и не выяснила. Очень уверенная защита, похожая на стену, от которой все просто отлетает. Хорошая, надежная игра. А вот взять и рассказать следователю про все его тайны. Чтобы выяснить, кто он такой и чем занимается. Или подождать?

И Ксения снова достала помятую визитную карточку. Может, секретарь на телефоне окажется сговорчивее?

Ей ответили мгновенно:

— Компания «Алекс и К°».

— Звягина можно?

— Какого Звягина?

— Не замдиректора. Менеджера.

Пауза в телефонной трубке. Потом неуверенное:

— Здесь таких нет.

— Он мне сам дал этот телефон.

— И как вас представить?

— Ксения Вишнякова.

— Минутку.

Она подождала, послушала музыку. Что за тайны, в самом деле? Потом та же девушка очень холодно сказала:

— Вы ошиблись. У нас такой не работает. Всего хорошего.

И по телефону не получилось. Не нанимать же частного детектива?

Ксения стояла в метро, неуверенно оглядываясь по сторонам — куда теперь? К Генке ехать еще рано, он на работе. А с его женой она не знакома. Очень интересно узнать, что за особа. Ксению снова охватило легкое раздражение — Генка женился.

Как убить время? Кому-то его катастрофически не хватает, а кто-то постоянно прислоняет к уху наручные часы: не стоят ли? За оставшееся до вечера время Ксения перепробовала кучу способов истребить неистребимое. Она съела мороженое, из интереса, а не потому, что очень хотела, посидела на лавочке в скверике, окончательно замерзнув, выпила чашечку кофе в маленьком баре и даже зашла в музей. Именно там ей вдруг пришла в голову дельная мысль — его квартира. Они ездили туда втроем. Вместе ходили, рассматривали только что отремонтированную ванную и кухню. Ксения тогда не могла отделаться от мысли, что происходит что-то странное. Она почему-то вспоминала себя в первые месяцы замужества, старую бабкину мебель, счастливое лицо мужа. Может быть, потому, что издалека эти двое были очень похожи?

«Надо бы туда съездить, — решила она. — Надо сделать так, чтобы он пустил меня в свою жизнь. Хотя бы выяснить, как он на самом деле относился к Жене».

А пока проигрыш. Обидный до слез. Почему же никогда не было к нему ненависти и такого простого желания: напакостить, поссорить с подругой или мелочно отомстить? И Ксения подумала, что напрасно раньше не ходила в музеи. Стоит лишний раз убедиться в том, что не все так бесследно уходит из жизни.

Дотянув кое-как до вечера, она спустилась в метро и набрала знакомый номер:

— Генка, это я. Ты уже пришел с работы?

— Черри, ты удивительна. Никто не умеет таким милым тоном задавать совершенно бесполезные вопросы. У тебя, должно быть, куча свободного времени?

— А у тебя найдется сейчас пара часов?
— Разумеется. Приезжай.
— Ты не один?
— Разумеется.
И она подумала, что уж на Генку грех обижаться. Он-то не будет с ней безжалостным и злым.

Гейм пятый

0 : 15

Она всегда считала, что имеет на Генку какие-то права. В шутку сватала ему невест, но все же надеялась, что Генка тайно вздыхает по ней. Ох уж это женское тщеславие! С первой минуты известно, что любви с этим мужчиной никакой не будет, но все равно хочется держать его при себе. И все потому, что он чертовски привлекателен.

Генка был профессиональным спортсменом. Теннисистом, как и Евгения Князева. Поняв к тридцати годам, что на собственной карьере можно поставить крест, он со спокойной совестью перешел на тренерскую работу. Тем более, что большой теннис вошел к этому времени в большую моду. За уроки у такого крепкого профессионала, как Геннадий Рюмин, толстосумы платили дорого. Ксения знала, что Генка не тщеславен. Чуточку больше усилий, больше нагрузки на мышцы и нервную систему, больше желание победить, но к чему все это? Большие победы оборачиваются впоследствии серьезными травмами, изношенными нервами и одиночеством, неизменным спутником успеха. Сначала на друзей просто нет времени, а потом это оказываются уже не те друзья.

А Геннадий Рюмин был человеком общительным. Больше всего на свете он не хотел, чтобы ему завидовали. И не хотел выигрывать у собственных друзей, когда жребий сводил с ними на корте в каком-нибудь важном матче. Поэтому и партнером для тех, кто платил деньги за игру, Генка был хорошим. Он умел проигрывать легко и никогда не ожесточаться. Пусть человек получит маленькую радость, жалко, что ли?

Именно Генку Ксения ни за что не хотела выдавать следователю. Пусть сами доискиваются. Она, Ксения, друзей не закладывает. Их и так не слишком много у застенчивой девушки с заниженной самооценкой. Ибо Ксения частенько вслух ругала себя дурехой. Вот и сейчас ругала и расстраивалась из-за того, что долго к Генке не заходила.

Высокий, под метр девяносто, плечистый с рыжими волосами, он был остер на язык и весьма неглуп. Подруга долго еще вспоминала его шуточки и жалела о том, что они не расстались друзьями, как принято говорить. Почему, этого Ксения не знала. Догадывалась, что Генка очень обиделся в тот вечер, когда, увидев Ксениного бывшего, Женя тут же дала ему отставку. И сама Ксения справедливо считала, что Генка достоин лучшего.

Тем более она удивилась, когда дверь ей открыла невзрачная особа невысокого роста, плотненькая, крепенькая, судя по развитой мускулатуре — спортсменка, но кроме как на эту самую мускулатуру смотреть там было не на что. Вздернутый носик, глазки мышиного цвета, на макушке жидкий хвостик, стянутый детской заколкой для волос. И вдруг эта непривлекательная девица улыбнулась и очень непринужденно сказала:

— Черри, да? А я Лида. Вы очень хорошенькая. Генка, к нам пришли!

Бывают женщины, на которых приятно смотреть, а бывают те, с которыми приятно общаться. И неизвестно, какие пользуются большим спросом у мужчин. Свою невзрачную жену Генка не называл иначе, как «Лидуша». И Лидуша носилась по маленькой квартирке с чашками и кофейником с не меньшим энтузиазмом, чем с теннисной ракеткой по корту. Ибо Ксения сразу же догадалась, где они с Генкой могли познакомиться. Профессиональных теннисистов она научилась определять сразу же.

— Тесновато у вас, — пожала плечами Ксения, проходя в комнату.

— Зато свое, — весело рассмеялся рыжий Генка. — Живы-здоровы будем, заработаем и на хоромы. Правда, Лидуша?

Лидуша согласно кивнула и снова понеслась на кухню. На этот раз за вазочкой с печеньем. Как всякая молодая хозяйка, она ценила любых гостей и старалась всем им угодить. Домашнее хозяйство ей еще было в новинку и в радость. Ксения подумала, что с таким же энтузиазмом Лидуша кинется рожать Генке детей, таких же синеглазых и рыжеволосых. Сердце остро заныло, и прежняя боль вспыхнула уже где-то в самом чувствительном кусочке памяти, а не в теле.

— Сядем, что ли, — не выдержала Ксения.

— Я сейчас, — сказала его жена и оставила их одних.

— И все-таки, Генка, ты предатель, — горько улыбнулась Ксения. — Почему на ком-нибудь из моих знакомых девушек не женился?

— Решил найти незнакомую.

— И серьезно это у вас? — спросила Ксения и пожалела, потому что вопрос сразу же показался глупым.

— Только не говори при ней про Женьку, — предупредил Генка. На глупые вопросы он принципиально не отвечал.

— Это еще почему?

— Она не знает, что мы с ней были... Лучше при Лидуше вообще не упоминать имени Евгении Князевой. Или упоминать со скорбной миной: «Почила, мол, в бозе».

— Она знает, что Женьку убили? Откуда? Ты, что ли, сказал?

— Видишь ли, глупо скрывать. Короче, мы с Лидушей были в тот день на стадионе.

Ксения вздрогнула:

— Вас-то туда каким ветром занесло?

— Мы же с ней профессионалы. Сами играли когда-то, а тут такое событие! Турнир в Москве! Да... Лидуша детишек теннису учит.

— Такая молодая? А сама не играет?

Генка нахмурился:

— Нет. Не играет. А насчет молодая... Они с Женькой ровесницы. Так-то.

— Постой, Генка. Так они что, были знакомы?

Его жена влетела в комнату с подносом:

— Вот! Пирог яблочный испекла. Попробуете?

— Конечно, — кивнула Ксения.

Генка молча стал резать пирог.

— Ой, я вам мешаю, да? — Лидуша тут же вскочила с дивана.

— Нет, что ты, — испугалась Ксения. Еще подумает о ней и Генке бог знает что!

— Да вы не стесняйтесь. Я очень даже не ревнивая. Мне все Генкины знакомые нравятся. Кроме одного человека. Но он... Она...

— Лидуша, ты не рассердишься, если мы тут пять минут пошепчемся?

— Только давайте я вам чаю сначала налью? Или кофе?

— Лучше кофе, — попросила Ксения.

Накрыв стол для гостьи и мужа, Лидуша тут же исчезла. У Ксении даже мысли не возникло, что она обидится на Генку. Уйдет к себе на кухоньку, возьмется подшивать какую-нибудь кружевную занавесочку или салфеточку. И будет от этого счастлива, счастлива, счастлива...

«Господи, ведь я же сама была такой!» — вздрогнула Ксения.

Генка прислушался к звукам, доносящимся из кухни. Лидуша мурлыкала какую-то песенку.

— Вот такая теперь моя жизнь. Поэтому про Женьку ни слова, поняла?

— А что у них произошло?

— Ничего, — нахмурился он.

— А на стадион вы зачем пошли?

— Матч посмотреть.

И вдруг не выдержал, внезапно раскрылся и сдался без всякой попытки продолжить борьбу:

— Да будь он проклят, этот матч! Ну почему она так играла? Почему?!

0 : 30

И Ксения вспомнила тот день, когда он точно так же кричал:

— Почему? Ну почему?!

Ксения вторила ему, только молча. Голос у нее давно уже охрип от слез. Это казаться гордой легко, но быть ею на самом деле ужасно трудно. Все думают, что ты гордая, и унизиться кажется ужасно стыдно. Гордая же.

Ксения приходила к дому своей подруги тайком. Уже после развода, после того, как потеряла все: и мужа, и ребенка, и нормальное жилье. Приходила, закончив ненавистный рабочий день, уставшая и голодная. Об этом не знал никто. Ксения делала вид, что просто гуляет, но в кармане ее пальто всегда лежала горстка жетончиков на метро. Библиотека, в которой она работала, находилась почти рядом с домом, и в жетончиках этих Ксении не было нужды. Но, дойдя с работы до своего дома и всякий раз опуская руку в карман за ключом, она нашаривала там пластмассовый кружок и тут же решала:

— Поеду!

Они часто были в отъезде, почти всегда, и Ксения часа два просто сидела на лавочке, возле детской площадки. Глядя на малышей, она застывала в полной неподвижности и воображала себе, что один из них ее ребенок, а она просто сидит смотрит за ним и ждет мужа с работы.

Очень редко, но она его видела. Замечала, что он лучше других одет, хорошо держится, но мало улыбается. Пыталась его возненавидеть, захотеть убить, но снова видела этих маленьких детей на площадке и понимала, что нельзя заканчивать жизнь так глупо. И свою, и чужую. Женя Князева была ей тогда просто безразлична.

В один из таких вечеров она и поняла, что приходит к этому дому не одна. В ком-то еще жила нерастраченная ненависть, и решался тот же вопрос: жить или умереть. Только на этот раз дело касалось Евгении Князевой. К ее дому приходил тот рыжий. Они так и ходили кругами друг возле друга, пока однажды не сошлись.

— Привет! — просто сказала Ксения.

— Здравствуй, — ответил рыжий.

— Холодно сегодня, да?

— Да, не жарко, — согласился он.

Они замолчали. Ксения смотрела на детскую площадку, он — на дверь подъезда.

— Уехали, наверное, — пожала плечами она. — Не выйдут.

— Да, наверное, — согласился с ней рыжий.

И Ксения сказала ему:

— Пойдем, что ли?

— А куда?

— Не знаю. Можно в кафе, только у меня денег нет.

— А у меня есть машина.

Ксения подумала, что это, может быть, прощальный подарок Жени, своего рода отступной. Принимать от нее одолжение не хотелось, но уж очень морозный был день. Подруга и бывший где-то за границей грелись на солнышке. Есть же где-то лето, когда здесь зима. И Ксения пошла за рыжим в его машину.

Это было не бог весть что, «девятка», даже не новая, а подержанная. Рыжий тут же достал из спортивной сумки термос и два пластмассовых стаканчика. Налил горячий черный кофе, протянул один стаканчик Ксении.

Она глотнула, обожглась, но зато почти согрелась. Рыжий завел мотор и вскоре включил печку. Никуда они не поехали, сидели в машине, пили кофе и молчали. Потом Ксения сообразила:

— А как тебя все-таки зовут?

— Геннадий. А ты Вишенка?

— Ага. Черри, — горько усмехнулась Ксения. — А ты Женьку любишь?

— Не знаю.

— Зачем же тогда сюда ходишь?

— Не знаю.

— Дурацкая штука жизнь, да?

— Почему? Хорошая.

«Наверное, все брошенные мужчины — оптимисты, — подумала Ксения. — Надеются, что тот, другой, окажется хуже. А я вот знаю, что мне никогда не быть такой, как Женька».

— Послушай, Генка, а с ней хорошо? Ну, в смысле, она что, очень опытная, да?

— Не знаю. У меня других не было.

— И у меня. Слушай, давай не будем сюда больше приходить? — Он все так же безразлично пожал плечами. Ксения вздохнула: — Странный ты. Не знаешь, любишь или нет, не знаешь, зачем ходишь. Ну что-то же ты должен знать?

— Да. Я знаю. Мне с ней было хорошо. Но не так, как ты думаешь. Это все чепуха. Она веселая, когда в настроении. И живет легко. Может, потому, что богатая? И сама неплохо зарабатывает, и мать ее денег подбрасывает. Отец много оставил. Ее проблемы все как-то сами собой решаются. Я к этому привык. А когда остался один, оказалось, что у меня все по-другому... Она меня в институт устроила. Напоследок.

— Как это — устроила?

— Денег на учебу дала.

— А сам ты нигде не работаешь?

— Я? Нет. Раньше играл, как она, потом бросил. Почти год ездил везде вместе с ней по турнирам. Сопровождающим. Вроде бы при теннисе. До чего ж мне нравится эта игра!

— А почему сам бросил?

— Не знаю. Я добрый. А в спорте добрым быть нельзя. Добрые не выигрывают. Вот ведь странно, все из-за тебя получилось, а я не злюсь.

— Почему это из-за меня?

— Это же твой муж.

— Не он, так другой. Разве ты не понял?

— Понял, — очень жестко сказал он, и Ксения подумала, что и добрых людей злить не стоит.

Но после этого вечера им обоим стало легче. Потом Ксения поняла: еще бы месяц таких вечеров на лавочке у плохо освещенного подъезда, и она бы не выдержала. Сделала бы что-нибудь страшное или с собой, или с ними. Но Генка ее спас. А она в свою очередь спасла его.

0 : 40

Теперь они уже не ездили к дому, где жили Женя и бывший, а встречались в квартире, которую снимал Генка. Маленькая такая квартирка, на пятом этаже, в доме без лифта. В единственной комнате старая хозяйская мебель, на кухне помещаются только стол, плита с раковиной да два колченогих стула с грязной обивкой. Тогда Генка еще не имел стабильного заработка, а мысль стать тренером у богатых людей ему подсказала сама Ксения. Это были странные встречи. Казалось, между двумя разбитыми сердцами могло вспыхнуть и некое подобие любви, похожей на серый пепел, в котором оба ищут оставшиеся теплые угольки. Но их разговоры вертелись вокруг одного и того же.

«А он...» — вспоминала Ксения. «А она...» — откликался Генка. «А мы...»

Но за этим «мы» ничего не следовало. Никакого физического влечения Ксения к Генке не испытывала. После аборта ее тело на мужчин вообще не реагировало. Да, они есть, где-то ходят, но это совершенно бесполые особи, все без исключения. Он же был занят своими материальными проблемами. А Генка принадлежал к такому типу мужчин, которые не хотят ничего иметь с женщиной, если не в состоянии ее обеспечить. Год, прожитый на деньги Жени Князевой, и для него оставался загадкой. А Ксения ему просто нравилась, и именно поэтому Генка всегда был ей симпатичен. Тогда же Ксения и узнала историю их знакомства.

Никакого похода по барам не было, и случайной встречи тоже. У Жени и Генки был общий тренер, и они часто встречались на разминке. Физически развитая, сильная Женя играла в силовой, почти мужской теннис. Она любила тренироваться с сильными партнерами, особенно в приеме подачи. А мяч, поданный Генкой, часто летел со скоростью под двести километров в час. Ему просто не хватало фантазии и изобретательности. Стоило противнику удачно принять такую сильную подачу, как он терялся. Что дальше? Дальше надо было самому отвечать, а как? Почти все Генкины кроссы норовили улететь в аут. Женя тихонько над ним посмеивалась, а он по доброте душевной на нее не обижался.

Когда Женя Князева решила оставить своего бой-френда, Генка был первым, кто подвернулся ей под руку. В один прекрасный день они вместе ушли с корта и поехали к ней домой. Своего жилья в Москве у Генки не было, он приехал в столицу из провинции, поэтому без сожалений съехал из комнаты, которую снимал, в квартиру к своей партнерше по корту, а теперь и по жизни. Ему нравилось ее неординарное чувство юмора, хоть и злое, но забавное. Они и были больше приятелями, чем любовниками. Часами сплетничали, вместе тренировались, а вечерами просто ложились в одну постель. Разрядка требовалась Евгении не так уж часто, и Генка с этим справлялся. Он так и привык жить легко, не думая ни о настоящем, ни о будущем. Предшественники Генку не интересовали. И он не задумывался над тем, что систематически менять мужчин вошло у его подруги в привычку.

— Я не вещь, — говорил он Ксении, сидя в кухне на обшарпанном стуле. — Я хочу, чтобы ко мне относились как к человеку. В сущности, я готов жить для того, кто просто будет ко мне нормально относиться. У моих родителей четверо детей, и поэтому я, старший, не вырос эгоистом. Если у меня будет кто-то, кому я нужен...

И Ксения его поняла. Генка не находил себе места потому, что не знал, куда себя деть. Он ездил к дому бывшей подруги, потому что не мог отвыкнуть от мысли, что все еще ей нужен. А она, сама не испытывая никаких чувств, не умела ценить и чужие. Женя Князева не отличала игрушки от живого человека. Ее не заботило, что брошенные «шурики» могут страдать и не находить себе места.

Когда Ксения стала жить у своей подруги, отношения между ней и Генкой стали почти прохладными. Он Ксению не осуждал, только огорчался, что именно ее позвали. Изредка звонил и интересовался, как дела. Когда трубку брала Женя, обязательно представлялся, надеясь, что она поговорит и с ним. Но та делала вид, что звонит человек совершенно посторонний. Одно время, когда несколько месяцев в доме не было мужчины, Ксения надеялась, что Генка вернется. С ним ей было бы проще.

— Может, он зайдет? — неуверенно спрашивала она подругу.

— Зачем? Терпеть не могу старых поклонников. Отработанный материал. Он мне не интересен.

— Разве тебе с ним было плохо?

— А с каким чувством ты перечитываешь книги? Даже любимые? Хорошо написано, но конец-то известен.

А потом у Жени появился другой, и Генка звонить перестал. Ксения сама иногда испытывала потребность с ним поговорить. Она всегда знала, когда Генка переезжал на другую квартиру, как у него дела, как жизнь. Они меняли место встречи, но суть их разговоров оставалась такой же. Он мало интересовался настоящим Жени и всегда вспоминал только прошлое. Однажды даже сказал:

— Мне казалось, что за ней кто-то следит. И я надеялся, что со мной ей будет спокойнее.

— Кто следит? — рассмеялась Ксения. — Неизвестный поклонник? Не мой бывший... Нет, точно не он. Зачем?

И она вдруг нахмурилась, вспомнив о той ненависти, которую бывший муж стал испытывать к Жене после того, как прожил с ней около года.

— Генка, а с чего ты взял, что следит? Ты его видел?

— Нет. Просто у меня всегда было чувство, что ее кто-то караулит. Присматривается, что ли.

Тогда, после разговора, Ксения об этом сразу же забыла. Впрочем, присмотрелась сама и поняла, что Генке показалось. За Женей никто не следил. Ксения не чувствовала никого постороннего. Машины за подругой не ездили, никто ее не преследовал, любовных писем не присылал — значит, причин для беспокойства нет.

А теперь, когда подругу убили, Ксения, сидя в Генкиной квартире, вдруг вспомнила:

— Генка, а что ты следователю расскажешь? Всю правду будешь говорить? Что был на стадионе в тот день, когда ее убили. И как тебе казалось, будто за ней кто-то следил.

— Ерунда это, ведь и я сам за ней следил. Подумаешь, ну походил кто-то из бывших возле ее подъезда... И перестал. Тем более что потом этого уже не было. А насчет того, что я был на стадионе... Ты могла бы об этом никому не говорить?

— Ты серьезно?!

— Вполне.

— Тебя же вспомнят, Генка!

— Все равно они ничего не докажут. Ножом, в толпе.

— Ты что, все видел?!

— Допустим.

— И близко ты был?

— Да.

— Но почему?!

— Мне надо было с ней кое о чем поговорить...

Брейк-пойнт

2 : 3

Ксения даже растерялась. Похоже, что в тот день на стадионе было много знакомых Жени. Только ее, Ксении, бывший муж в этом не признался, но на работе-то его не было. Но и правды не сказал. А вот

Генка открыто говорит, что пришел посмотреть матч.

— А где в это время была твоя жена... когда убили Женю? — спросила его Ксения.

Генка сразу же насторожился, ответил колюче:

— Какая разница?

— Ну как же? Вы вместе пришли, вместе сидели на трибуне, вместе...

— Слушай, ради Лидуши я много чего могу сделать, поняла? Я всю жизнь искал человека. Че-ло-ве-ка. Не как Женька, а настоящего. Женщину искал, жену. А Женька просто дрянь... Собака на сене. Поздно я ее понял.

— Она что, предложила тебе вернуться, когда узнала, что ты женился?

— Нет.

— Тогда что?

— Чем меньше будешь знать, тем меньше проболтаешься.

— Разве мы не друзья?

— Черри, ты почти ребенок. Ты своеобразно вышла из состояния стресса: впала в детство. Не всем так повезло.

— Не хочешь — не говори, — обиделась Ксения.

— Но тем не менее мы друзья. Поэтому не выдавай меня.

— Я и не хотела. Но к тебе все равно придут.

— У них работа такая: проверять все связи убитой. Надеюсь, что при жене они о Женьке говорить не будут. Как думаешь, может, самому взять и прийти? Мол, узнал от тебя, решил опередить события, поскольку скрывать мне нечего.

— Как хочешь. Кстати, ты знал о завещании?

— О каком еще завещании?

— Женя написала. Поделить все между мной и тем «шуриком», который ее больше всех любил. Или между ними всеми. Я сразу подумала о тебе. Генка, деньги нужны?

— Деньги нужны всегда. Но, видишь ли, из-за Лидуши я не могу этого принять. Меня вычеркивай сразу. Чем я объясню жене столь щедрый дар Князевой?

— Когда она станет богатой, то простит. Хотя бы ради будущих детей.

— Нет, Черри, ты ее не знаешь. Она не жадная.

— Да помню я все! Сама такой была. Но потом с моим мужем случилось такое, что я пожалела, что бедная. Особенно пожалела, когда мы пошли к Жене за деньгами. Если бы не это, ничего бы не случилось. Ни со мной, ни с тобой.

— Ну, со мной-то что может теперь случиться? — рассмеялся Генка. — Я бизнесом не занимаюсь, денег в долг не беру. Заработал на эту квартиру сам, теперь Лидуше купил машину. Продал свои «Жигули», купил такие же, но поновее.

— Она что, машину водит?

— Получше, чем я, — с гордостью ответил Генка.

— Похоже, что у твоей Лидуши просто нет недостатков, — разозлилась Ксения. — Ну ладно. Счастья вам.

— Так что, о делах поговорили? Все?

— Уже соскучился?

— А как же? Я позову.

— Зови, — с досадой сказала Ксения. Ее все больше злила влюбленность Генки в эту невзрачную девчонку. Ну что он в этой Лидуше нашел? На нее, Черри, ни разу не посмотрел с интересом.

— Лидуша! — услышала она радостный Генкин вопль.

И невзрачное создание тут же возникло в дверях:

— Что случилось? Еще чаю?

— Нет, мы уже поговорили о делах. А ты что делала?

Ксения не ошиблась: Генкина жена с гордостью показала подшитую скатерть, голубенькую, с оборкой. И Ксении опять стало плохо:

— Я пойду.

— Как, уже? — спросили оба в один голос.

И она чуть не расплакалась. А потом вдруг спохватилась: «Господи, ведь я же никогда не была завистливой! Что со мной?»

И взяла себя в руки:

— Я вас поздравляю. Хоть на свадьбу и не пригласили.

— Да мы скромно, с родителями, — застеснялись оба. — Ой, да как-нибудь в выходной соберем друзей, посидим...

— Ладно, чего уж. — Ксения оделась и, выходя из квартиры, напомнила Генке: — А ты подумай. В жизни всякое может случиться.

И как в воду глядела.

Гейм шестой

15 : 0

Уже одно то, что Ксения узнала его адрес, было большой удачей. Узнала первой, потому что где-то там, в другом времени и месте, следователь допрашивал всех тех, с кем Ксения уже успела поговорить. Ей же больше никто не звонил, и это было странно.

Ксения даже не представляла себе, как может выглядеть Владимир Попов. Ее подруга никогда о нем не рассказывала, и в то время, как у Жени Князевой был первый бой-френд, сама Ксения переживала невероятно счастливый период в своей жизни — замужество. Им обоим тогда было по двадцать, Женя Князева еще верила в свою звезду и удачную карьеру, а Ксюша Вишнякова верила в то, что ее брак —

величина постоянная и уж никак не имеющая плачевного финала. Так каков же он, этот Владимир Попов? Как выглядит, как одет?

Ксения решила, что обязательно его узнает, еще бы, самый красивый мужчина, выйдет из офиса по окончании рабочего дня.

Ксения приехала к шести и, только оказавшись на месте, подумала, что надо было бы сначала позвонить ему по телефону. В центре, где находился офис, было полно людей. На стоянке стояло такое количество машин, что Ксения растерялась. Сколько же народу здесь работает! Люди входили в здание и выходили из него, а она с ужасом убеждалась в том, что не узнает его, да это невозможно в такой толпе.

Уже была половина седьмого, и Ксения решила уехать. Безнадежное занятие! Вдруг очень интересный молодой человек, высокий, темноволосый, задержался в дверях, пропуская вперед какую-то девушку. Ксения насторожилась. Мужчина вышел из стеклянных дверей и с интересом взглянул на нее. «Он», — тут же решила Ксения.

— Володя! — окликнула она.

— Девушка, вы ошиблись, — улыбнулся мужчина. — Меня зовут Алексеем. — Он задержался, рассматривая симпатичную темноглазую девушку: — Вы кого-то ждете?

Ксении не хотелось ни с кем знакомиться. Не хватало еще приехать по делу и завести банальный уличный роман!

— А я не могу ничем помочь? — продолжал темноволосый красавец.

— Я жду Владимира Попова, но, к сожалению, не знаю, как он выглядит. — Ксения старалась держаться как можно официальнее.

— Не знаете, как выглядит? А ждете? — Он рассмеялся. Ксения опять мысленно обругала себя дурехой.

— Что же тут смешного?

— Вы, случайно, не по переписке с ним познакомились? Или через Интернет? И что, Володька даже фотографию не прислал? А может, это была моя фотография?

Ксения решила пропустить мимо ушей его насмешки. Красивый, уверенный в себе нахал. Но она сообразила, что этот нахал Попова знает.

— Вам он знаком?

— Работаем вместе. Можно сказать, что он мой начальник. Лучше признаться сразу, а то потом скажете, что я решил вас обмануть.

— И он сегодня на работе? — Ксения сделала вид, что не оценила его тонкий юмор.

— Естественно. Сегодня и всегда. Человек, которого вы, девушка, ждете, — редкий зануда. Так что могу предложить свое авто и свои скромные услуги. Как вас зовут?

Ксения уже начала всерьез злиться, как нахал вдруг обернулся и со вздохом сказал:

— А вот и ваш избранник. Смотрите, девушка, не пожалейте. Видите, вон тот тип в очках и в темном костюме. Обратите внимание на его галстук. И возьмите мою визитку на всякий случай.

Она машинально сунула визитку в карман. Указанный нахалом мужчина ее поразил. Уж к нему-то Ксения подошла бы в последнюю очередь. Если бы кто-то сказал ей, что это бывший бой-френд великолепной Жени, Ксения рассмеялась бы ему в лицо. Владимир Попов оказался серым, скучным и вовсе не привлекательным. Упомянутый нахалом галстук был в его внешности самым ярким пятном. Ксения с недоумением оглядела сутулую фигуру Попова, лоб с ранними залысинами и очки в металлической оправе.

— Извините, вы Владимир Попов? — робко начала она.

— Да, — обернулся тот. — А в чем, собственно, дело?

— Я Черри.

— Две тысячи? — Его растянутые в улыбке губы были оскалом уличного клоуна. Все нарисованное — и смех, и слезы. А за ними — пустота.

— Нет, просто Черри. — Ксения терпеть не могла этот фильм. Про такого вот зануду, который поехал искать идеальную искусственную женщину, когда сломалась его старая. Любитель запрограммированных эмоций. — Я к вам по делу. Можно на «ты»? — спросила она.

Попов внимательно оглядел ее с ног до головы. Ксении показалось, что он прикидывает, как же она устроена. И мысленно подбирает код, чтобы взломать систему. Такой вот техногенный взгляд. А слова просто хамские:

— Я не сторонник уличных знакомств со всякими авантюристками.

— Я не авантюристка, — обиделась она. — Я подруга Жени Князевой.

— Опять! — как-то по-бабьи взвизгнул он. — Сколько можно! Сначала милиция приходит ко мне на работу и задает глупые вопросы, потом какая-то неприятная особа...

— Сам ты неприятный! Я помочь хотела.

— Мне уже никто не поможет! Директор фирмы только что спрашивал, почему мной вдруг интересуется милиция. У нас солидная контора! Совместное российско-германское предприятие! А немцы такие щепетильные! Моя репутация под угрозой! И почему надо было обязательно приходить ко мне на работу?!

— Но я же не на работу... Я после.

— Идите в машину, — прошипел он и цепко схватил Ксению под локоть. Вышедший из офиса толстяк в черном костюме внимательным взглядом окинул обоих. Ксения поняла, что это и есть Хозяин. Только российский или германский?

Она очень мило улыбнулась толстяку и позволила Попову дотащить себя до стоянки. Его машина была такой же невзрачной, как и он сам. Не новая, но и не старая, мышиного цвета, тусклая, но вся словно вылизанная до шерстинки. Попов открыл переднюю дверцу и скрипучим голосом бросил:

— Прошу! Что вы от меня хотите?

— Даже и не накормишь для начала? — Ксения сильно проголодалась, пока ехала на метро, а потом еще его ждала. Симпатичный нахал по имени Алексей зарядил ее своей развязностью.

— Я вас сейчас в милицию сдам, — дернулся Попов. — Как проститутку, которая пристает к порядочным мужчинам.

— Да всегда ты, что ли, был таким порядочным? Ты жил на ее деньги! До того как стать таким занудой, ты сам был проституткой! А про то, как Женька развлекалась, я все знаю! И много еще чего знаю! А насчет милиции...

Он не покраснел, а пожелтел. И не от стыда, а от злости:

— У меня были определенные обстоятельства.

— Ах, обстоятельства!

Ксения сама не ожидала от себя такой наглости. Просто этот человек был ей противен. Он был явно из тех, кто за корректностью и респектабельностью скрывает хамство и откровенный цинизм. Они четко делят людей на первый сорт и второй, как будто сами вылезли не из той же грязи и не в нее же уйдут.

Он зло сжал свои пергаментные губы. Ксения понимала, что если бы совесть у Владимира Попова была чиста, он тут же вышвырнул бы ее из машины. Прямо в грязь. Но он боялся. Поэтому сдержался, натянул на свое лицо маску безразличия и спросил:

— И где бы вы хотели поужинать?

«Только не у тебя в гостях!» — подумала она. А вслух сказала:

— Мне все равно. Я не привередлива.

30 : 0

Ресторанчик, куда привез ее Попов, был маленьким и дешевым. Второсортная забегаловка в полуподвальном помещении, где блюда подают разогретыми в СВЧ-печке, а не готовят на месте из нормальных свежих продуктов. Зато везде удивительная чистота. Суррогатная стерильность еды и до блеска натертых полов, нигде ни микроба, ни вредного, ни полезного, все тщательно убиты. Все в стиле Владимира Попова.

«Он еще и жадина», — подумала Ксения, заглянув в меню. У себя дома она приготовила бы все во много раз вкуснее и за гораздо меньшие деньги. Но пришлось согласиться и на этот ассортимент. Спиртного Попов и себе не заказал, и Ксении не предложил.

«Жадина», — еще раз подумала она.

Он пережевывал пищу тщательно, словно боясь потерять хоть одну драгоценную калорию. О работе его челюстей можно было хоть сейчас снимать рекламный ролик. Ксения никак не могла понять, что же в свое время нашла в нем разборчивая подруга? Или Владимир Попов в то время был совсем другим? Она внимательнее пригляделась к его лицу. Вот если снять с него очки да представить, что волосы у него нормальные, не с залысинами, а спина прямая...

— Где ты познакомился с Женей? — спросила она.

— Что? — Попов оторвался от своей тарелки.

— А почему ты так нервничаешь?

— Тебе Евгения, очевидно, много про меня рассказывала? Так почему спрашиваешь?

— Интересно. Должны же у тебя быть хоть какие-то приятные воспоминания? — наугад забросила Ксения.

— Приятные?

— Ты ее сильно невзлюбил после того, как она тебя бросила?

— Я ее невзлюбил только теперь, когда она попыталась испортить мою карьеру. — Он промолчал. Потом вдруг не выдержал: — Я добился всего сам, понимаешь? Сам! Только своим умом и своей усидчивостью.

— И своей угодливостью, — вставила Ксения.

— А что остается делать, когда приходишь с улицы, по объявлению, тебя случайно берут, а дальше... А дальше надо каждый день доказывать, что ты тот самый нужный, без которого все встанет. И так, чтобы с одной стороны начальство было довольно, а с другой не скушали коллеги. Просиживая часами сверхурочно в офисе, ты постоянно им твердишь: «Ах, как тяжело! Будь проклята эта работа! Как только найду другую, сразу же уйду!» И коллеги спокойны, потому что думают — ты здесь временный, а ты стремишься стать самым постоянным, самым... Да что я тебе все это говорю!

— Сколько лет вы были с Женей знакомы?

— Всю жизнь.

— Как это? — не поняла Ксения.

— Наши отцы вместе работали. Ее был директором магазина, а мой у него замом. Огромный такой магазинище. Неиссякаемый поток дефицита. Это было еще при той власти. В Стране Советов, а не в Стране долгов. Мы с Женей росли вместе. Несколько лет, пока между нашими семьями существовала тесная дружба. В гости друг к другу ходили, праздники отмечали.

— А на даче ты у нее был? — спросила вдруг Ксения, что-то вспомнив. Мимолетное касание тех воспоминаний Жени, которые были связаны с летом, запахами цветов и одеколоном «Саша».

— Что? На даче? При чем здесь дача? Конечно был. На всех дачах, которые были у Князевых. И дома, разумеется.

— Ты был в нее влюблен с детства, да?

— С чего ты это взяла? Мы просто ходили друг к другу в гости. А потом... Потом ее отец пошел на повышение, в министерство. А мой тоже пошел на повышение. Он стал директором того самого огромного гастронома. И мы снова дружили семьями. К Князевым ходили только нужные люди, — горько усмехнулся он. А потом опять: — Зачем я тебе все это рассказываю?

— Женя тоже часто вспоминала свое детство. Последние три года я у нее жила.

— Вот как? — У Владимира Попова даже лицо вытянулось. Теперь уж он точно испугался: — Значит, и ты тоже знаешь?

— О чем?

— Все, что потом произошло?

— Конечно, — соврала Ксения. Она понятия не имела, как он попал в зависимость к богатой подруге.

— Да. Было. Когда я случайно услышал, как наши отцы ругаются, я даже значения этому не придал. Женин папа всегда был нашим благодетелем. Это он меня устроил в Плехановский. По большому блату. Хотя я и был не дурак и аттестат имел приличный, но без блата в такие вузы не поступали и не поступают, сама знаешь.

— И сильно они ругались?

— Разумеется, если деньги не поделили. Большие деньги. Мой отец был только директором гастронома, а Князев... бо-ольшой шишкой в торговле. С Женькой всегда занимались лучшие преподаватели. Ее папаша вбил себе в голову, что сделает из дочки теннисную звезду. Любил он очень эту элитную игру. И мамаша у Женьки была вся из себя.

Он даже слегка порозовел от волнения. Словно от бокала вина. Но это было опьянение от воспоминаний, по-видимому, не очень приятных. Видно, наболело и он слегка забывался. Даже речь его ничем теперь не напоминала прежнего Владимира Попова. Это был развязный говорок выбившегося в люди уличного мальчишки.

— И что дальше? — спросила Ксения.

— А то ты не знаешь?

И тут она наугад сказала:

— Мне тебя жаль.

И Попов тут же среагировал:

— А мне себя было не жаль? Представляешь, как мы жили?! И как вообще тогда жили работники торговли?! И вдруг бац — пятнадцать лет с конфискацией. В особо крупных... Тогда еще только начинали перестраиваться. Годик-другой, и моего папашу по головке бы начали гладить за ту коммерцию, что он развернул. Не повезло. И он сел.

«Это уже кое-что!» — подумала Ксения.

40 : 0

А вслух сказала:

— Да, жаль, что так получилось.

— Особенно жаль, что не успел доучиться. Пришлось взять академический отпуск. По состоянию здоровья. А всего один год оставался. Но мать слегла после того, как все это случилось. Что-то с нервами. Заговариваться стала — как будто отец по-прежнему работает, и у нас дом — полная чаша.

— А разве Жениного отца это не коснулось?

— Я так думаю, что это он все и устроил. А сам откупился. Он уже два года как не работал в том гастрономе. Мол, при нем все было в порядке, а как Попов пришел, так все и стали воровать. Нет, семьи Евгении это не коснулось.

— И через год вы с ней случайно встретились.

— Да, примерно. Девяносто третий, как сейчас помню. Мне надо было восстанавливаться или бросать институт окончательно.

— И она тебе помогла, да?

— Ну, пришла под видом друга семьи. В то время таковых у нас уже не осталось. Князев всех отсек. Наказал бывшего компаньона и обобрал до нитки. Да только недолго он после этого протянул. Умер от инфаркта. Но наследство доченьке оставил знатное. Никто не знает, а я знаю. Есть у нее солидный источник доходов. Валютный счет в банке. Можно было и вообще в теннис не играть. Да Женька к тому времени и сама начала зарабатывать, разъезжая по турнирам. Все в стране изменилось, все. А вот отцу не повезло!

— Мать сильно болела, да? — тихо спросила Ксения.

— Болела. Я подрабатывал, где мог, и мечтал только об одном: закончить институт. Я знал, что диплом «Плешки» скоро будет на вес золота. Ох, как он был мне нужен! И она помогла. И с деньгами, и с восстановлением. У мадам Князевой остались старые связи. В то время они с Женькой жили вместе. Элеонора Станиславовна еще не выскочила замуж за своего итальянца и разъезжала с дочкой по турнирам. Вела светскую жизнь. Это уже при мне случилось, замужество ее. Потом. А сначала Женька представила ей меня как своего жениха. Разумеется, что мадам Князева пришла в ужас. «Его папа сидит в тюрьме!» Просто святая... Чтобы утешить мамочку, Женька заявила, что расписываться мы не собираемся. Но по турнирам я буду ездить вместе с ней. Ей нужен был симпатичный парень в качестве сопровождающего. За оказанные благодеяния я должен был играть роль ее страстного поклонника. А мне еще надо было учиться! Как я все выдержал, не знаю. И Женьку, и ее мамашу, и вуз. До того как у меня на руках не оказался диплом, Женька надо мной просто издевалась. Слушай, а чего мы здесь сидим? — вдруг спохватился он.

— А где? — растерялась Ксения.

— Поедем ко мне, что ли?

— А удобно?

— Я выпить хочу. А я за рулем.

Ксения замялась.

— Да чего ты так переживаешь? Я не один живу. С матерью. Она сейчас дома, так что не думай: ничего такого.

Ксения ничего такого и не думала. Только не понимала, зачем ему понадобилось тащить ее к себе домой. Только ли для того, чтобы выпить и поговорить спокойно?

40 : 75

Владимир не соврал: в квартире была его мать. Ксения сразу подумала, что эта женщина вообще редко выходит из дома. Она уже не была так тяжело больна, просто, оправившись от потери мужа, нашла себе новую стену, за которую с готовностью спряталась, — сына. Она умела жить только за кем-то. Ксения представила себе, как тяжело было Владимиру в те годы, когда он не имел ни диплома, ни работы, пробивался случайными заработками, да еще и обеспечивал мать. Конечно, Женя Князева была его единственным шансом.

Квартира у них осталась еще та, купленная при муже — директоре гастронома. Кое-что из имущества тот записал на сына и жену. Теперь силами Владимира в квартире был сделан дорогой евроремонт. Холостяк Попов, видимо, все деньги отдавал матери. Себе оставлял только на карманные расходы, вот ему и приходилось экономить.

Мать встретила надежду и опору подозрительным взглядом. Еще бы! Пришел с девушкой! Наверное, девушки в этом доме с некоторых пор были редкостью. Если эта женщина в чем-то и нуждалась, то явно не во внуках.

— Володя, кто это? — капризно протянула она, как бы игнорируя гостью.

Ксения отметила про себя, что в таком возрасте уже неприлично одеваться в розовое.

А дама продолжала говорить бестактности:

— Вы уже где-то поужинали?

— Мама, эта девушка пришла по делу.

— По какому делу? — подозрительно спросила мать.

— У меня неприятности.

— А, неприятности!

Ксения как бы услышала несказанное: «Тогда — без меня», и дама в розовом оставила их наедине. Владимир сам сходил на кухню и принес оттуда поднос с бутербродами. Судя по всему, ничего другого в доме не было. Ксения сидела в его комнате и смотрела, как Владимир ищет спрятанную за шкафом бутылку коньяка.

— Ты бы лучше у мамы спросил. Я почему-то уверена, что у нее есть.

— Чушь! Моя мать не пьет!

— А кто сказал, что пьет? Просто мне кажется, что ты много чего про нее не знаешь.

Он вдруг распахнул дверь и стремительными шагами двинулся в соседнюю комнату. Ксения отчетливо услышала:

— Мама, у тебя выпить есть?

— Что? Как? — заметалась та.

Ксения поняла, что угадала. Дама в розовом не пила в том смысле, в котором это выражение принято употреблять, но в отсутствие сына явно снимала стресс с помощью дорогих напитков.

В следующий момент дверь в комнату закрылась, и дальнейшее Ксения уже не слышала. Владимир вернулся через несколько минут, неся в одной руке бутылку коньяка. В другой у него был семейный альбом.

— Вот, — протянул он его Ксении. — Если интересно.

Потом отвинтил пробку:

— Будешь?

— Нет, я не пью, — ответила Ксения, открывая альбом.

Да, она догадывалась правильно: в детстве Владимир был очень красивым мальчиком. Да и тогда, когда им с Женей было по двадцать, тоже ничего. Очков он не носил, волос на его голове хватало, да и спортом Попов, судя по всему, не пренебрегал. Не надо было с таким упорством делать себе карьеру, и времени на спортзал хватало. На фотографиях рядом с некрасивой Женечкой Владимир Попов смотрелся неплохо. Возможно, что та мечтала о нем с детства. Может, это и был кудрявенький «Саша»? Тогда почему Евгения с ним рассталась?

— Ну как? — спросил Попов, выпив две рюмки конька подряд.

— Она тебя бросила?

— Женя? Нет. Я сам. Надоело. После того как закончил институт, решил найти работу. И по турнирам с ней надоело кататься. Пустое занятие. Человек дело должен делать.

— И ты не побоялся жить без нее?

— Я не дурак. Знал, что рано или поздно я своего добьюсь. Открою собственную фирму. Я и сейчас уже дослужился до начальника отдела. Мне бы денег.

— Денег? — вдруг вспомнила Ксения. — А тебе следователь ничего не говорил про завещание?

— Говорил, — очень спокойно сказал Попов.

— А про меня?

— А что про тебя?

— Ну, как бы и от меня что-то зависит.

— Ты ее подруга, да? Та самая Черри?

— Конечно. Сообразил наконец, умница!

— И ты тоже этим занимаешься? Поэтому ко мне и пришла?

Ксения догадалась, о чем он подумал. Ужас какой! Неужели про нее такое можно подумать! Да ей нет нужды платить кому-то деньги, если на то пошло, то есть такие, которые ей и сами заплатят!

— Да ты что?! — вскрикнула она.

— Как же — Черри. Да я сразу понял, кто ты такая! Ясно — шантажистка! Узнала от Женьки про меня все, а теперь пришла воспользоваться информацией!

— Да какой информацией?

— Думаешь, мой шеф спокойно проглотит, что мой отец жив и сидит в тюрьме за хищение в особо крупных размерах?

— А ты что, его похоронил, что ли? За мертвого выдаешь?

Вместо ответа, он, плеснув в рюмку коньяку, жадным глотком опрокинул его в горло.

2 : 4

— Допустим, я сделал глупость. Но в бесконечных анкетах, которые приходится заполнять, устраиваясь на работу в солидные фирмы, встречается и пункт о родителях. Кто возьмет на ответственную работу человека без рекомендаций, у которого к тому же отец сидит в тюрьме? Да еще за экономическое преступление! Не объяснять же, что тогда была другая страна, и слово «дефицит» было в ней чуть ли не самым популярным? Я долго думал над этим пунктом. В конце концов я-то в чем виноват? И после некоторых раздумий я его похоронил.

— Как это? — испугалась Ксения.

— Достал фальшивую справку о смерти. Думаешь, врачи есть не хотят? Так я стал сиротой. В смысле, что имею на иждивении мать-инвалида. Ей тоже все оформили, как положено. Нет таких документов, которые не продаются.

— А ты не боишься, что...

— Ему еще несколько лет сидеть. А к тому времени, когда он вернется, я уже не буду нуждаться ни в рекомендациях, ни в начальниках. Да и папа себе работу найдет, не сомневаюсь. Но мне еще нужно время. Поэтому, когда сегодня пришел следователь и стал расспрашивать про Евгению...

— Ты испугался?

— Да. Она тебе ничего не рассказывала? Про ту случайную встречу?

— Встречу? Какую встречу? Ах да, — сказала Ксения, словно что-то припоминая. — На юге.

— Ну да. В Сочи. Всю жизнь мне не везет! Всего-то на два дня, и мы бы разминулись! Я всегда отдыхаю на юге в сентябре. Получается гораздо дешевле, народу меньше, да и фруктов больше.

— С мамой отдыхаешь? — язвительно поинтересовалась Ксения.

— Да. С мамой. И в этом году в конце сентября...

— Разве в этом году? — удивилась Ксения. В сентябре она не ездила на юг с подругой. И вообще никогда не ездила в Сочи.

— Что, плохо помнишь? Или я тебе не так интересен?

Ксения испугалась, что он замолчит. Или поймет, что на самом деле Женя ей ничего не рассказывала. Но Попов уже не мог остановиться:

— Да, в конце сентября. В Сочи, в гостинице. Если бы я еще был один! Но моя мама! Это же сама наивность! Она первая кинулась к Евгении: «Ах, Женечка, ах, как мы давно не виделись, ах, как у Володи все хорошо, какую замечательную работу он нашел!» Ну и так далее. Все выпалила. Я пытался ее остановить. Тем более что Женька начала задавать наводящие вопросы: «А в какой фирме, какую должность?» И под конец: «Да что вы говорите?» И так недобро на меня посмотрела... Я тебя только об одном прошу: не надо про это рассказывать следователю. И про отца, и про встречу в гостинице. Ну, был я ее приятелем когда-то. Но мы же расстались по-хорошему! И сколько лет после этого прошло! А деньги мне ее не нужны. Я просто не хочу, чтобы выплыла вся эта история. Знаешь ли, за фальшивые документы...

— А ведь ты мог ее убить, — задумчиво сказала Ксения.

И он снова испугался:

— Я?! Да ты что?! Я был на работе!

— Да ладно врать. Наверняка был обеденный перерыв.

— Но до стадиона же далеко! Полчаса, не меньше, да и то при полном отсутствии пробок. А в тот день...

— Что, пробки были? С обеда опоздал? — усмехнулась Ксения.

— Замолчи ты! Слышишь?! Не был я на стадионе!

— Не кричи. Мама услышит.

— Послушай, если ты будешь болтать...

— Что, и меня убьешь?

— Да вы все помешались, что ли?! Меня сегодня обвинили даже в том, что я имею сотовый телефон! Почему я, сотрудник крупной фирмы не могу его иметь, спрашивается?

И тут Ксения догадалась:

— Значит, звонок Жене перед матчем был с твоего телефона? И следователь это узнал? Чего ж проще, звонки-то все регистрируются!

— Я потерял этот телефон, — устало сказал Попов. — Или у меня его просто украли. Не я ей звонил, понятно? Не я.

— Ох ты, как удобно! Телефон потерял, на матче не был.

— Но пойми ты, я ведь прекрасно знаю, что любой звонок Женьке на сотовый тут же будет зафиксирован! Установить, откуда звонили, — раз плюнуть. Зачем же мне так подставляться?

— Да, может, ты просто хотел с ней отношения выяснить. А она тебя послала куда подальше. Ты разозлился и...

— Во всяком случае, следователь не счел убедительным эти доводы. Меня просто допросили, в частном порядке. — Попов снова перешел на сухой официальный язык. Ксения видела, что он постепенно замыкается, уходит в себя.

— Хорошо, я уйду, — сказала она.

Попов посмотрел на нее настороженно:

— Чего ты хочешь? Ведь ты не Женька, с тобой можно договориться. Так скажи только.

— Да ничего мне от тебя не надо!

— Наследством делиться не хочешь, да? Выясняешь потихоньку, от кого можно избавиться? Так я согласен — никаких претензий.

— Хорошо, — обреченно сказала Ксения. — Считай, что мы договорились.

Он тут же плеснул коньяку сразу в обе рюмки:

— Выпьем? За договор?

Ксения на свою посмотрела с опаской. От этого одержимого всего можно ожидать. Владимир Попов усмехнулся:

— Думаешь, отравлю? Не бойся, пей, Черри.

Она глотнула, закашлялась, почувствовав, как жидкость буквально распорола горло. Какая отрава!

— Ну все, хватит! — сказала Ксения. — Я пошла.

— Давай. — Попов по-прежнему смотрел на нее как-то странно. Ксении стало страшно. А вдруг это он Женьку ножом? Похоже. Решила найти убийцу самостоятельно. Нашла, ну и что дальше? Только бы выбраться поскорее!

Стараясь не поворачиваться к нему спиной, Ксения попятилась к двери. Попов шел за ней словно привязанный и зудел:

— Чего ты, ну чего?

— Володя, девушка уже уходит? — крикнула из другой комнаты мать.

Ксения вдруг обрадовалась, что они не одни в квартире. Не будет же он ее прямо здесь убивать?

— Мама, я сейчас ее провожу и приду, — сказал Попов.

— Нет! — вскрикнула Ксения.

— Как хочешь, — пожал плечами Владимир. — Только не говори потом, что я не джентльмен.

«Сволочь ты!» — подумала про себя Ксения, вылетая на лестничную площадку. То ли от страха, то ли от выпитого коньяка ноги у нее подгибались.

— Ох, не в свою я ввязалась игру! Глупая, очень глупая девочка Черри! — бормотала Ксения, прислоняясь спиной к холодной стенке лифта.

Уже потом, на улице, ей в голову пришли две важные мысли. Первая о том, что Женька, наверное, чертовски разозлилась, когда этот парень ее бросил. Тогда, в двадцать лет, это должно было стать для нее, победительницы Евгении Князевой, настоящей трагедией. И причиной бросать всех остальных первой. Должно быть, она затаила на Попова зло и вполне могла захотеть с ним рассчитаться, испортив зануде карьеру. Это было в характере подруги: последнее слово всегда оставлять за собой.

И вторая мысль, от которой Ксения пыталась поскорее избавиться, — зачем Женька летала в Сочи? Ибо Ксения вдруг вспомнила, что в сентябре этого года подруга исчезла внезапно на три дня, оставив в квартире ее и Германа. Ни ей, ни своему бойфренду ничего не объяснила ни до исчезновения, ни после. Теперь Ксения поняла, что Женька просто не хотела, чтобы Ксения проболталась Герману, где она была. Ибо в Сочи она могла тайно улететь только по одной причине. И причиной этой был Владимир Попов.

Гейм седьмой

0 : 75

Ночью ей снились кошмары. Ксения проснулась на взмокшей простыне и с ужасом посмотрела в темное окно. Никогда раньше она не боялась привидений. Что привидения? Испугают, но не предадут. Теперь, в пустой трехкомнатной квартире Жени Князевой, Ксении вдруг стало страшно. Она была почти уверена, что нашла его. Но что дальше?

«Я — трусиха, — ругала себя Ксения. — Дуреха и трусиха».

Телефон молчал. Ксения мелко дрожала и боялась выключать свет.

— Все люди — маньяки, — сказала она вслух. Впервые в жизни ей захотелось напиться. Вместо этого Ксения взяла со стола телефон.

— Это я, — сказала она, услышав в трубке сонный голос бывшего мужа.

— Какого черта... — выругался было он, но потом спохватился: — Черри, это ты? Что случилось?!

На ее часах было половина третьего ночи.

— Все, — сказала она коротко.

— Мне приехать?

— Тебе завтра на работу.

— Завтра суббота, — напомнил он. — Выходной.

— Я не знаю, что делать.

— Ты нашла убийцу, девочка Черри? — Или ей показалось, или в его голосе была откровенная насмешка.

— Ты один?

Он замялся.

— Что, она спит? — спросила Ксения, чувствуя, как знакомо проваливается в пустоту сердце.

— Послушай, это не имеет никакого значения. — Бывший муж говорил очень тихо, словно боялся кого-то разбудить.

«Мерзавец», — грустно и без всякой злости подумала Ксения и не удержалась от насмешки:

— Не имеет никакого значения то, что она спит, или то, что просто существует? И кто на этот раз? Богатая женщина? Старая, молодая?

— Она просто моя начальница.

— Все понятно: кроме всего прочего — твое алиби.

— Ну, раз ты все выяснила, то это уже не актуально.

— Дурак, — сказала Ксения и повесила трубку.

Было такое чувство, что ее все бросили. Генка женился, Герман сейчас с ее приятельницей Валентиной, даже у бывшего мужа кто-то есть. А она-то подумала, что это все правда: его любовь, раскаяние, планы на будущее. А ему, оказывается, гарантии нужны! Пока не позвала, надо иметь кусок хлеба на черный день. Вот она, оказывается, какая — любовь! Теперь телефон звонил, но Ксения уже не брала трубку. Ей хотелось только одного — определенности. Знать, что она навсегда останется в этой квартире, что будут деньги на еду и одежду, будет нормальная жизнь с нормальным человеком и никакого страха перед тем, что все это когда-нибудь кончится.

Она заснула, когда больше не было сил вглядываться в темноту. Во сне ей казалось, что пришла Евгения, стоит у ее кровати, смотрит и смеется.

Рано утром Ксения поехала в общежитие к Анатолию Воробьеву.

На вахте ее долго расспрашивали, к кому идет, записывали паспортные данные и наконец пропустили. Ксения прошла мимо охранника с таким чувством, что в кармане у нее бомба. Подозрительность всегда создавала у нее ненужные комплексы.

Обшарпанные стены, запахи мусоропровода создавали впечатление, что где-то рядом стоит помойное ведро, которое никогда не опорожняют. Она старалась не дышать, пока пешком поднималась на пятый этаж. Трудно было представить, что здесь живут люди. В пролетах между этажами пустые бутылки стояли вперемешку с мятыми пакетами из-под молока. Ксения подумала, что давно уже от этого всего отвыкла.

Это было общежитие квартирного типа, и, как поняла Ксения, Анатолий Воробьев занимал одну из комнат в квартире номер тридцать восемь. Ксения долго не решалась позвонить, потом коротко нажала на оплавленную черную кнопку. Кто-то пытался поджечь звонок, а потом чертил на стене горелой спичкой матерные слова. «Пошли вы все...»

— Да пошли вы ... — услышала Ксения от мужика в тельняшке, очень похожего на ее соседа по коммуналке. Он открыл дверь и стоял перед ней, слегка покачиваясь. Потом вдруг заморгал: — О, да здесь дама! Пардон.

И, плюнув на ладонь, пригладил растрепанные жидкие волосенки.

— Мне бы Анатолия.

— Воробья? Заходи.

Мужик широко распахнул дверь и стал оглядывать Ксению с головы до ног весьма откровенно. Она замялась, опустив глаза в пол и рассматривая разводы на грязном линолеуме. Мужик хмыкнул и шагнул в коридор, стукнув по пути кулаком в какую-то дверь:

— Толян! К тебе баба! Симпатичная. Не забудь пригласить на огонек!

Ксения, не снимая обуви, подошла к той же двери, постучала.

— Анатолий! К вам можно?

— В-войдите, — раздалось из-за двери.

В его комнате было почище. Не так уж плохо для холостяка. Мебель старая, но добротная, все вещи, кроме одежды, разложены в идеальном порядке. Джинсы вместе с рубашками валяются на стуле рядом с кроватью.

Ксения внимательно разглядывала хозяина. Да, это он, тот самый брюнет с пляжа. Волосы растрепались во сне, лицо помятое и не такое привлекательное, как ей тогда показалось. Сколько же лет прошло с тех пор? Жаркое летнее солнце, кустики чахлой травы на пляже, загорелые лица бывших одноклассников... Ей, Ксении, двадцать три. Она счастлива.

— Вы меня не помните? — спросила Ксения и снова поняла, что Генка прав: никто не умеет с таким серьезным лицом задавать глупые и ненужные вопросы. Ну откуда он может ее помнить?

Брюнет все еще соображал с трудом:

— В-в-восемь часов утра! Да в-в-вы с ума с-сошли!

И Ксения поняла, почему он почти все время молчал тогда, на пляже: Анатолий Воробьев заметно заикался. И здорово по этому поводу комплексовал. Доброй Ксении сразу же стало его жалко. Такой красивый мужик, и на тебе! Номер второй в списке Евгении Князевой.

— К-кто вы? — спросил он, почти проснувшись.

— Черри. Мы один раз встречались. На пляже. Я училась в одном классе с Женей Князевой.

— С-с-с... Женя?!

Он окончательно проснулся и натянул на себя свитер. Ксения тут же об этом пожалела, потому что смотреть на Анатолия было приятно. Гораздо приятнее, чем слушать его. С мышцами хорошо развитого торса у него все было в порядке, не то что с речью.

— П-подождите. Я умоюсь.

Когда он вернулся минут через десять, Ксения отметила, что парень все-таки хорош. Не так, конечно, как ее бывший, но в толпе заметен и женщинам должен нравиться. Если бы он еще не боялся с ними заговорить. А он боялся. Поэтому и жил до сих пор в общежитии, постоянно менял работу и никак не мог остановиться на чем-нибудь одном.

— Может, вам кофе сварить? — спросила Ксения, видя его состояние. Воробьев явно стеснялся незнакомой девушки и ее насмешек. — Да вы не бойтесь, я сюда принесу.

Он молча кивнул, и Ксения вышла на кухню. Мужик в тельняшке курил «Приму», открыв настежь окно. Было ужасно холодно, но Ксения поняла, что возражать бесполезно.

— Где тут можно завтрак приготовить? — спросила она.

— Чего? Прямо так сразу? Воробей уже завтрак успел заработать? Ну дает мужик! Силен!

Ксения схватила турку, ткнула мужику в лицо:

— Его? Ваша?

— Да бери. Все кругом колхозное, все кругом мое. Про коммунизм слыхала? Это когда от каждого по способностям, а каждому по потребностям. И потребности и способности у нас примерно одинаковые в этой трехкомнатной хате: каждый хочет отсюда выбраться, но не могет. Потому мы все здесь равны. А равенство — это братство. Как брат я тебе разрешаю пользоваться этой штукой, но и ты уж будь добра...

— Все, хватит. Мне надо сварить кофе.

— А насчет смысла жизни? — То ли он уже выпил, то ли с ночи еще не протрезвел.

— В другой раз.

Он докурил, выбросил в окно бычок и вышел из кухни. Ксения облегченно вздохнула.

Через несколько минут она принесла в комнату Анатолия две чашки кофе и то, что решилась взять в холодильнике. Кто знает, насколько у них тут развит коммунизм?

— Я тут слегка похозяйничала, — сказала она. — Ничего?

— Ничего, — старательно выговорил он с упором на первую согласную, и Ксения догадалась, что Воробьеву это дается тяжело. Но старается не заикаться. Долго готовился, наверное. Все то время, пока она была на кухне.

— Ты удивился, что пришла подруга Жени, да? Ты знаешь, что ее убили?

— З-знаю.

Как же тяжело давался этот гейм! Противник был настолько скован и зажат, что Ксения и сама чувствовала себя неловко. Жизнь не игра, это тяжелая и весьма неприятная штука. Особенно когда все складывается слишком легко. Очень легко для того, чтобы быть правдой.

— Толя, я прожила с Женей в одной квартире три года, — мягко сказала Ксения. — И меня тоже бросали. Одним из ее «шуриков» был мой собственный муж. Он ушел от меня к Жене. Скажи мне, как ты здесь живешь? Это же невыносимо.

— Я к-коплю на к-квартиру, — ответил Воробьев, стараясь не смотреть в лицо Ксении.

— И много накопил?

— Не х-хватает.

— Понятно. Даже на однокомнатную, не в самой Москве, а в ближайшем Подмосковье не хватает. Это очень большие деньги. И для меня тоже, — добавила Ксения и заметила, что Анатолий потихоньку начинает к ней привыкать.

15 : 15

— У тебя девушки нет? — спросила Ксения. Потом спохватилась: — Ой, извини! Я это спросила потому, что боюсь помешать. Вдруг придет твоя девушка и...

— Никто не п-придет, — нахмурился он.

— Странно. Мне кажется, что у тебя должно быть много девушек.

— Н-не было. До н-нее.

— Ты ведь не москвич?

— Н-нет. С Урала. Приехал в институт п-поступать. К т-тетке.

— И она тебе никак не помогает?

— П-помогла. — Он усмехнулся с иронией.

— Расскажи, — попросила Ксения.

Длинные речи давались ему с трудом. Анатолий заикался еще больше, когда волновался. А волновался он всякий раз, когда рассказывал о своей жизни. Анатолий Воробьев был сильно обижен и на саму жизнь, и на ее любимчиков. А Евгению Князеву он относил к самой отвратительной категории людей — к баловням судьбы.

Самому же ему не повезло с рождения. Как поняла Ксения, мать Анатолия выскочила замуж рано, в восемнадцать лет. Не по залету — по любви. И делала аборты до тех пор, пока не поняла, что следующий будет последним. Муж ее работал на заводе, в цеху, где от печей шел постоянный жар, и, едва выбравшись из земного ада, он пил по-черному. Умер рано, не дожив до сорока пяти лет. Но в городе, где родился Анатолий, это никому не показалось удивительным.

Его мать была настоящей красавицей. Женщины в их роду обрусевших поляков отличались какой-то русалочьей, загадочной красотой и утонченностью. Правда, спустя десять лет после замужества, Антонину Воробьеву красавицей никто бы уже не назвал. Муж бил ее, не стесняясь сына, а мальчик, проснувшись однажды ночью, так испугался страшных криков матери, что на всю жизнь остался заикой. Водить его по врачам Антонина не имела ни сил, ни времени. Рано выскочив замуж, она так и не сумела получить образования и всю жизнь работала уборщицей да готовила еду у чужих людей. На похоронах и свадьбах, куда ее охотно приглашали, все были довольны ее стряпней. А дома в такие дни устраивалось настоящее пиршество. Отец Анатолия зарабатывал много, но большую часть денег пропивал. А потом, когда пришли другие времена и все чаще стали задерживать зарплату, семья уже держалась только на Антонине. Но Толик к тому времени был уже в Москве. Отслужив в армии, он отправился покорять столицу.

Инициатором поездки была мать, которая боялась, что Толик, хлебнув каторжного труда на заводе, тоже пристрастится к водке. В столице Антонина рассчитывала на свою родную сестру и ее богатого и влиятельного мужа. К тому же Толик был отличным спортсменом, и какой-нибудь малопрестижный вуз мог взять его только ради того, чтобы усилить свою волейбольную или баскетбольную команду.

Анатолий, преодолев свою застенчивость, наконец решился. Собрал вещи и отбыл в Москву, оставив мать с умирающим отцом на руках. Столица встретила его неприветливо: моросящим дождем и хмурыми лицами прохожих. В то время в Москву наведывались в основном за вожделенным дефицитом, и огромные очереди кольцами вились вокруг крупных универмагов. И Анатолий часто слышал:

— Понаехали тут!

Он не купил обратный билет только потому, что боялся расстроить мать. У нее к тому времени уже начало побаливать сердце. Анатолий догадывался, что мать расстраивать нельзя, особенно правдой о том, как его встретила родная тетка.

15 : 30

— Ты куришь? — спросила Ксения.

— Д-да.

— Тогда кури. Только форточку не открывай. Холодно.

Она привыкла к запаху крепких сигарет, потому что из всех приятелей Жени только Генка, пожалуй, не курил. Профессиональный спортсмен, он категорически отказывался от жалкой страстишки к никотину. Да еще непонятно было с тем, вчерашним. При Ксении Владимир Попов сигарет из кармана не доставал.

Судя по тем, что курил Анатолий, это была не та статья бюджета, на которой он экономил. Кое-какие из дорогих привычек у него еще остались. До встречи с Женей Князевой он не курил вообще. Считал, что для спортсмена это лишнее. И алкоголь тоже.

...Первое, что Анатолию надо было сделать в Москве, это определиться с жильем. А жить он собирался у тетки. Родная сестра его матери уехала в Москву около двадцати лет назад. Она тоже была красавицей, только к своей замечательной красоте относилась рационально, максимально использовав свой единственный шанс. Поэтому, окончив школу, девушка уехала учиться в швейное ПТУ в столице, где кроме профессии давалось еще право на временную прописку и койку в общежитии.

Получив профессию швеи, юная красавица устроилась по лимиту на фабрику по пошиву верхней женской одежды. И получила право еще на несколько лет остаться в Москве. И вот тут ей наконец улыбнулась удача. У тетки Анатолия было не только красивое лицо, но и идеальная фигура, и получилось так, что изделия швейной фабрики стала демонстрировать на показах мод одна из ее работниц. Пусть народ любуется, какие бывают передовики производства! Днем стоят у станка, а вечером по подиуму разгуливают. Это вам не буржуазная индустрия моды, а социалистический подход к человеку.

И на одном из показов свершилось — русалочья грация молодой работницы покорила немолодого директора магазина. Он тут же развелся со своей сорокалетней женой, и в его доме вскоре появилась молодая красавица.

Брак оказался удачным для обоих. Молодая красивая жена помогала ему делать карьеру, а он обеспечил ей легкую красивую жизнь.

Она была русалкой не только внешне, но и по природе. Холодная, словно речная вода, и совершенно бесстрастная, она прекрасно знала на примере старшей сестры, куда приводят чувства. И совершенно сознательно избавилась от всех разом.

Через год после свадьбы она родила мужу ребенка, потом села на жесткую диету и занималась дальше уже только собой. Бедные родственники, оставшиеся где-то за Уралом, были забыты вместе с досадным прошлым.

И вот, спустя столько лет, неожиданно объявился племянник, который собирался жить в ее доме! Неужели за то, что старшая сестра была ей в детстве нянькой, надо терпеть в своей квартире ее сынка, который может оказаться в папашу, пьяницей и драчуном!

Негодовала. Даже муж был удивлен и, успокаивая разгневанную супругу, посоветовал:

— Сейчас лето, дай ему ключи от дачи, а мы уедем за границу. Все равно собирались.

— Да, а потом? Я вернусь и не смогу приехать даже на собственную дачу? Все будут тыкать меня племянником.

— Дачу мы все равно собирались продавать.

— Мы же только недавно ее купили!

— А машину мы тоже только недавно купили, но это не мешает тебе хотеть новую. Человек должен стремиться к лучшему, дорогая.

— Но как же быть с моим племянником?

— Он тебе очень неприятен?

— Да я его даже не знаю! Просто примешь одного — и потянется цепочка. Знаешь, сколько их там, за Уралом, бедных родственников? Кроме родной сестры у меня есть еще и двоюродные братья. И что, все они будут присылать своих детей пожить в нашей квартире? К тому же мне неприятны воспоминания о прошлом. Ты сам знаешь, с каким людьми мы общаемся! А тут в гостиной будет постоянно торчать этот неотесанный болван!

— Хорошо, я сам что-нибудь придумаю.

— Что придумаешь? Что?

— Парень поживет у нас на даче, пока сдает экзамены. Я, разумеется, замолвлю за него словечко. Экзамены он сдаст, а потом получит койку в общежитии. И волки будут сыты, и овцы целы. Можешь отписать потом сестрице, что сделала все, что могла.

Теткиному мужу объясняться с Анатолием Воробьевым не пришлось. Парень был не дурак и все прекрасно понял. Пихнули кусок, устроили в институт — и будь доволен. Но в доме появляться не смей.

Успешно сдав вступительные экзамены, он с дачи позвонил тетке, по телефону сказал ей «спасибо», потом собрал вещи и уехал в общежитие. Ни саму тетку, ни членов ее семьи Анатолий так и не увидел. Но здорово разозлился на них всех.

С тех пор богатые люди стали для Анатолия предметом постоянного раздражения. Он страшно хотел отомстить им всем, но для этого самому нужно было стать богатым. А он пока по ночам разгружал вагоны и жил в общаге.

Жил скромно, в студенческих попойках не участвовал, столичных девушек по-прежнему стеснялся.

...Ксения выслушала все это молча, не перебивая. Она надеялась, что ее собеседник, окончательно освоившись, перейдет к сути и ничего не будет утаивать. Ибо они, кажется, подошли к главному — моменту знакомства с Женей Князевой.

И тут Анатолий неожиданно сильно разволновался:

— Я з-з-закурю?

— Да ради бога!

— Дым не м-мешает?

— Ты не хочешь об этом вспоминать, да?

Он молчал. Но Ксения не могла знать истинных причин этой странной паузы. Ибо то, что произошло с Анатолием в тот вечер, он до сих пор вспоминал как страшный сон.

— Не п-повезло. П-почему именно она?

И Ксении опять стало его жалко.

15 : 40

Анатолий Воробьев боялся знакомиться с девушками. Но он им нравился. Высокий, красивый парень с хорошо развитой мускулатурой и такими внешними данными, которые могли принести славу любому актеру, будь то герой-любовник или главное действующее лицо крутого американского боевика. Его сосед по комнате, развязный курносый парень, давно мечтал затащить приятеля на какую-нибудь дискотеку.

— Слушай, Толян, не надоело тебе зубрить? Прогуляемся, девочек снимем.

— З-зачем?

— Во дурак! Ты что, стесняешься, что ли? Да они сами на тебя вешаться будут! Ты, главное, сиди и молчи. Они на тебя станут любоваться, а я им лапшу на уши вешать.

Анатолий долго отказывался, но приятель не унимался. И однажды свершилось. Воробьев завалил экзамен, не освоив премудростей высшей математики. Преподаватель попался вредный, из тех чудаков, которые до фанатизма обожают любимый предмет и никому не делают никаких скидок.

— Приходите в другой раз.

Расстроенный Анатолий вечером сам сказал своему курносому приятелю:

— Идем.

И это было поворотом в его судьбе. Она, злодейка, словно караулила момент. В этот вечер на студенческую дискотеку заглянула Евгения Князева. Она находилась в расстроенных чувствах после того, как ее покинул ее первый бой-френд. И решила зайти в общежитие к своему однокласснику, где тот обещал вечером веселую дискотеку и кучу симпатичных парней.

Этого она заметила сразу. Высокий красавец, сидящий за столиком с каким-то курносым оболтусом. Тот все время крутил головой и в конце концов ушел танцевать с хорошенькой темноволосой девицей. Женя поймала момент и подошла.

— Не белый танец, но я приглашаю.

Парень молча и весьма неуверенно поднялся. Первое время Женя была шокирована его молчанием. Парень даже не спросил, как ее зовут.

— Скучно здесь, да? — шепнула она.

— Н-не очень, — выдавил из себя ее партнер, и Женя сразу поняла, в чем его проблема. Ее такая вещь, как заикание, не смущала. Говорить в тот день ей хотелось меньше всего. Женя Князева не принадлежала к тем людям, которые в горе изливают душу всем подряд.

За столик они вернулись вместе. Женя никуда и не собиралась от него уходить. Вернувшийся с темноволосой девицей сосед принялся болтать какую-то чепуху и подмигивать. Явно напрашивался в компанию.

— Вообще-то я на машине, — сказала Женя. — Покатаемся?

Приподнявшегося было курносого с девицей она отшила в один момент:

— А вас, Штирлиц, я попрошу остаться. Тем более в такой приятной компании. — И взглядом многозначительно объединила его и темноволосую девицу.

Катались они не долго. Спутник Женечки преимущественно молчал, она тоже не горела желанием рассказывать свою биографию. Если это не любовь, то слова вообще не требуются. Какая разница, заикается он или нет, если у него такое потрясающее тело? Ей необходимо было отвлечься от горьких мыслей, а она знала только два способа: теннис и секс. Первый не помог, хотя добрая половина дня была отдана изматывающей тренировке. Оставалось забыться в чьих-то жарких объятиях. И они приехали к Жене домой.

Не зажигая света, Женя провела его прямо в спальную. Хотелось думать, что у этого человека другое лицо. Женечка Князева презирала брошенных женщин и не хотела к ним принадлежать. Это был для нее все тот же первый мужчина. Жизнь продолжалась, и Женя отныне решила быть ее хозяйкой, а не рабой. Она поняла, что это тот случай, когда инициативу надо сразу же брать в свои руки.

Его страсть Женю приятно удивила. Сразу возникло подозрение, что у парня никогда не было женщин. Но когда Анатолий молчал, он уже ничего не боялся. И комплексы куда-то исчезали. Он уже знал, что эта ночь изменит всю его жизнь, но даже не представлял себе насколько. Когда его партнерша уснула, Анатолий потянулся на мягкой кровати и впервые почувствовал себя счастливым. До самого утра он пребывал в состоянии блаженства, похожего на невесомость. Он любил женщину, которая лежала рядом, он готов был всю оставшуюся жизнь существовать только для нее. Но утром неожиданно понял, что это невозможно...

— Почему? — спросила Ксения. И ей показалось, что собеседник слегка порозовел.

— О т-таких вещах не рас-с-сказывают.

— Ну, мне-то можно!

Он упрямо покачал головой. Ксения улыбнулась:

— Я знаю ее привычки. Ей мало было просто жить с человеком, надо было еще и мучить его.

— Я в-виноват.

— Что-то случилось, да? Женя мне никогда об этом не рассказывала. — Почему-то Ксения не хотела ему врать. По поводу своих отношений с Толиком Воробьевым подруга делала только туманные намеки и посмеивалась. Ситуация, видимо, была забавной.

— Она п-подумала, ч-что это будет интересно.

Он никуда не ушел. Остался в шикарной трехкомнатной квартире, а вскоре перевелся на заочный. Говоря банально, Евгения подарила ему целый мир. Это был тот мир, который он презирал и ненавидел, но это было только от большого желания в нем остаться.

Однажды за границей он встретился со своей красавицей теткой. Когда женщина поняла, что перед ней тот самый бедный племянник, она была слегка шокирована и даже устроила небольшой скандал. Но Женя Князева умела справляться и не с такими ситуациями. Она чувствовала пьянящую свободу и спешила ею воспользоваться. Анатолий был сам себе противен, когда исполнял все прихоти подруги. Но он по-прежнему боялся женщин и думал, что все, кроме Жени, будут тайком над ним смеяться. Молчание создавало вокруг Анатолия тайну, в окружении Князевой считалось — этот парень весь в себе.

Это он приучил Женю к тому, что за деньги дозволено все, и можно, не задумываясь, говорить человеку, с которым живешь, слова самые обидные. Анатолий был не в состоянии с ней спорить хотя бы потому, что начинал заикаться еще сильнее. И предпочитал молчать. Хотя до сих пор вспоминал тот год с восторгом, хотя этот восторг и был отравлен ненавистью. А причина для ненависти была...

Третий брейк-пойнт

2 : 5

Ксения не знала, что и думать. Казалось, что этого надо вычеркивать сразу же. Ну зачем ему убивать бывшую любовницу спустя столько лет? Пустой номер, зря она сюда пришла. Разве только что наследство...

— А много тебе на квартиру не хватает? — спросила она.

— Од-д-должишь?

— Женька завещание оставила.

— З-знаю.

— К-кто сказал? — непроизвольно ляпнула она. Когда разговариваешь с человеком, который заикается, невольно заражаешься. И Ксения мгновенно зажала ладошкой рот: — Ой, извини!

По его взгляду она поняла, что он уже привык. Анатолий Воробьев ничего не сказал, но запомнил. Он всегда делал в памяти такие зарубки на счет людей, причинивших боль, и хотя со временем дерево в этих местах темнело и крошилось, но болезненные надрезы хранило.

— М-милиция п-приходила, — спокойно ответил невольной обидчице.

— Сегодня? Ах да, еще так рано! Вчера? Откуда же они узнали адрес?

Он молча пожал плечами. Действительно, приходил следователь, сказал, что убили его бывшую любовницу, поинтересовался насчет алиби. Какое еще может быть алиби, когда он искал в тот день работу? Хотелось найти что-то поденежнее и поприличнее. Хотелось, чтобы в его жизни повторилось то, что было в тот год, но уже без Жени. От бывшей подруги он не принял ничего и съехал от нее так же, как с той дачи, сказав по телефону короткое «спасибо».

Но теперь совсем другое дело. Оказалось, что он имеет законное право. Только между ним и этим правом стоит человек. Человек, в сущности, чужой и ему неприятный. Надо только проконсультироваться у знакомого юриста. Заплатить деньги, хорошие деньги. Почему не рискнуть всем накопленным, если игра стоит свеч? На квартиру отложенного не хватит, а вот на большую игру вполне.

И вот эта девушка сидит перед ним и непонятно, чего она хочет. Жалко ее, честное слово, но что делать? В памяти Анатолия промелькнуло несколько женских лиц: красавица тетка, Женя... Все они одинаковы. И он окончательно решился.

— Т-ты уже всех обошла?

— Кого это всех? Ах да. Я думаю, что следует все поделить. Ты не возражаешь?

Он возражал, потому что все это было его. Законное. Но девушке, которая называла себя Черри, Анатолий ничего об этом не сказал. Пусть суетится, занимается своими делами. А он займется своими.

— Т-тебя п-проводить?

— А ты сегодня занят? Были планы, да?

До ее визита планов у Анатолия никаких не было. Но теперь все сложилось, и в жизни появился смысл. Она даже стала ему наконец интересна.

— Да, я з-занят.

— А я думала, может, мы погуляем?

Ксении до смерти хотелось загладить свою вину. Дуреха! Ну надо же было ляпнуть! А ему уже было все равно. Досадная неприятность, которая только подтвердила его решение. Он не хотел гулять с этой девушкой сегодня по Москве, потому что собирался доставить ей большие неприятности. Она была ни при чем, просто лезла не в свое дело.

— Н-нет, н-не могу.

Ксения разочарованно вздохнула:

— Слушай, а позвонить тебе никак нельзя?

— З-зачем?

— Вдруг что-то прояснится?

Анатолий знал, что они обязательно еще раз встретятся. Только это будет уже другой разговор. Но телефончик надо бы записать:

— Д-давай свой. Я з-звякну.

— Я вообще-то живу в квартире у Жени. Ну, если ты помнишь, то половина всего моя. Да мне, в сущности, и жить-то негде. У тебя общежитие, у меня комната в коммуналке. И сосед на твоего очень похож. Только никогда так смешно не говорит: «Пардон». И про коммунизм. Нет у нас в коммуналке никакого коммунизма. Они замок новый хотят врезать. Потому что я там уже долго не живу.

Дальше ему не хотелось слушать. Поскорее выставить ее вон. Не думать о том, что эта девушка может оказаться хорошей. Все они одинаковы.

В коридор, как назло, выглянул сосед.

— Ба! Куда это вы? Я тут в магазинчик собрался. С окончанием трудовой недели, а? Да здравствует светлое будущее, которому нет места в темном прошлом! Потому и не доживем.

— Серега, уг-гомонись. Д-девушка уходит.

— Ну ты даешь, Воробей! Мадам, вам не удалось его уломать? Он у нас такой. Р-романтик.

Мужик в тельняшке мгновенно нырнул в свою дверь, заметив сжавшиеся кулаки соседа. Чувство юмора у Анатолия Воробьева давно уже атрофировалось от излишней подозрительности. Ему казалось, что все люди над ним подсмеиваются. Ксения сочувственно сказала:

— Не обращай внимания.

И ему опять захотелось поскорее выпихнуть ее вон.

Когда это удалось, Анатолий Воробьев мрачно подумал, что неплохо было бы набить соседу морду. На всякий случай, для профилактики. Но следующая мысль была гораздо разумнее: это он всегда успеет сделать, а вот с тем, что сейчас задумал, следует поспешить. Время — это деньги, которые оно вскоре принесет, если будет правильно на него, Анатолия Воробьева, работать. А эта девушка пусть думает о нем что хочет. Пока не поймет, что ее обманули.

Гейм восьмой

0 : 75

«Вот и все, — подумала Ксения, выйдя на воздух. — И ничего ты не добилась».

Она перебрала в памяти их всех. Владимир Попов, Анатолий, Генка... На бывшем муже сердце предательски дрогнуло. Ну не могла она его разлюбить, и все тут! Возненавидеть могла, а разлюбить нет. Пусть он чужой, пусть зовет ее теперь этим дурацким птичьим именем...

— Черри!

Ксения закрутила головой. Неужели? На той стороне дороги возле светофора стоял улыбающийся зеленоглазый Герман. Махнул рукой, на красный свет несколькими звериными прыжками перелетел через дорогу. Женщины по обе стороны улицы враз начали оглядываться. В Германе был какой-то животный магнетизм, он резвился в этом городе, словно в джунглях, и не уставал при этом любоваться собой. Его гладкие волосы и черная кожа куртки блестели на солнце. Ксения даже зажмурилась: хорош! Откуда он здесь?

— Я тебя искал.

— Это значит, что с раннего утра ходил за мной по всему городу?

— С позавчерашнего раннего утра.

— Ты ушел от Валентины?!

— Почти. Не стой столбом, замерзнешь.

Он крепко затянул на шее у Ксении шарф. Она даже закашлялась.

Потом он огляделся внимательно, заметил старую пятиэтажку, недобро прищурил зеленые глаза, особенно яркие в это утро, полное холодного солнечного света:

— Зачем тебя сюда занесло, Черри?

— Здесь живет один человек.

— Да ну! А по-моему, куча народу. — И Ксения сразу же уловила в его голосе насмешку.

— Да, я глупа. И нечего надо мной смеяться.

— Ты очень милая дурочка, детка. Ты даже ни разу не оглянешься, когда идешь по улице.

Ксения вдруг сообразила:

— Герман, а ты знал, что за Женей следили?

Он рассмеялся. В зеленых глазах было по-прежнему много света и ни капельки грусти.

— А это не ты был случайно?

Он засмеялся еще громче. Высокий, в черной кожаной куртке, в белом свитере. Зубы тоже белые и страшные. А ну как съест?

— Детка, ты забыла, что я раньше жил в Сочи?

Ксения растерялась. Дуреха! Действительно, он был последним в списке. Но врет же! Совершенно ясно, что врет!

— А при тебе?

— У тебя нос синий, Черри.

— Чего тебе от меня надо?

— Лимонада. Ладно, давай серьезно. Кончала бы ты свои глупости. Милиция, между прочим, вперед тебя всех обошла. И убедилась в том, что ни черта в этом деле не ясно. Могли все в общем и никто в частности. Если только тот придурок, который говорит, что потерял трубу.

— Откуда ты знаешь?

— От верблюда.

— Герман, кончай разговаривать со мной, как с ребенком.

— А ты взрослая? От безделья играешь в частного детектива? Я просто по-хорошему хочу тебя предупредить, Черри. Сейчас начнется большая игра. Если не хочешь стать третьей лишней, уезжай куда-нибудь.

— Почему?

— Потому что на Женькином счету оказалось слишком много денег.

— Откуда ты знаешь?

— От... Ладно, без шуток. Тайну вклада хранят кто? В основном женщины, Черри. Черт возьми, люблю банковских работниц! Они только на вид зеленые, как баксы, и так же ненавязчиво шуршат. Но зато отрываться умеют на полную катушку.

— Герман, ты подлец!

— Гаспада-а, вы звери, гаспада-а! — пропел он.

Ему было очень весело. Сытый хищник в прекрасном расположении духа. То ли почуял кровь, то ли сам только что ее пролил.

— Герман, ты знал о том, что Женька ездила в Сочи?

— Когда? — Он сразу же перестал смеяться.

«Ага, мне все-таки удалось испортить ему настроение!» — тут же подумала Ксения. И спросила:

— Ты уверен, что у тебя все в порядке?

— Значит, эта стерва моталась в мои родные пенаты! То-то птичка запела по-другому! Девочка Черри, скажи мне все!

Он цепко схватил Ксению за локоть. Совсем близко она увидела его красивое лицо. Кожа смуглая и гладкая, зеленые глаза блестят. «Господи, когда он успел загореть-то? Сейчас ведь глубокая осень!» — совсем некстати подумала Ксения и жалобно залепетала:

— Но я совсем ничего не знаю, Герман! Честное слово! Просто тот парень сказал, что видел ее в сентябре в гостинице. В Сочи. Помнишь, мы на несколько дней остались с тобой вдвоем? — Она даже слегка зарумянилась от этих воспоминаний. До чего только можно дойти, если целыми днями бездельничать! Поистине, всякие мерзости выдумали именно скучающие люди!

— В сентябре? В гостинице? Какой парень?

— Попов. Владимир Попов.

— А, первый номер! Руководящий работник. Будущее российской бюрократии.

— Он вовсе не такой уж плохой, — неожиданно обиделась Ксения.

— А ты не мужа себе часом ищешь, Черри? В таком случае поспеши. А то останешься вдовой.

— Герман, мне не нравится твое настроение.

— Мне самому оно не нравится.

Они шли по улице, и Ксения никак не могла сообразить, куда именно.

— Ты хочешь меня покормить завтраком? — спросила она.

— Что? Само собой. Ну почему я так нежно к тебе отношусь? По-моему, ты лучшая из женщин. Они почему-то уверены, что их украшают пороки. А на самом деле доброта. Доброта, Черри. Если бы ты пожила хоть немного моей прошлой жизнью, ты меня поняла бы.

— А что такого было в твоей прошлой жизни?

— Все. В моей прошлой жизни было все. И мне безразлично, что именно откопала Женька. Как вовремя она умерла, а? Постой, я сигарет куплю.

Они подошли к киоску. Замерзшая Ксения прижалась к его плечу. Теплое, широкое плечо в черной коже. И такой знакомый запах одеколона. Неужели Евгения покупала им всем одинаковый одеколон?! И не только его? И вдруг Ксения увидела, что парень, стоящий у киоска следом за Германом, спрашивает точно такие же сигареты.

— С-сдачи не н-надо, — услышала она и спрятала лицо, уткнувшись в душистую черную кожу. «Когда же он успел нас догнать?!»

Герман хотел идти, но Ксения вцепилась в его руку:

— Подожди!

— Че...

— Да тише! — И потащила его за киоск.

Он удивленно спросил:

— Да что с тобой? Для любви прямо на улице погода не слишком подходящая.

— Не хочу, чтобы он меня видел вместе с тобой.

— Кто он?

— Толя.

— Тот, к которому ты в общагу ходила? Номер два?

— Да.

— Где он?

— Купил сигареты и отошел. Все, можно идти.

— Черри, ты только не обижайся. Я тебя оставлю, да? Погуляй по улице, мороженое съешь. Деньги есть?.. Мне надо бежать.

— Но...

— Позвоню. Все! Истерик не надо, мы с тобой свои.

И он исчез. Ксения выглянула из-за киоска и увидела, как Герман в несколько прыжков нагнал того, кто минуту назад покупал точно такие же сигареты. Но пошел не рядом, а следом за ним, все время ныряя за чужие спины. Ксения подумала вдруг, что и одеколон у них одинаковый. Смешно! Но хотелось не смеяться, а плакать. «Что же такое происходит?» — подумала она и, громко всхлипнув, поплелась к метро. Тех двоих уже нигде не было видно.

15 : 15

Дома Ксения все думала, почему же Герман посоветовал ей уехать? И куда? У Ксении были на выбор комната в коммуналке и раскладушка в квартире, где жили родители и брат. Но Герман, видимо, имел в виду другой город. Или другую страну. Конечно, в доме были деньги, но Ксения по-прежнему брала только на еду. Не могла отделаться от мысли, что все это чужое.

«В конце концов, Женька не платила мне зарплату. А я все для нее делала, — думала Ксения, перебирая в уме домашние дела и прикидывая их возможную рыночную стоимость. — Я могу сделать вид, что беру только то, что мне должны».

Но мысль о том, что ни на какие заграничные вояжи она не заработала, не позволяла Ксении взять из шкафчика сумму значительную. Она таскала деньги потихоньку, каждый раз вступая с собственной совестью в бессмысленный спор. Потому что голод все равно был сильнее.

«Никуда я не поеду! — решила Ксения. — И никого не буду бояться!»

Но тут зазвонил телефон, и она вздрогнула. Спотыкаясь, подошла к столу.

— Ксения Максимовна?.. А это следователь. Борис Витальевич. По делу об убийстве вашей подруги. Не забыли еще?

— Нет.

— А чего это у вас голос такой испуганный? Зашли бы вы ко мне, а? Ксения Максимовна?

— Когда?

— В самое ближайшее время.

— А зачем?

— Затем, что дело это темное. Вашего красавца Германа видели на стадионе.

— Он не мой.

— Общий. Все они общественное достояние, хоть в музей. В музее, говорю, надо парней этих показывать. За большие деньги. Вы меня слышите?.. Картины бы с них писать, а они бабам ножики в спину втыкают. И, между прочим, ваш рыжий тоже там был, на стадионе. Или тоже не ваш?

— У него жена, — прошептала Ксения.

— А у остальных что, гарем? Между прочим, вы мне не все сказали. А зря. Кого покрываете, Ксения Максимовна? Или Черри?

— ...

— Понятно. Молчите, значит. Не телефонный разговор. Ну поговорим в другом месте. Вы уж сами придите, не заставляйте меня вас искать. Ведь общество мое вам неприятно, как я понял?

— Нет. То есть не очень.

— Вот и осчастливьте меня, Ксения Максимовна. Про лето поговорим. Про Сочи. В Сочи бывали? Молчите? А как насчет замужества? Опять молчите? Странная вы девушка. Только вы уж со своими симпатиями определитесь. И я бы вам посоветовал...

— Уехать, да?

— Прийти и все по-хорошему рассказать. В ваших же интересах. Потому что этот парень с ножиком пока где-то ходит.

— У него уже нет ножика. Он его Жене в спину воткнул.

— Найдет. Такого добра...

— Я подумаю.

— Вот и хорошо. Кстати, напоследок: а вас ждет большой сюрприз. — Он неприятно хихикнул.

«Фу ты, как противно!» — подумала Ксения и упавшим голосом спросила:

— Какой?

В трубке раздался тихий смех:

— Завтра узнаете. Подружку вашу разрешили похоронить. Медицине и так все ясно. Так что ждите. — И с иронией: — Черри.

Он повесил трубку, а Ксения так и замерла с телефоном в руке: какой еще сюрприз? Да, Евгению Князеву пока не похоронили. До приезда ближайших родственников. Неужели?.. Если он думает, что сильно ее расстроил, то ничуть не бывало. Она играет на своей территории и на своей же подаче. И пусть кто-то попробует это преимущество отобрать!

15 : 30

Ксения проснулась утром оттого, что настойчиво звонили в дверь. Очень уверенно, как к себе домой, коротко и резко нажимая на кнопку, отчего нежная мелодия захлебывалась и становилась похожей на стоны. «Уже!» — подумала Ксения и вскочила с постели. Хорошо еще, что следователь ее предупредил. Добрейшей души человек, если бы не преследовал свои маленькие корыстные цели!

Она рванулась к двери, запахивая махровый халат.

— Да! Сейчас! Уже!

На пороге стояла высокая стройная дама средних лет в великолепно сшитом дорожном костюме. Да что там средних лет! Это Ксения точно знала ее возраст: пятьдесят, и ни годом меньше. Но легкая дымка вуали на черной шляпке до половины прикрывала лицо загадочной красавицы, вполне еще способной разбить немало мужских сердец. А там, где кончалась вуаль, морщинок на гладкой коже не было заметно. «Должно быть, это траур», — подумала Ксения и хотела было поспешить со словами сочувствия. Но дама, не замечая ее, ткнула пальчиком в середину прихожей:

— Чемоданы. Сюда и сюда.

Потом отчетливо ледяным тоном:

— Осторожнее, не повредите.

Когда таксист разобрался с багажом, дама открыла сумочку, чтобы расплатиться. Ее чаевые были щедрыми ровно настолько, чтобы не вызвать совсем уж откровенного недовольства.

— Благодарю.

— Всего хорошего, гражданочка.

Удивленно вздернутые брови дамы были знаком того, что она еще не сообразила, в какой находится стране. Должно быть, не адаптировалась после долгого перелета. После того как за таксистом захлопнулась дверь, дама наконец обратилась к сонной Ксении:

— Доброе утро, милочка. Какое горе!

И, подняв с лица вуаль, кружевным платочком начала аккуратно промакивать прекрасные глаза.

— Да-да, — торопливо заговорила Ксения — Женя... Женю... Мне так жаль, честное слово! Это что-то ужасное! А я здесь...

— Налей мне, пожалуйста, ванну. Черри, кажется?

За границей они встречались по крайней мере раз десять. То, что даму зовут Элеонора Станиславовна, Ксения запомнила сразу же. «За кого вы меня принимаете?!» — хотелось крикнуть ей. Но вместо этого Ксения побежала в ванную и открыла краны.

«Как мне хочется тебя заживо сварить!» — думала она, насыпая в воду ароматическую соль. С тонким запахом ландышей. Подруга перенимала привычки от матери. Своего вкуса в одежде, косметике и духах у нее не было. То, что выбирала Элеонора Станиславовна, ее дочери не нравилось, но окружающие восхищались, и пришлось смириться. Таким образом, Ксения знала вкусы приехавшей дамы. А та приняла это как должное.

— После ванны я с удовольствием выпью кофе.

«Я тоже», — опять-таки про себя подумала Ксения и не поняла, почему не может сказать всего этого вслух.

Закрыв дверь ванной комнаты, она обессиленно присела возле нее на корточках. Элеонора Станиславовна парализовала ее волю, если таковая вообще когда-то была. Эта дама так естественно воспринимала окружающих людей как прислугу, что было бессмысленно с ней спорить. Она обращалась к людям с такой ледяной, убийственной вежливостью, что те просто терялись. Как отвечать на хамство, понятно: откровенным хамством. Но что делать, если тебе не нахамили, но оскорбили при этом так, что стало тошно? И сделала это женщина, прекрасная, как ангел. Смотреть в ее глаза можно было бесконечно. В них не было ни дна, ни печали, ни какого-либо другого чувства.

Первым, что сказала Элеонора Станиславовна, сделав глоток крепкого кофе, было:

— Ах, как я отвыкла от этой страны! Мне хочется поскорее вернуться обратно в Италию. На свою виллу. Милочка, как вы можете здесь жить?

«А где же мне еще жить? — подумала Ксения. — Без своего жилья и денег?» Но дама не нуждалась в ее репликах:

— Поэтому покончим со всем этим быстрее. Я должна выполнить какие-то формальности?

— Ну да. Вам же надо забрать тело из морга! Вы — мать.

— Боже мой, как все это неприятно!

— Вам ее совсем не жаль? — не удержалась Ксения.

— Жаль? Ну разумеется. Для меня это большое горе. — Фраза была сказана таким тоном, будто речь шла о десерте, безнадежно испорченном поваром. И тут же: — Как вы думаете, милочка, я успею завтра вечером на самолет?

— Завтра?!

— Да, понимаю. Необходимые формальности. Ах, как их много! Ее же надо где-то похоронить. Я думаю, что вместе с моим покойным мужем. Но, в крайнем случае, послезавтра. Иначе я здесь умру. — Элеонора Станиславовна тяжело вздохнула: — Поймите, у меня здесь нет близких людей. Муж не мог оставить свой бизнес. Не покойный, разумеется, муж, а нынешний, синьор Ламанчини. Всю эту неприятную обязанность он переложил на мои плечи...

Дама передернула плечиками, словно демонстрируя их хрупкость. И снова кружевной платочек у глаз. Ксения рассматривала Элеонору Станиславовну и думала о том, что подруга была мало похожа на свою красавицу мать. Досадно ей это было или нет, но Женя Князева категорически отказывалась обсуждать подобную тему. Сказать, что между ней и матерью были плохие отношения, значило соврать. Они не были плохими. Они были никакими. Элеонора Станиславовна любила говорить, что свой долг по отношению к дочери она выполнила. Женечка получила все, что нужно, — по высшему разряду. Она не была заброшенным ребенком, разве что одиноким. Себя мать любила гораздо больше. Тем более что девочка даже не была хорошенькой. Возможно, втайне она радовалась, что между ней и дочерью не будет соперничества. Но вслух не уставала повторять:

— Женечка, как жаль, что ты так похожа на папу! Тебе ужасно не хватает женственности.

Может быть, поэтому Женя Князева держала возле себя красивых мужчин. Чтобы позлить мать, которая имела все, но жила сначала с лысым и толстым папочкой, который был старше на двадцать лет, а потом со своим итальянцем-миллионером, мужчиной бесспорно богатым, но уже старым и внешне тоже непривлекательным. Мать могла сколько угодно делать вид, что ей безразличны спутники дочери, но та втихаря подсмеивалась над ней. Как забавно, в самом деле!

Так получилось, что больше всего на свете Элеонора Станиславовна любила деньги. То есть не сами шуршащие купюры, а то, что на них можно купить. Ее родители были инженерами, простыми советскими нищими, и, глядя на красивые вещи, которые носили девочки из более обеспеченных семей, Элечка думала только о том, что это ужасно несправедливо. Ей все это пошло бы гораздо больше. С таким лицом и с такой замечательной фигурой! И всю свою жизнь Элеонора Станиславовна потратила на то, чтобы восстановить справедливость. Теперь красивые вещи носила она и выглядела в них на самом деле великолепно.

Да, справедливость восторжествовала, но Элеонора Станиславовна почему-то не испытывала от этого особого восторга. Все встало на свои места, но почему ценой таких больших жертв? Приобретение богатства стоило ей утраты молодости. Под молодой, прекрасной оболочкой билось сердце древней старухи. Эта столетняя бабка ни на что не реагировала только потому, что чувства ее были слишком дряхлыми. Она не была бессердечной, но воспринимала все соответственно своему подлинному возрасту.

— Милочка, вы ведь обо всем позаботитесь, не так ли?

— Да, я вам помогу.

В отличие от Элеоноры Станиславовны, Ксения умела любить. Это было ее несчастьем, но изменить себя она не могла. Она любила Женю, но кроме любви испытывала к подруге еще и элементарную благодарность. Она так много делала для нее. А муж, что муж?.. В конце концов он все равно стал бы таким, каким стал с помощью Жени Князевой. Если человек трус, то не важно, когда именно он спасует перед обстоятельствами и с чьей подачи.

— Милочка, вы начните без меня, — услышала Ксения, оторвавшись от невеселых дум. — Позвоните насчет похорон. В деньгах себя не ограничивайте. Лишь бы все это было побыстрее.

И Ксения поняла, что начался один из самых безумных дней в ее жизни. Ее утешало только то, что Элеонора Станиславовна не попыталась устроить скандал по поводу завещания своей дочери. Или ничего еще об этом не знала?..

30 : 30

Всю вторую половину дня, пока Ксения занималась организацией похорон, Элеонора Станиславовна была озабочена своим траурным нарядом. В морг, за телом Жени, они съездили вместе, и Ксения чуть было не упала там в обморок. По-настоящему, а не как Элеонора Станиславовна, которая изо всех сил делала вид, что ей дурно. Вокруг нее суетились врачи, совали нашатырь, делали укол, всячески успокаивали, а Ксения в это время тихонько стояла возле тела убитой подруги и чувствовала, что вот еще минута, и она сама умрет.

Не умерла, да еще везла домой близкую к истерике даму. Везла на такси, скрипя зубами от злости, потому что слишком уж часто Элеонора Станиславовна повторяла:

— Ах, как я устала! Я ужасно устала!

И потом все пришлось делать самой. Мать убитой подруги лежала в спальне и тихонько стонала. На ее голове уставшая Ксения то и дело меняла холодные компрессы. Тонко пахло ландышами и тленом. И уж совсем невозможно было вытащить Элеонору Станиславовну в гостиную, где стоял гроб с телом ее дочери.

— Милочка, я ужасно боюсь покойников! — шепнула она Ксении, когда та расплачивалась с работниками морга, доставившими мертвую дочь домой. За большие деньги, разумеется. Синьора Ламанчини не скупилась. Но предпочитала держаться от смерти подальше.

— А ваши родители что, живы? — спросила Ксения.

— Что вы, милочка! Давно умерли.

— Но разве вы их не хоронили?

Элеонора Станиславовна тяжело вздохнула:

— Я была в то время с Женечкой в Европе. На турнирах. Ей так нужна была моя поддержка! Все ведь только для нее начиналось. Думаю, что мама с папой поняли бы меня и простили во имя счастья своей любимой внучки.

— Кстати, о родственниках, — вспомнила вдруг Ксения. — Надо, наверное, дать им телеграмму? У вас адреса есть?

Элеонора Станиславовна приподнялась с кровати, придерживая рукой компресс:

— Там, в гостиной. В одном из ящиков бюро есть письма.

Ксения пошла уже было к дверям, но услышала вслед:

— Милочка, я сама не соображаю, что говорю! Моя единственная сестра умерла два года назад. И я уже не помню, когда последний раз слышала что-то о своих родственниках. Хотя... Но нет, не стоит. Это все в прошлом. Я даже не представляю себе, кто кроме нас с вами мог бы присутствовать на похоронах. Только самые необходимые люди. Пусть все будет скромно, но дорого.

— А ее друзья?

— Какие друзья, милочка? Ах, мальчики! Но это же не совсем прилично! Впрочем, пусть будет этот, последний. Как там его звали?

— Герман?

— Ах, милочка, разве я их всех помню?

И Ксения опять скрипнула зубами: уж Германа-то Элеонора Станиславовна не могла не запомнить. Его имя женщины не забывали.

— А что делать с письмами, Элеонора Станиславовна? — спросила она.

Дама вымученно улыбнулась:

— Ах, все это только жалкие воспоминания! Они в основном от старшей сестры, но, если честно, я ей не отвечала. Не удивляйтесь, милочка, что многие конверты даже не распечатаны. Я не повезу с собой в Италию какой-то семейный архив. Впрочем, милочка, принесите мне альбом.

— Зачем? — удивилась Ксения.

Дама уклончиво пожала плечами.

Ксения поняла ее, когда вернулась с фотографиями. Те, что с маленькой Женей, были отложены в сторону, а Элеонора Станиславовна сразу же ухватилась за несколько собственных снимков времен двадцатилетней давности. Тут же показала их Ксении.

— Ну как, милочка? Я сильно изменилась?

Ксения подумала, что этой женщине лучше всего жить в холодильнике. И телу хорошо, и душе комфортно. Фотографии молодой Элеоноры Станиславовны на Ксению впечатления не произвели. Да, хороша. Но сколько же можно на нее смотреть? А та сунула собственные снимки под подушку:

— Надо срочно показать это моему врачу-косметологу. — И тут же кокетливо добавила: — В семье Козельских все женщины были удивительно хороши.

Ксения только плечами пожала. Господи, как тяжело быть красавицей! Самой же Ксении надо было успеть еще очень многое за сегодняшний день. Но дама, увидев ее в дверях, жалобно вскрикнула:

— Как, милочка, вы уже уходите?

— Но я...

— Тогда поменяйте мне компресс, будьте любезны. Я вся разбита!

От запаха ландышей Ксению уже тошнило. А Элеонора Станиславовна вдруг вспомнила о своем траурном платье. На то, чтобы окончательно решить, что надеть, у нее ушла вся вторая половина дня. Платьев было два и оба великолепны. Создавать такие траурные наряды — настоящее искусство, а носить их — искусство ничуть не меньшее. Скорбь красавиц должна трогать самые черствые сердца. Чтобы все окружающие думали: «Боже, как она несчастна! Но как же ей это к лицу!»

Сама Ксения оделась на следующий день скромно. А на голову повязала черный платок. Пусть все смотрят только на Элеонору Станиславовну, чья высокая прическа украшена маленькой шляпкой с пучком траурных черных перьев. Людей, поехавших на кладбище, было немного. Ксения держалась возле Германа, а тот не сводил с красавицы глаз.

— Черри, я никак не могу поверить, что ей уже пятьдесят!

— Откуда знаешь? Женя сказала?

— Это было первым, о чем она мне сообщила по приезде за границу: «Когда увидишь мою мать, вспомни, сколько ей лет». Мило, да?

— Подойдешь к ней?

— Непременно!

Ксения с усмешкой наблюдала, как Герман целовал в щечку скорбящую мать. Та даже глаз не подняла. Несколько слов, сказанных дамой так, чтобы слышали окружающие, поставило в их отношения жирную точку. Ксения подумала, что хрупкая Элеонора Станиславовна сделана из железа хорошего качества. Отливка на совесть, без пустот. Чувствам просто некуда просочиться. Синьора Ламанчини не позволяла себе никаких эмоций, ни положительных, ни отрицательных. Герман тщетно смотрел на женщину зелеными глазами и тонкой улыбкой напрасно выражал восхищение ее совершенной красотой.

Та вздрогнула, только когда на кладбище появился Анатолий Воробьев. Очень скромно, стараясь не привлекать к себе внимания. Но Элеонора Станиславовна по-настоящему побледнела. Как раз вовремя, потому что пришло время опускать гроб в землю. Анатолий же смотрел только на нее, и ничего хорошего в этом взгляде не было.

К синьоре Ламанчини он подошел вскоре после того, как церемония была окончена. С кладбища они ушли вместе.

«Неужели же это он больше всех любил бедную Женю? И никто из них больше не пришел! Но откуда же они могли знать, когда ее будут хоронить?»

Оказалось, что кто хотел, тот узнал. Потому что на кладбище кроме Германа и Анатолия Воробьева был еще и третий. Его Ксения увидела мельком и подумала, что ей это неприятно.

Когда они с Германом вышли за ворота, Ксения заметила Элеонору Станиславовну и Анатолия. Тот, видимо, ее уговаривал что-то сделать, а синьора Ламанчини подносила к прекрасным глазам кружевной платочек и отрицательно покачивала головой.

— Ах, я не могу, не могу! Я страшно устала! — поняла Ксения по движению ее губ. За предыдущий день она выучила это наизусть. Даже без всякого озвучивания.

Герман смотрел на обоих с хищной улыбкой. Ксения не удержалась:

— Что, твои шансы равны нулю? А бедный заика тебя обскакал! Разговаривая с тобой, она вообще не проявляла никаких эмоций, а тут гляди как разволновалась! Герман! Ты что?

Он обернулся и сказал с откровенной злостью:

— Только не думай, что она мне нравится! Сучка! У меня свои счеты с такими дамочками!

— Да что ты так кричишь! Тебе плохо, да?

— Слушай, Черри, поедем куда-нибудь... Ну, хоть ко мне.

— К тебе?!

— Ну да, я снял квартиру.

— А деньги?

— Мужчинам не задают таких вопросов. Запомни: женщин неприлично спрашивать о возрасте, а мужчин о деньгах. И у первых, и у вторых это самое уязвимое место.

— Почему ты жил с Женей, Герман?

— Хотел сделать ей немножко больно. Так что? Мы едем?

Ксения заметила, что Элеонора Станиславовна обернулась несколько раз подряд. Анатолий, кажется, решил оставить ее на время в покое. Понял, что ничего не добьется. А синьора Ламанчини стала глазами искать Ксению, чтобы вместе с ней уехать с кладбища. Ксения тут же представила себе стоны, холодные компрессы, тошнотворный запах ландышей и подумала, что не мешало бы хоть немного отдохнуть. Дама улетает поздно вечером. Часа два она вполне может побыть наедине с собой.

— Пойдем! — решительно повернулась Ксения к Герману. — Поминальный обед по русским традициям программой не предусмотрен, Элеонора Станиславовна давно уже заделалась католичкой. А есть здорово хочется!

— И выпить тоже, — добавил Герман.

— Только улизнем тихо, чтобы она опять в меня не вцепилась.

Уже сидя с Германом в такси, Ксения подумала с торжеством, что хоть как-то, но протест против такого обращения с собой она выразила.

Первый сет-бол

40 : 30

Но уже за обедом Ксению замучила совесть. Она не могла долго на кого-нибудь злиться. Здесь, в теплом, уютном кафе, Элеонора Станиславовна начала вдруг казаться Ксении удивительно несчастной, одинокой и всеми покинутой. Да и вопрос о наследстве тяготил, словно камень, который повесили на шею. Пока висит, можно запросто утонуть, ненароком бултыхнувшись в воду. Да и желающие помочь найдутся.

Герман молчал, что-то обдумывая. На них с Ксенией все смотрели. Очень заметная пара: красивый темноволосый мужчина и очень хорошенькая девушка с черными от испуга глазами.

— Герман, а что Валентина?

— Кто? — переспросил он, аккуратно разрезая ножиком мясо. — Должно быть, уехала в Париж.

— Но почему она тебя не устраивает?

— А почему она меня должна устраивать? Почему вы, женщины, все думаете обо мне одинаково? Всю жизнь на мне какое-то клеймо. Это что, где-то в глазах или на лбу? И почему вам так нравится делать из меня злодея?

— Ну, Герман!

— Ах да. Я забыл, что ты здесь ни при чем. Ты другая. Между прочим, ты очень любишь этого своего?.. — Ксения покраснела. — Ну, ты знаешь кого.

— А тебе какая разница? — Ксения нагнула хорошенькую головку, улыбнулась.

— Это простое кокетство, или ты не хочешь, чтобы я догадался, как ты относишься к бывшему мужу? Вот кого мне хотелось бы задушить!

— Что, Женька разболтала?

— Она не любила упоминать своих бывших — за здравие. Только за упокой. И чересчур болтливой не была. Я знаю только то, что ты сама сказала... Ладно, хватит о ерунде. — Ксении показалось, что он на что-то решился. — Тогда пойдем? Хочешь посмотреть, как я устроился?

— Меня эта ведьма ждет.

— Кто? Элеонора? Да черт с ней!

— Так нельзя.

— Из-за денег, да?

— Нет. Даже с плохими людьми так нельзя.

— Думаешь, если быть с ними добренькими, так у них совесть проснется? Ха-ха-ха! Да они только обрадуются. И станут поступать еще хуже. Закон человеческих джунглей. У добреньких такие сладкие косточки! — Он потянулся, подмигнул: — Делай как все, Черри.

— Не буду. Я потом к тебе зайду.

— Как хочешь, — пожал он плечами. — Я могу прихватить с собой и ту девушку. — Герман кивнул на соседний столик, где пила уже третью чашку кофе крашеная блондинка. — И ту. И ту...

На его слова, сказанные подчеркнуто громко, стали оборачиваться женщины. Некоторые хихикали, некоторые негодовали, но, независимо от реакции, во всех глазах Ксения заметила откровенный интерес. Парень привлекал к себе внимание. Особенно сейчас, когда был словно заряжен какой-то дикой энергией. Черный, блестящий, похожий на магнит, притягивающий к себе все дурное. Ксения не умела вот так открыто становиться центром всеобщего внимания, хотеть его и не бояться. Насколько же надо быть уверенным в себе, чтобы знать, что тебе простят любой, даже самый резкий поступок? А он спокойно взял со столика у крашеной блондинки бумажную салфетку и написал на ней номер своего телефона. Блондинка надменно вскинула брови, но Ксения была уверена, что вечером она Герману позвонит.

— Ты делаешь это мне назло? — спросила она уже на улице.

— Я хочу тебя изменить.

— И зачем тебе это надо?

— Защищайся, Черри! Я хочу, чтобы ты защищалась, черт возьми!

Ксения подумала, что слишком уж часто на нее сегодня оглядываются. Ну почему он так громко говорит? И зеленые глаза блестят странно. Черное, нефтяное пятно зрачка все больше разливается по зеленой воде радужной оболочки. Он словно нарочно выталкивает ее в круг людского внимания. Но там же страшно, в этом кругу! И она пошла прочь, в спасительную тень.

— Эй, Черри! — окликнул ее Герман. — О Валентине. Ты ее не очень-то слушай. Она вечно засунет куда-нибудь безделушку, а потом начинает ее везде искать. Если вдруг будет тебе звонить...

— То что?

— Скажи, что ничего про меня не знаешь.

Ксения была слишком расстроена, чтобы придать значение его словам. Какая безделушка? Какая Валентина? Надо ехать успокаивать Элеонору Станиславовну, если там и так уже «скорые» со всей Москвы в ряд не стоят.

...Никаких машин с красными крестами у подъезда не было. Ксения вздохнула с облегчением, но обрадовалась она рано. Элеонора Станиславовна встретила ее в дверях гостиной. Даже с постели не поленилась встать.

— Милочка, что вы себе позволяете?

— А что такое? — удивилась Ксения.

— Вы бросаете меня там, на кладбище, в компании этого ужасного человека!

— Да что в нем такого ужасного? По-моему, Толя — нормальный парень.

— Ах, так вы знакомы?

— Да, знакомы, — с вызовом сказала Ксения. Элеонора Станиславовна уже не казалась ей такой несчастной.

— Может, это вы его ко мне подослали? Да он вас обманывает, милочка! Да, да, да! — энергично затрясла головой синьора Ламанчини. — Но если выбирать между ним и вами, милочка...

— Обязательно надо выбирать?

— Я хочу поскорее отсюда уехать. Я обещала, что обязательно с ним поговорю. Но мое сердце этого не выдержит.

«А оно у тебя есть?» — чуть было не ляпнула Ксения. И тут же услышала:

— Ах, я больна! Я чувствую, что он наговорит мне каких-то гадостей! А я ничего, ну просто ничего не желаю знать! Я хочу в Италию!

— Ну, хорошо, хорошо. — Ксения кинулась успокаивать Элеонору Станиславовну. Лицо той было нездорово бледным. И губы слегка посинели. Может, и правда, сердце? Заморила себя диетами, иссушила солевыми ваннами. Если в пятьдесят лет так вот выглядеть, даром это не проходит. Ксения одернула свитер на полной груди и подумала, что ни за что не будет себя так мучить. — Я помогу вам собрать чемоданы, Элеонора Станиславовна. И вызову такси.

— Ах, милочка, я всегда радовалась тому, как моя дочь умеет подбирать прислугу! Я тоже упомянула в завещании своего дворецкого... Что с вами, милочка?

— Ничего, — с трудом выдавила из себя Ксения. Вот, значит, кто она такая для этой дамы! Может, это правда? Но она, Ксения, ни к кому не нанималась!

— Милочка, вы оглохли? Я хотела сказать, что не собираюсь оспаривать завещания моей дочери. Если только синьор Ламанчини...

— Но он же так богат! — удивилась Ксения.

— Именно поэтому. Мой покойный муж оставил дочери целое состояние. Я, конечно, сумела устроить свою жизнь так, чтобы ни в чем не нуждаться. И мне хотелось бы, чтобы Николай в гробу перевернулся, узнав, кому достанутся его деньги, — прислуге.

Последняя фраза была не из репертуара светской дамы, но Элеонора Станиславовна сказала ее со вкусом. К покойному господину Князеву она испытывала легкое презрение. Тот составил на дочь дарственную, ничего не сказав об этом жене. Завещал ей единолично и недвижимость, и деньги на счетах. Хотел поставить мать в полную зависимость от дочери. А та, не долго думая, вновь вышла замуж. Да еще как удачно! Поэтому Элеоноре Станиславовне было чуть-чуть смешно. Она и улыбнулась тонко испуганной девушке:

— Хорошему юристу не составит проблемы оспорить всю эту чепуху. Я имею в виду завещание Евгении. А вы, милочка, слишком слабы, чтобы с нами судиться. Но я поговорю с синьором Ламанчини. А насчет этого молодого человека...

Ксения так и не успела понять, кого имела в виду дама: Германа? Анатолия Воробьева? Того третьего, который все-таки пришел на кладбище? Или совсем не их? Зазвонил телефон, а Элеонора Станиславовна, естественно, не собиралась снимать трубку.

РОВНО

Ксения вздохнула с облегчением, потому что это был всего-навсего Генка. Но почему у него такой мертвый голос?

— Черри.

— Генка, что случилось? Да говори же наконец!

— Лидуша разбила машину.

— Она жива?!

— Да.

— А... Ребенок?

— Откуда ты знаешь? Про то, что Лидуша беременна?

Ксения вздохнула с облегчением. Если говорит в настоящем времени, значит, с ребенком все в порядке. Женщины должны донашивать своих детей. Теперь Ксения это знала.

— Генка, слава богу, что с ними все хорошо! А машина... Новую купите.

— Да черт с ней, с этой «девяткой»! Лидуша разбила не только свою машину, ты понимаешь?!! Если бы она разбила свою!!

— Генка, она в кого-то въехала? — сообразила наконец Ксения.

— В кого-то! Это мягко сказано! Новая «тойота», прямо из салона. Последняя модель. Крутой мужик купил своей бабенке. А та обрадовалась и поехала кататься. Две бабы друг друга не поняли, и...

— Ты же говорил, что она отлично водит машину, Генка? Значит, это не она виновата?

— Какая разница? Уже сделали так, что она. Если «девятка» въезжает в крутую «тойоту», а из той выходит размалеванная девица и по мобильнику вызывает своего крутого дружка...

Ксения услышала в его голосе дрожь. И не удержалась:

— А ты?

— Я узнал об этом только через два часа. Протокол уже составили. Лидуша виновата.

— И сильно она помяла чужую машину?

— «Японки» — они мягкие. Да и наши «Жигули» тоже. Как только обе девушки отделались синяками, остается удивляться. Но зад и перед у «тойоты» сильно помяты. Наша машина восстановлению вообще не подлежит, весь перед всмятку, да и черт с ней! Никогда она больше за руль не сядет! Никогда!

— Не кричи так, у меня перепонка в ухе лопнет! Я слышу. Так ее надо починить?

— Если бы! Та баба требует, чтобы ей пригнали новую машину, тоже из салона. Мол, у битой вид уже не тот.

— Да сейчас так умеют делать...

— Ты мне это говоришь?!

— И что теперь, Генка?

— Надо выкупить у нее разбитую машину по цене новой. Из салона.

— Боже мой! Сколько же она стоит?!

— Побольше, чем наша с Лидушей малогабаритная однокомнатная квартира. Даже если мы ее продадим, денег все равно не хватит.

— А если не платить?

— Ты соображаешь, что говоришь? Даже если меня убьют за долги, Лидуше это не поможет. И мы где-то должны жить, если продадим все-таки свою квартиру.

— Нет-нет! С ума сошел? Можно занять денег.

— А отдавать чем? — спросил Генка, и по его голосу Ксения все поняла. Он позвонил ей, потому что больше некому. Как тогда, несколько лет назад, когда она сама позвонила лучшей подруге Жене Князевой. — Чем отдавать? Я только что купил эту самую квартиру на то, что успел скопить за три года. Три года!

— Генка, ты хочешь у меня занять денег? Но у меня их нет.

— У Женьки нет денег?

— Но это же не мое! И мне никто не даст такую сумму с ее банковского счета. Что я говорю! Вообще никакой не дадут! А сколько надо? — спохватилась она.

— Тридцать... штук баксов. Сколько денег на ее счету?

— Генка, я не знаю, честное слово!

— А нас сколько?

— Ну, я, ты... И еще четверо.

— Почему не пять?

— Он говорит, что ничего не надо.

Генка даже не стал уточнять, кто именно говорит. Ксения поняла, что он потрясен случившимся. Еще два дня назад все было просто отлично. А теперь ему не позавидуешь. И Генка мужчина, не то что ее бывший. Генка считает, что это его проблема: найти деньги. И он их найдет. Ксения услышала напряженное:

— Все понятно. Но я могу рассчитывать на эти деньги?

— Ты хочешь, чтобы я...

— Слушай, Черри, я найду, у кого занять. Под проценты. Мне дадут, потому что мое слово еще чего-то стоит в этом мире. Я учу играть в теннис богатых людей. И они знают, что если Геннадий Рюмин сказал, то... Но после Женьки я никому и никогда не хотел быть обязанным, понимаешь? Я не хочу больше ни в какое рабство. Поэтому мне нужны эти деньги.

— Хорошо, я попробую. Ты только успокой ее.

— Смотри, Черри. За Лидушу я могу и убить.

Она вздрогнула, но в трубке уже были короткие гудки. Зачем все-таки он приходил в тот день на стадион?

Второй сет-бол

БОЛЬШЕ

«Что за день!» — подумала Ксения. И вспомнила, что вчерашний был еще хуже. Сегодня, по крайней мере, Элеонора Станиславовна отбывает в солнечную Италию.

— Милочка? Кто звонил?

«Ах, она еще здесь?» — обреченно подумала Ксения.

— Это мой знакомый. — «И ваш», — хотела добавить она, ибо Элеонора Станиславовна не могла не встречаться с Генкой.

«Так, может, у нее денег попросить?» — усмехнулась Ксения. И представила себе эту сцену: синьора Ламанчини просит у синьора Ламанчини одолжить тридцать тысяч долларов бывшему любовнику своей убитой дочери. Непонятно кем убитой, между прочим. Да синьор Ламанчини сам ей сделает пластическую операцию одним ударом кулака! Все морщины разгладит мигом, вместе с носом и прочими выступающими частями лица. Останется один плоский блин. А приятно было бы посмотреть, честное слово!

— Милочка! Вы где?

— Я заказываю такси.

Ксения взяла тайм-аут, спряталась в своей комнате. Сражаться с Элеонорой Станиславовной было слишком утомительно. Она играла вязко, больше действуя на нервы противнику, чем затрудняя себя саму резкими движениями. И даже не выползала из спальни. Но Ксении казалось, что после пережитого сегодня ее тело и душа — это одна сплошная травма. Хотелось взвыть во весь голос: «Ах, как я устала!»

Но фраза уже набила оскомину и к тому же была из чужого репертуара. Ксения понимала, что выиграет партию только тогда, когда запихнет синьору Ламанчини в самолет.

— Милочка, я решила оставить вам в подарок свое траурное платье.

— Спасибо, — удивилась Ксения. — А зачем?

— Мне оно больше ни к чему.

— Разве синьор Ламанчини бессмертен?

— Ах, милочка, — поморщилась Элеонора Станиславовна и кисло добавила: — Он очень следит за своим здоровьем. И потом, я всегда могу заказать себе новое. Мода ведь так переменчива!

— Особенно на траурные платья, — усмехнулась Ксения.

В аэропорту у нее даже головная боль сразу прошла. Да и синьора Ламанчини повеселела. Трещала без умолку, забыв свою надменность:

— Как я не люблю этот ужасный климат! Полгода зима, а потом наступает лето, от которого в памяти может остаться только бесконечный дождь. Дождь, дождь... Ах, как я не люблю дождь! Слишком много воды.

— Сейчас почти уже зима, — напомнила Ксения.

— Ах да, зима! Что может быть хуже? В Италии, милочка, шубки носят с туфлями. Да, да! Если на улице нулевая температура, то это уже зверский холод. Как я люблю свою виллу! И солнце. Много солнца. Если вы, милочка, вдруг захотите много солнца, то я буду рада предоставить вам жилье.

Ксения не успела удивиться щедрости дамы, как та добавила:

— Вы так отлично знаете все мои привычки! И готовите вы изумительно. Одним словом, милочка, для вас у меня всегда есть работа. Сейчас так трудно найти хорошую прислугу. Бедная Евгения умела в этом разбираться. Должно быть, это у нее от отца...

...Когда наконец объявили посадку, Ксения спросила:

— Так как же мне быть с квартирой? И с деньгами Жени?

— Деньги? Какие деньги? Ах да! Милочка, поверьте мне, все утрясется само собой. В конце концов, для этого всегда есть мужчины.

И синьора Ламанчини исчезла, оставив после себя легкий запах ландышей и тлена.

2 : 6

«Господи, неужели все?» — думала Ксения, садясь в автобус. До последнего она боялась, что рейс отменят или задержат. Но в тусклое ноябрьское небо строго по расписанию взмыл красавец самолет. Путь синьоры Ламанчини в Италию был безоблачен и безмятежен.

И Ксения вздохнула с облегчением. Никто не собирается выгонять ее из квартиры. Элеонора Станиславовна, конечно, женщина корыстная, но уж очень не любит притомляться. Да и климат ей здесь не подходит. И еще она рассчитывает на наследство синьора Ламанчини, у которого, кстати, прекрасное здоровье. Или некстати оно такое прекрасное?

Дома Ксения первым делом кинулась проветривать. Странно, но это был запах старости. Он преследовал Элеонору Станиславовну везде, где бы она ни была. И даже духи не спасали. Когда зазвонил телефон, Ксения снова вздрогнула. Ничего хорошего она не рассчитывала услышать. Если это опять Генка, то он слишком спешит.

— Ч-ч-черри?

— Да, Толя, это я.

— А г-г-де...

— Она уехала... Захотела и уехала.

— Она же г-г-г...

— Обещала поговорить?

Он, видимо, сильно волновался, потому что заикался больше обычного.

— Толя, она уехала.

— Ж-ж-жаль.

— Если ты что-то хотел узнать, спроси у меня.

— Насчет з-з-з...

— Завещания? Элеонора Станиславовна сказала, что ее это не интересует. Не интересует, и все.

— Она не б-будет оспаривать?

— Можешь радоваться. Тебе должно хватить на квартиру. Мне сказали, что у Жени на счету оказалось много денег.

— К-к-к... — Он опять начал очень сильно заикаться.

— Какая разница? — Ксения поймала себя на мысли, что сейчас опять начнет его передразнивать. Да что же это такое?! — Толя, все будет в порядке. Займи у кого-нибудь денег, купи себе квартиру. А потом мы поделим эти деньги, и все будет хорошо.

— Т-т-ты...

И он повесил трубку.

ВТОРОЙ СЕТ

Гейм первый

15 : 0

Все начиналось сначала, только теперь Ксения пришла к нему в кабинет. Игра в гостях, на чужом поле, но на своей подаче. А если так, то чего бояться? Ксения не то чтобы окончательно успокоилась, но обрела уверенность. Пусть только этот уже немолодой, но по-прежнему азартный человек арестует убийцу, и дело Евгении Князевой будет закрыто. А следователь очень обрадовался тому, что Ксения пришла сама:

— Ну-с, Ксения Максимовна, очень и очень рад. Начнем, пожалуй?

После всех обязательных формальностей он вдруг спросил:

— А как ваша фамилия по мужу?

— Зачем это вам?

— А затем, что нехорошо меня обманывать, Ксения Максимовна. Вишнякова, в замужестве Муромская. Даже фамилию его не захотели оставить. О чем это говорит? О многом говорит. Конечно, вы покрываете близкого вам человека...

— Он давно уже не близкий мне человек.

— А если он убийца?

— Нет.

— Это эмоции, девушка, эмоции. Любовь, как говорится, слепа. Построил себе храм — выколи оба глаза. Чтоб никогда больше. Бережем себя. Да, бережем.

— Я его не люблю.

— Зачем тогда сразу не сказали, что один из любовников убитой подруги — ваш собственный муж? Думали, что мы не узнаем?

— Не думала.

— Значит, дали ему время. А между тем алиби-то его сомнительно. Вашему бывшему мужу поаккуратнее надо с дамочками.

— Все это не имеет значения. Я знаю, кто убил Женю.

— Да ну? И кто же вы у нас, девушка? Мисс Марпл или, может, Эркюль Пуаро?

— Вам смешно.

— Грустно. Так что там у вас?

— Попов. Владимир Попов.

— Имеете сообщить что-нибудь интересное?

— Да. Ведь это он звонил Жене перед матчем?

— Скажем так, что звонили с его мобильного телефона. Да, номер действительно зарегистрирован за Владимиром Поповым. И установить это было парой пустяков. То ли убийцы глупеют, то ли техника идет вперед. А может, телефончик-то украли?

— Но у него был мотив.

— А вот это уже интересно. И за что ж он так невзлюбил бедную Женю Князеву?

— Богатую.

— Существенная поправка. Но, насколько я знаю, Попов материально давно уже от нее не зависел?

— Женя знала, что его отец сидит в тюрьме. За хищение. В особо крупных размерах. А он карьерист. И вообще это Попов бросил Женю, а не она его. Вот и решила отомстить.

— А Попов ее, значит, ножом. Это все?

— Мало? Он достал фальшивую справку о смерти собственного отца. Похоронил его живого, понимаете? И вообще он мерзкий тип.

— Существенно. Показания ваши я запишу. Насчет мерзкого типа тоже. И с Поповым поговорю. Но вот другие... Кто такой Герман Вард?

— Кто?

Ксения совсем забыла, что у него такая странная фамилия. Одно время даже думала, что Герман сам ее придумал. Оказалось, что нет.

— Герман, Герман. Тот самый, зеленоглазый.

— А при чем здесь Герман? — спросила она.

— Очень занятный молодой человек. Что вам про него известно?

— Почти ничего. Он родился в Сочи.

— Сочи, Сочи, ах эти темные ночи! — подмигнул ей следователь. Настроение у него было превосходное. «Чего я не знаю?» — подумала Ксения. И услышала: — Вы очень наивная девушка, Черри. Извините, Ксения Максимовна. Неужели Женя вам никогда не рассказывала, отчего она так разочаровалась в этом молодом человеке?

— Они не слишком ладили. Герман очень самостоятельный.

— Только-то? А вот мы сейчас опрашиваем других ее знакомых. Версий много, в том числе и о соперниках по тому виду спорта, которым она занималась. Не совсем удачно выразился. Могли быть завистники, недоброжелатели?

— У Жени?! Да она никому дорогу не переходила. Не того класса спортсменка.

— Оно все так. Но иногда удается выяснить очень интересные вещи. Последнее время Евгения Князева общалась с одной дамочкой, страстной поклонницей тенниса. Дамочка эта как-то прилетела на стадион весьма взволнованная. Тренер Евгении говорит, что после визита этой особы Князеву как подменили. И начались срывы. А потом эта странная поездка в Сочи. Так ничего не знаете?

— Нет, Женя не рассказывала. И в Сочи летала одна.

— Так. Одна летала.

— Да вы спросите у той дамы, что там у них с Женей произошло.

— Спросили уже. Она говорит, что ничего особенного. Амурные дела, как я понимаю. А дамочка замужем. Да... А у вас какие отношения с этим молодым человеком?

— С Германом? Никаких.

Ксении было очень и очень легко. Чтобы он ни говорил, она была уверена в своей правоте. Женю убил Попов. И вообще он очень странный и неприятный тип. А все остальные на стадионе оказались случайно. И она повторила:

— У меня нет никаких отношений с Германом. Мы просто друзья.

— Как и с Геннадием Рюминым?

— Да.

— Очень хорошо. Давайте ваш пропуск.

— Как? Все?

— А что вы еще хотели?

— Но вы же...

— Рассчитывал на вашу откровенность. Видно, время еще не пришло. Идите. Черри.

Только что не подхихикнул. Но откуда он все-таки узнал их адреса? И про мужа? Но это все пустяки. Пустяки.

30 : 0

У ворот, из которых вышла Ксения, стоял почти новый «пассат» синего цвета. Породистый, состоящий из красивых, чистых линий и очень ухоженный. Ксении захотелось его поближе рассмотреть, особенно салон, но она удержалась и прошла мимо. Ксения никогда не заглядывала в чужие машины. Еще подумают, что она ищет знакомства. Нет уж, этого не надо.

— Ксюша!

«Это что-то новенькое», — подумала она, услышав знакомый голос. Бывший муж, улыбаясь, открыл перед ней дверцу.

— Хорошо живешь! — не удержалась она.

— Без тебя всякая жизнь не имеет смысла, — вздохнул он. Ксения едва не закашлялась:

— Давно? — Все-таки Женя научила ее быть в таких ситуациях слегка ироничной. — Давно не имеет?

А он обиделся:

— Оказывается, ты сильно изменилась. Сядешь?

— Нет.

— Как хочешь. — Раньше, заметив его обиженно поджатые губы, она первая кидалась мириться. Легкими поцелуями разглаживала упрямую складку, терлась щекой о его подбородок. Он и сейчас ждал, выпрашивая. Она сделала шаг назад:

— Ты сюда за мной или по делу?

— Следователь пригласил.

— Это ты ему сказал о нас?

— Это что, тайна?

— Правда, что твое алиби плохо себя ведет? Сколько ей лет?

— Там все кончено. Я давно уже ищу себе новую работу.

— Она об этом знает?

— Хочешь, мы сейчас сядем в машину и куда-нибудь поедем?

— А следователь?

— Мне все равно. Поедешь?

Она замялась. Так хотелось залезть сейчас в теплый салон, примирительно чмокнуть его в душистую гладкую щеку и все начать сначала. И Ксения знала, что рано или поздно она это сделает. Надо только съездить к той женщине. К его начальнице. Чтобы узнать, насколько он врет на этот раз. Может быть, как раз той ночью, когда Ксения звонила, он повесил трубку и, нырнув к той, другой, под одеяло, вот так же успокоительно сказал: «Там все кончено. Спи».

— Иди к следователю. Я тебе потом позвоню.

— Честно? — обрадовался он.

— А ты на самом деле стоял на шоссе, потому что машина сломалась? — Ксения с сомнением взглянула на синий «пассат».

— Ну...

Она почти побежала к метро, потому что поняла: он сейчас соврет. Стоило прожить шесть лет с этим человеком, чтобы научиться в этом разбираться. И Ксения решила не откладывать дело в долгий ящик, заехать к нему на работу сразу же, пока он занят со следователем. Пусть это будет маленький сюрприз, которые она когда-то так любила ему делать.

30 : 15

Ксения почти угадала: перед ней была женщина, от которой недавно избавился муж. Причем способом весьма оригинальным, загрузив ее по горло работой. Он открыл небольшой филиальчик, торгующий оптом и в розницу различного рода косметикой и парфюмерией, в том числе и мужской, и отдал его на откуп жене. Мол, хватит у меня деньги клянчить, зарабатывай сама. Он же занимался делами чисто мужскими, в том числе и приятным досугом в обществе молоденьких девиц. За широкой спиной мужа дела дамочка вела весьма успешно, да и насчет девиц не слишком переживала. Она тоже была не без греха. Молодой красавец менеджер задерживал ее на работе так долго, что мужу жаловаться не приходилось. Трое несовершеннолетних детей, из-за которых супруги и не разводились, находились на попечении у бабушки и нянек. Словом, все были довольны.

Ксения разглядывала эту женщину с удивлением. Та была настолько ухожена, что производила сильное впечатление, даже несмотря на непривлекательную внешность. Полнота скрадывалась отлично сшитым брючным костюмом, волосы уложены в дорогом парикмахерском салоне и прическа была сделана со вкусом и к лицу, макияж безупречен, а ногти такие, что сразу стало понятно: дама на кухне не бывает и уборкой в доме не занимается. Глядя на эти ногти, Ксения просто пришла в отчаяние. У нее таких никогда не будет!

У этой женщины было чему поучиться. Она не только со вкусом одевалась, но и вела себя соответственно облику. Бывает, что речь некоторых особ, словно сошедших со страниц модного журнала, режет слух. Или они ведут себя как базарные бабы. Могут просто выглядеть замороженными в своих костюмчиках из бутика, словно в фигурных формочках для льда. Ксения же тщетно искала у сидящей перед ней дамы недостатки. Та расположилась в непринужденной, но сдержанной позе и смотрела на девушку без улыбки, но доброжелательно.

— Секретарь сказала мне, что вы по личному вопросу. Слушаю вас.

Ксения слегка замялась. Ну зачем надо было сюда приходить?

— Вы, должно быть, насчет работы? У нас на фирме нет вакансий, но если меня устроят ваши рекомендации и образование, не сомневайтесь: я буду иметь вас в виду. Кстати, вы прекрасно выглядите. Очень подходящая внешность для работы в салоне, торгующем косметикой.

— Я не в салон, — решилась Ксения. — То есть, конечно, спасибо вам.

И вдруг, сама от себя этого не ожидая, спросила:

— Как вы думаете, я могу найти хорошую работу?

— А почему нет? — удивилась ее собеседница.

— Я нигде не училась.

— Ну, это не проблема. Знаете, а вы мне нравитесь. Редко встретишь такую откровенность. Это значит, что вы честны. Я вас возьму, пожалуй. Даже без образования. Рекомендации есть?

— Я его бывшая жена, — тихо сказала Ксения.

— Простите?

— Муромский. Это я ему звонила ночью.

Дама посмотрела на Ксению с интересом. Никакой ревности в ее взгляде не было. По-прежнему доброжелательность и легкая грусть.

— Черри, кажется? Что ж, отличная рекомендация. А он вас любит. Весьма странная любовь, если учесть, что он попал ко мне от Евгении. С рук на руки. Это правда, что ее убили? Впрочем, что я говорю! Не далее как сегодня весьма настойчивый господин интересовался моим знакомством с Евгенией Князевой. Мой муж начинал у ее отца, Николая Семеновича. И никакого криминала я здесь не вижу. Так что вы хотите?

Дама непринужденно закинула ногу на ногу, достала из пачки длинную сигарету, закурила. Ксения опять позавидовала ее манерам. Ох ты, как здорово держится! Ни капли раздражения или неуверенности в себе! Что на это сказать?

— Я хотела узнать, насколько у вас с ним серьезно.

— Вернуть его хотите? Милая моя, разве вы еще не поняли, что жизнь с вами — это не для него? Ему не любовь нужна, ему нужна опора.

— Он с вами часто встречается?

— Каждый день.

— Я имею в виду не работу.

— Послушайте, не вмешивайтесь вы в чужую налаженную жизнь. Хотите встречаться со своим бывшим мужем — встречайтесь. Любви хотите — любите. Только не надо ходить со своей личной жизнью по чужим кабинетам. Займитесь лучше делом. Поверьте, это очень помогает от любых семейных проблем.

— Значит, вы его не любите? И он действительно ищет другую работу?

— Работу? — удивилась дама. — Насколько я знаю, незадолго до смерти Евгении он упорно пытался наладить с ней связь.

— Не может быть! — жалобно вскрикнула Ксения. — Я бы об этом знала!

— И не было его в тот день, когда ее убили, на работе. Милиции я, конечно, об этом не сказала, как не сказала вообще ничего. У нас с мужем договоренность: я не вмешиваюсь в его личную жизнь, он не вмешивается в мою. Но это не значит, что наша с ним личная жизнь должна стать предметом обсуждения в суде. А насчет вашего бывшего мужа, имейте в виду. — И собеседница Ксении все так же спокойно и доброжелательно сказала: — Я вам его не отдам.

— Как это? — растерялась Ксения.

— А так. Я в него уже вложила слишком много денег. И мне приятно проводить с ним время. Именно с ним. А насчет того, что он ищет работу... Ваш бывший муж давно уже привык жить не по средствам. А привычка, знаете ли, это не просто вторая натура. А та, что берет первую в рабство. Это уже совершенно другой человек. И даже к любви, которую он к вам еще испытывает, все равно будет примешиваться выгода. Запомните это на всякий случай.

— Конечно, я это запомню. — Ксения поднялась со стула. — Но и вы запомните: тот, кто убил Женю, тоже долгое время был одной из ее игрушек. И он все-таки нашел, где у нее сердце. Правда, сделал это ножом. А вас не удивляет, почему он так точно в него попал?

И она увидела, как сидящая в кресле дама сильно побледнела.

Двойная ошибка

30 : 30

Ксения сама не знала, зачем решила ему позвонить. Тому симпатичному нахалу, чья визитка нашлась в кармане куртки. Он ответил сразу же.

— Это звонит девушка, которая как-то приняла вас за Владимира Попова.

Нахал почему-то очень обрадовался.

— Замечательно! Так вы поняли свою ошибку? Я рад!

— Напрасно, потому что теперь я хочу узнать у вас номер телефона Владимира Попова.

— А размер его ботинок узнать не хотите? Или... Что, не сломался, да? После первого свидания так и не назначил второе? Надо признать, что у вас отвратительный вкус.

— У вас тоже.

— Вы себя так не любите?

Ксения промолчала. Разговор затягивался, и ей уже не нравился. После паузы и длинного вздоха нахал сказал:

— Но я знаю только его рабочий телефон. Он у нас общий.

— Меня устроит.

Записав номер, она тут же положила трубку. До Попова дозваниваться пришлось дольше. Его секретарша была упряма, как ослица. Она никак не желала докладывать шефу, что ему звонит Черри.

— Да вам-то какое дело? — разозлилась Ксения. — Если я скажу, что это госпожа Вишнякова, он подумаете с перепугу, что это звонит с рекламацией недовольный клиент.

Попов наконец ответил. Его голос в трубке Ксения узнала с трудом. Какой-то металлический скрежет царапнул мембрану:

— Говорите.

— Говорю. Я сегодня все рассказала следователю.

— Что все? — выдавил он.

— Про твоего папу. Про Сочи. Про то, что это ты ее убил. Я знаю!

— Че...

Ксения вдруг испугалась, прикрыла трубку рукой. Он что-то говорил, а Ксения не слышала ни единого слова. В трубке вдруг проскрежетало угрожающе:

— ...со мной поговоришь... — услышала она просочившееся через отогнутый палец и отняла ладонь. — Ты все поняла?

— А я и не слушала!

— Я до тебя доберусь!

И тут Ксения поняла, что уже не до шуток. «Он придет меня убить, и его схватят», — подумала она. Никакого скрежета в телефонной трубке больше не было. За окном, словно желе, застывали сырые осенние сумерки. Еще немного, и оно загустеет совсем, украшенное свечками фонарей и яркими огнями рекламы. Но в подъезде, где живет Ксения, будет темно. Вчера сломался кодовый замок, и обрадованные бомжи тут же вывернули лампочку на первом этаже, возле лифта. Когда-то еще починят входную железную дверь? Ксения вздрогнула: «А кто это, интересно, его поймает?!» Она вдруг представила, как звонит следователю, как тот ее ругает, как все это долго тянется, а может, ее вообще не станут слушать. Или станут, но будет уже поздно. Надо же было родиться такой дурехой!

И она подумала: «Кому бы позвонить?»

40 : 30

Телефон в квартире бывшего мужа не отвечал. Конечно, Ксения первым делом кинулась искать защиты у того, у кого привыкла. Хоть с тех пор прошло уже несколько лет. А потом вдруг подумала: «Толку-то от него! Хорошо, что его нет дома». И тут же стала звонить Герману. Тогда, в кафе, он оставил ей номер телефона на той квартире, которую снял. Но этот номер тоже не отвечал.

«Да что же это такое! — подумала в отчаянии Ксения. — Кому же звонить?!»

Анатолий Воробьев жил в общежитии, и как позвонить туда на вахту, он Ксении так и не сообщил. Звягину она не позвонила бы даже под страхом смертной казни. «Если выбирать между ним и электрическим стулом, то пусть будет виселица», — подумала Ксения и удивилась тому, что еще может шутить. Потом она вдруг вспомнила с облегчением: «Генка!»

Он был дома. Наверное, успокаивал несчастную Лидушу. Ксении было неудобно вмешиваться, но делать было нечего:

— Генка, он сейчас придет!
— Кто, Черри?
— Попов.
— Какой еще Попов?!
— Он убил Женю.
— С чего ты это взяла? — удивился Генка.
— Потом расскажу. Генка, в подъезде лампочку вывернули.
— А зачем тебе выходить из дома?
— А вдруг у него есть ключ? У вас у всех есть ключ!
— Она уже сто раз могла поменять замок.
— Я боюсь.
— Хорошо. Только не ори.
— Но ты придешь?!
— Не ори, я сказал. Дай подумать.
— Генка...
— Хорошо. Жди.

Ксения вздохнула с облегчением. Теперь она будет ждать.

7:0

Сначала Ксения прислушивалась к каждому шороху. Ходила по квартире, бессмысленно перебирая вещи, пробовала смотреть телевизор, ничего не слыша из того, что там говорят, убивала время, как могла, но оно никак не хотело сдаваться. «Кому бы еще позвонить?» — думала Ксения, и в голову почему-то приходил только Герман. Она снова и снова набирала номер. Пусто.

За окном совсем стемнело, и Ксения тщетно вглядывалась в людей, проходивших под ее окнами. Слишком высоко и слишком темно. На минуту ей показалось, что высокий мужчина в черной куртке — это Генка.

— Наконец-то! — вслух крикнула она.

Подождала минут пять. Ну сколько ему надо времени, чтобы подняться в лифте на десятый этаж? Не вечность же. В дверь никто не звонил. Ксения опять кинулась к окну. Другой мужчина, тоже высокий и тоже в чем-то темном, показался ей знакомым. Она подумала, что со страха будет принимать за Попова всех, кто хоть чем-то на него похож.

«Он же на машине!» — подумала Ксения и стала опять вглядываться в темноту. То ли ей показалось, то ли под ее окном действительно стояла машина Владимира Попова. Но в дверь по-прежнему никто не звонил. С ужасом Ксения посмотрела на часы. Половина девятого! И никого. Вдруг за окном произошло какое-то движение. Из подъезда выбежала женщина и кинулась к прохожему, который от нее шарахнулся. Ксения видела, как женщина размахивала руками и, похоже, что-то кричала. И прохожий задержался, потом вошел в подъезд. Ксения напряженно смотрела на улицу, прислушивалась, но окна не пропускали звук.

«Дуреха!» — Ксения повернула ручку и рванула на себя оконную раму. Вместе с ледяным воздухом в комнату ворвался крик:

— Помогите!

И еще отчаяннее:

— Здесь мужчину убили!

Из подъезда выбежал тот прохожий, которого перепуганная женщина недавно остановила, и вместе они начали кричать:

— Милиция! Где они там?! Милиция!

И уже когда к дому подъехала машина с мигалкой и люди, вышедшие из нее, поспешили в подъезд, Ксения поняла, что кого-то из шестерых она больше живым никогда не увидит.

Гейм второй

15 : 0

«Кто?» — первым делом подумала Ксения. И почему-то решила, что Попов наткнулся на Генку, они сцепились, и Генка теперь убит. Бедная Лидуша! Он же псих, этот Попов!

В окно Ксения видела, как у подъезда появилась еще одна машина. Белая, с крестами. Сдерживаемая милицией, возле нее уже собралась толпа зевак. И Ксения наконец сообразила, что надо бы тоже спуститься вниз.

Она оделась потеплее. На первом этаже, едва открылись двери лифта, ее встретил человек в штатском:

— На минутку, гражданочка.

— Что случилось? — вопрос, как всегда, был ужасно глупым.

— Из какой вы квартиры?

— Я? С десятого, — невпопад ответила Ксения. Внизу, возле почтовых ящиков, она уже заметила прислонившегося к стенке мужчину. Он сидел на батарее и, казалось, дремал.

— Кто это? — спросила она. В темноте она не видела деталей.

— За бомжа приняли. Целый час народ ходил и не догадались, что парень мертв. Пока одна дама, открывая почтовый ящик, не наступила случайно в лужу крови на полу. Зашла в лифт, на свет, и сообразила, что это не краска. Вы в обмороки часто падаете?

— Я? Не очень.

— Не трудно на него взглянуть? Может, это жилец с вашего этажа. У парня в кармане права на имя Владимира Попова.

— Что?!

30 : 0

Да, это был он, Попов. Спустившись со ступенек к почтовым ящикам, Ксения с трудом, но разглядела в темном углу его высокий лоб с залысинами, съехавшие с носа очки в металлической оправе. Похоже было, что его сначала убили, причем не у ящиков, а возле лифта, и уже потом посадили на батарею, прислонив к стене.

— Чем его? — спросила она шепотом.

— Ножом. В спину, прямо в сердце. Хороший удар. Не женской ручкой, это уж точно.

Человек в штатском оказался молод и болтлив. Ксению трясло перед этим жутким трупом, а оперативник чувствовал себя вполне комфортно. Шутил, подмигивал, как будто бы трупы в подъезде — дело самое обычное. Наверное, в его жизни бывали зрелища и похуже. И симпатичная девушка с темными глазами очень ему понравилась. Самое время подставить ей, напуганной до смерти, широкое мужское плечо:

— Меня Валерием зовут, между прочим.

— Че... Ксения Вишнякова.

— Так что? Не сосед?

— Нет. Знакомый, — ляпнула Ксения и сразу пожалела об этом. Но было уже поздно.

— Вы его знаете, что ли? — Оперативник сразу же перестал улыбаться.

— Позвоните по этому номеру. — И Ксения протянула ему бумажку, на которой следователь написал на всякий случай свой домашний телефон.

— Мужики, да это же не наше дело! — крикнул куда-то в глубину подъезда Валерий. — Погодите пока заканчивать, сейчас коллега прибудет!

...Она понимала, что ночь будет долгой. Спать не придется, а надо вновь и вновь бежать по тому же кругу и отвечать на вопросы, давно уже надоевшие. А он будет повторять их снова и снова, надеясь, что Ксения наконец ошибется. Но она не могла ошибиться, потому что ничего не скрывала. Кто мог убить Женю, если не Владимир Попов, и почему он сейчас сам сидит на батарее с ножом в спине? Ксении наконец стало дурно. Она поняла, что темные пятна на полу — это кровь, а в желудке с утра ничего не было. Она просто забыла поесть. В горле что-то булькнуло, Ксения кашлянула:

— Можно мне на воздух?

Оперативник пошел за ней, словно испугался, что Ксения сейчас исчезнет. Ценный свидетель, как же! А ведь он еще не знает, почему Попова зарезали в ее подъезде! При появлении Ксении из дверей подъезда под руку с оперативником толпа всколыхнулась: «Поймали!» И вдруг среди зевак Ксения заметила рыжую Генкину голову. «Подойти или нет?» — подумала она.

Генка подбежал сам. Схватил Ксению под другую руку, и она с облегчением оперлась на его локоть.

— Тебе нехорошо, Черри? — спросил он. Оперативник среагировал сразу же:

— Тоже знакомый, да?

— Ты давно здесь? — спросила Ксения Генку.

— Задержитесь на всякий случай, — вмешался оперативник. — Раз это ваш общий знакомый.

— Я никогда его раньше не видел, — хрипло сказал Генка.

— Разберемся.

Подъехала машина и Валерий кинулся туда, к вышедшему из нее человеку. Ксения тут же вцепилась в Генку:

— Это ты его, да? Я ничего не скажу.

— Бред какой-то! Там Лидуша плачет, а я здесь...

— Почему так поздно?

— Да разве я мог ее оставить?! Пока уговорил потерпеть немного без меня... А она плачет и плачет. Я сюда едва вырвался. И надо же — попал.

— Он на тебя кинулся, да?

— Ты что, Черри?! Мы друг друга раньше никогда не видели! И он же не дикий... Был...

— Врешь. Ты был у Женьки сразу после него. И на стадион вместе с ним она ходила. А у вас с Женькой тренер был общий. Между прочим, следователь знает, что ты пошел на ее последний матч. Тебя очень легко запомнить, Генка.

— Бред какой-то! — снова повторил он.

Ксения уже и на самом деле подумала, что Генка никого не убивал. И ей только показалось, что высокий мужчина, прошедший под окном, — это он. И машина Попова показалась тоже. В такой темноте запросто можно и обознаться. Но тут она вдруг услышала:

— По крайней мере, одним меньше.

И поняла, что все не так просто. Генке теперь очень нужны были деньги.

40 : 0

Следователь выглядел не просто недовольным, он был страшно зол. Испуганная темноглазая девчонка и рыжий стояли рядышком, отдельно от толпы, и косились на плохо освещенный подъезд. А дома осталась небось рассерженная жена, на которую опять не нашлось времени. А этой красивой молодой женщине никто не мешает найти такого вот рыжего, бегать к нему на свидания и без конца врать, врать, врать...

И злость на всех этих «шуриков» заставила его буквально кинуться и на испуганную девчонку, и на высокого парня в кожаной куртке:

— Ну что, доигрались?! А ты как здесь оказался?!

Рыжий отшатнулся, и по его лицу следователь понял, что парень не из тех, кто терпит, когда на него кричат. Здоровый, сильный и добрый, когда не трогают, но всегда готовый отчаянно защищать свое.

— А вы не орите. Или наше правосудие идет в ногу со временем? Новые методы, заимствованные у малиновых пиджаков, да? Еще пистолет мне к горлу приставьте.

— Да ты... — Следователь принужденно закашлялся, чтобы сдержаться. В таком состоянии черт знает чего можно наговорить! И выдавил из горла необидное: — Пижон.

Ксения увидела, как оперативник тут же нацелился на нее и Генку:

— Куда этих двоих?

— Потом. Пошли на труп взглянем.

— Я не пойду, — тут же отстранилась Ксения.

— Даже если пешком наверх побежишь, то он все равно пока еще в подъезде. Зажмурься, — буркнул следователь.

Ксения повисла на Генке, который послушно пошел за представителями власти в подъезд.

— Лидуше надо позвонить, — шепнул он Ксении. — И поскорее.

— Ты можешь думать о чем-нибудь другом? — разозлилась Ксения.

— Не...

— Вы, двое! Не мешать! — Следователь направился к мертвому Попову, все еще сидевшему верхом на батарее.

— Ты на самом деле его не знаешь? — очень тихо спросила Ксения Генку.

— Ну, о погодах мы с ним никогда не разговаривали, — уклонился тот от прямого ответа.

А следователь нагнулся над трупом и, аккуратно обернув рукоятку прозрачным полиэтиленовым пакетом, наконец-то вынул из спины Владимира Попова нож:

— Очень интересно. Я бы даже сказал, необыкновенно интересно. Кто бы мог подумать, а? Сюрприз. Надо будет отметить в протоколе.

И вдруг зло:

— Черт его дери! А как все было просто!

Потом он помолчал, осмысливая увиденное, и повернулся к двум свидетелям:

— Отпечатков, конечно, нет. Понятное дело: глубокая осень, все в перчатках. Ваши, молодой человек, разрешите?

— Что? — не понял Генка. Потом также зло ответил: — А у меня нет.

— И руки не мерзнут? — поинтересовался следователь. Потом обернулся к оперативнику: — Пошарь-ка в ближайших мусорных бачках. И, обернувшись к остальным сотрудникам опергруппы, распорядился: — Здесь все. Можно уносить. Людям спать надо, а они в подъезд зайти боятся. Ну что, молодые люди, пройдемте?

— Куда? — испугалась Ксения.

— К вам в квартиру, девушка. Надо выяснить самый главный на сегодня вопрос: как он здесь оказался, этот первый номер?

И Ксения поняла, что вот сейчас ее будут долго и нудно мытарить.

7:7

— Я сама ему позвонила, — сразу же призналась она, зайдя в квартиру. — Кофе хотите?

— Да уж, спать мне сегодня не придется, — буркнул следователь. — А я, между прочим, женат.

— Он тоже женат, — кивнула Ксения на Генку. — Можно ему позвонить?

— Куда это?

— В Пентагон, — огрызнулся Генка. Он терпеть не мог глупых вопросов.

— Пижон, — снова обругал его следователь. — Ладно, иди.

Ксения сказала укоризненно:

— Зачем вы так? Он же ее любит.

— И поэтому к вам примчался по первому зову?

— У Генки проблемы. Его жена разбила чужую машину. Страшно дорогую, между прочим. И надо много денег, чтобы ее выкупить. А она беременна.

— Кто? Машина? — не понял сначала следователь. Но потом все же сообразил: — Так, значит, у нашего молодого человека серьезные материальные проблемы? Это мотив, а?

— Какой еще мотив?

— А вы никак не сообразите, зачем надо было убивать Попова?

— Ну, из ревности.

— К кому? К покойнице? Дело-то получается дурное. Ладно, варите ваш кофе. Только покрепче.

Уже на кухне у Ксении началась истерика. После ступора и механических действий, которых требовала ситуация, начинается реакция на стресс. Ксения не хотела, чтобы ее кто-то успокаивал, словно маленькую девочку, и она плакала тихо и одна, пока сбежавший кофе не испачкал кипельно белую плиту. Лишь когда, вытирая ее, Ксения обожгла руку, она немного пришла в себя. В кухню сунулся Генка:

— Чем это здесь так воняет? Крысу поджариваешь?

— Кофе сбежал, — всхлипнула Ксения. — Сбежал кофе.

— Чума на мою рыжую голову! Ну зачем, зачем, скажи на милость, ты мне позвонила?!

— Потому что никакой другой телефон не отвечал.

И тут Ксения наконец сообразила, что это может значить только одно: ни у кого из тех, кому она звонила сегодня вечером, нет внятного алиби. Они могли, конечно, находиться где угодно, только дома их не было. Ни Германа, ни ее бывшего, ни... А Звягину она не звонила.

Странно, но, отпив глоток крепкого кофе, следователь сказал те же слова, что недавно Генка:

— По крайней мере, одним меньше.

Только он имел в виду совсем другое. И Ксения его прекрасно поняла. Тяжелое это дело: ловить умного преступника. Да и дурака тоже. Слишком много бывает в жизни совпадений и разного рода случайностей. Ксения вдруг вспомнила, как Генка сказал недавно: «За Лидушу я и убить могу». И вслух спросила:

— Интересно, а за меня можно убить?

Следователь взглянул на нее с интересом:

— Версия имеет право на существование. Кстати, а бывшему своему мужу не звонили? Или сразу другу? Ведь это вы его вызвали звонком, а, Черри? Ну, Ксения Максимовна, Ксения Максимовна, пошутил я. Юмор приговоренного к пожизненному заключению. В моем случае к очередному «висяку». Ах ты, жизнь!

Он с горечью вспомнил рыдающую жену в пустой двухкомнатной квартире и недосмотренный футбольный матч.

Потом отставил в сторону чашку:

— Ну-с, давайте с вами поговорим, молодые люди. Вы, Геннадий Рюмин, давно здесь, у подъезда стоите?

— Недавно.

— А кто об этом знает?

— Моя жена.

— Она тоже там, у подъезда?

— Нет, она дома. Но помнит, во сколько я ушел.

— Эх, молодежь! Да кто ж в наше время верит женам?

— Любимым женам надо верить, — вмешалась Ксения.

— А вы все людей любовью мерите? — усмехнулся следователь. — Вам сам Бог велел, Ксения Максимовна. И покойнице Евгении Князевой тоже. Много намерили?

— Но я на самом деле думала, что это Попов ее убил!

— Может быть, вы не так уж и не правы, — грустно сказал следователь. — Странное это дело. Главное, непонятно, что из чего вытекает: первое из второго или второе из первого. Убийство Попова из убийства Князевой или наоборот.

— Не понимаю, — удивленно посмотрела на него Ксения. А Генка вдруг спросил:

— Можно мне домой?

— Можно. Скажите только, зачем вы ходили на последний матч Евгении Князевой?

— Смотреть, — отчеканил Генка.

— Пижон, — в третий раз пожал плечами следователь. — Ведь если сейчас в мусорном бачке найдутся выброшенные тобой перчатки…

— Можно вас, Борис Витальевич? На минутку? — сунулся в дверь оперативник.

— Ага! — встрепенулся следователь, и в его унылых глазах вспыхнуло нечто похожее на прежний азарт. — Покончить бы с этим делом вот так, разом! А?

Он махнул рукой и вышел из комнаты.

— Где перчатки, Генка? — спросила Ксения.

— Ты-то не будь дурой. Если человек зарезал уже двоих, не оставив при этом отпечатков, то, согласись, он не будет швырять улики в первый попавшийся на дороге мусорный контейнер.

— Но тебе же некогда было их сжечь? — наивно спросила Ксения и услышала в ответ:

— Наверное, отучить тебя от глупых вопросов то же самое, что заставить студента в электричке брать билет. И как тебе удается обманывать контролеров?

Вернувшийся следователь выглядел разочарованным. Ксения поняла, что ничего существенного оперативникам найти не удалось. Промозглый осенний вечер мелкой изморосью легко стирал следы, любые следы преступления.

— А где его машина? Попова? — вдруг спросил следователь. — Он же не пешком сюда пришел? Так где машина?

— Кажется, у подъезда, — ответила Ксения.

— Откуда вы знаете?

— Я в окно смотрела. Мне показалось, что там стоит его машина.

— Когда показалось?

— Давно.

— Так. Ну, что Попов был мерзкий тип, я в протоколе могу указать, но что машина убитого стояла у подъезда давно, это звучит несколько туманно. Вы во времени вообще-то ориентируетесь?

— Нет, — ответила Ксения.

— Все понятно: делать вам нечего и время вас не интересует. Вы сами по себе, оно само по себе. Но то, что Попов приехал на машине, — это весьма существенно. Из этого вытекает, что его могли убить либо вы, молодой человек, — следователь слегка поклонился Генке, — потому что знали, что он сюда приедет, либо тот, кто за ним следил. На машине, разумеется. Пешком за Поповым, имеющим свои колеса, не побежишь. Другая машина к дому не подъезжала, Ксения Максимовна?

— Я не видела.

— Жаль, но будем искать.

Он еще долго не уходил, и в квартире, где жила Ксения, толпились посторонние люди. Они словно ее обживали, и Ксении казалось, что никогда это не кончится. Просто не может кончиться, потому что началась та большая игра, о которой недавно упоминал Герман.

Гейм третий

15 : 0

Германа она увидела только через два дня. Выглядел он уставшим, даже зеленые глаза пожухли, словно листва в середине сентября. Еще зеленая, но уже не такая яркая, как ранней весной, когда ей хватает и тепла, и солнечного света. Дозвониться ему Ксения так и не смогла. Герман пришел к ней сам, в тот дождливый осенний вечер, которые начинали Ксению постепенно изводить. Она впервые стала задумываться, зачем вообще живет и стоит ли продолжать. А если стоит, то как изменить жизнь, чтобы она не казалась такой бесцельной. Не обремененная ни детьми, ни работой, она теперь потеряла и то, что долгое время заполняло до отказа ее дни: частые поездки, перелеты, отели, долгие матчи и капризы уставшей подруги. Когда всего этого не стало, Ксения впервые поняла, что надо ценить то, что имеешь, а не то, что можешь иметь.

И когда в квартире появился Герман, она даже обрадовалась.

— Где ты пропадал? — первым делом спросила она.

— А что, во мне есть нужда?

— Меня чуть не убили!

— И у кого поднялась рука на добрейшее в мире существо? — усмехнулся он. В его дернувшемся рте

Ксении почудилось что-то жалкое. Да что с ним случилось за эти два дня?!

— Ты есть хочешь? — спросила она.

— Не откажусь.

Потом они вдвоем сидели на кухне, и Ксения заново переживала события того вечера, когда был убит Владимир Попов. Герман слушал ее молча, что-то при этом жевал, и долгое время Ксении казалось, что все сказанное ему глубоко безразлично.

— ...Ну и вот. Этот Попов как заорет по телефону: «Я до тебя доберусь!» Представляешь? И я сразу же поняла, что это он убил Женьку, больше некому. Такой гнусный тип! И напугалась страшно. В квартире никого нет, я свет везде включила, но все равно боюсь... Да ты не слушаешь?

— Почти. Еще кофе свари.

Ксения схватила турку, сыпанула туда две чайных ложки ароматного коричневого порошка. Размахивая туркой перед носом Германа, закончила рассказ:

— А Генку все равно отпустили.

— Ты ее на плиту-то поставь, — посоветовал Герман.

— Что? Ах да. Сейчас. — Ксения отвернулась к плите, все еще возбужденная: — Я так рада, что ты пришел! Я тебе в тот вечер звонила, звонила...

— Почему? — Ксения чувствовала его у себя за спиной. Отчего это он сегодня такой нервный?

— Герман, ну к кому я еще могу пойти?

В его дыхании и движениях возникла странная пауза. Ксения внимательно следила за тем, чтобы кофе опять не сбежал. Неприятный запах, когда коричневая пенка на плите подгорает.

— А твой бывший? — услышала она.

— Он просто трус.

— А я?

— Ты... Подожди, не мешай. Еще одну секунду...

— Так что я?

— Лучше бы ты оказался дома в тот вечер, а не Генка. Мне было бы спокойнее с тобой, Герман!

Она обернулась наконец, дождавшись, когда в турке поднимется доверху густая коричневая пена. Он был странно близко за ее спиной и загораживал стол, куда Ксения хотела поставить сваренный кофе.

— Может быть, дашь пройти? — спросила она и услышала вдруг странный стук. — Герман, что-то упало?

— Не знаю.

Он сел за стол, поставил рядышком две маленькие кофейные чашки. Ксения удивилась тому, как он странно на них смотрит. Белые фарфоровые чашечки, почти невесомые, в его больших руках совсем игрушечные. Но как осторожно трогают пальцы хрупкий белый фарфор!

— Люблю красивые вещи. Скажи, разве можно ее разбить?

И потом:

— Человек — странное существо. Ему не живется по законам логики. И все его проблемы в нем же самом. В том, что он не может так запросто взять и разбить хрупкую фарфоровую чашку.

— Да поставь ты ее на место! — не выдержала Ксения. — А то на самом деле разобьешь.

— Тебе ее будет жалко?

— Тебя. Вот ты странный человек, Герман. Интересно, ты влюблялся?

— Не успел.

— А девочки в классе? Какая-нибудь молодая учительница?

— Учительница... Да... Слушай, добрейшее в мире существо, ты кофе-то мне нальешь?

Ксении показалось, что он успокоился. Во всяком случае, курил он осторожно, не сжигая сразу половину сигареты одной жадной затяжкой. Все-таки они почти год прожили под одной крышей, и Ксения его неплохо знала. Характер, привычки, быстрые перепады настроения. Было непонятно только одно: почему он не исчез из ее жизни сразу же после того, как убили Евгению Князеву? Уже домывая посуду, она услышала, как Герман негромко сказал:

— Интересно, тебе говорили, что ты чертовски везучий человек?

30 : 0

— Останешься? — спросила она, когда ужин был закончен. Мысль об одиноком вечере была страшнее, чем обычная смерть. Каждый раз, засыпая в этой пустой квартире, на огромной постели, Ксения умирала, надеясь на то, что это в самый последний раз.

— Почему нет? — ответил Герман, прислушавшись к мелкому дождику, царапающему снаружи стекла.

После душа он залез к ней под одеяло и несколько минут лежал молча, стараясь случайно не задеть теплое и мягкое чужое тело.

— Холодно сегодня, да? — спросила Ксения. Не услышав ответа, добавила: — И страшно.

— Женькино привидение тебя не беспокоит? — В темноте Ксения угадала его легкую усмешку. Придвинулась, нарушив невидимую границу:

— Можно?

Герман подложил ей под голову руку, другой рукой притянул к себе.

— Черри? А если у нас с тобой сейчас ничего не будет, что ты сделаешь?

— Ничего. Усну.

— А потом? Утром?

— Приготовлю тебе завтрак.

— Странно, но я верю в то, что это правда. Иди сюда.

И она вспомнила наконец, какие у него сладкие губы.

Им всегда было хорошо вместе. Они не старались ни друг для друга, ни для себя. А оттого все, что между ними происходило, не имело ни тени фальши. Ксении не с кем было его сравнивать, кроме как с бывшим мужем. Она понимала, что с Германом все лучше, чем с тем, другим, с той только существенной разницей, что тогда все было по любви. А значит, было все-таки лучше.

Их и нельзя было сравнивать, они жили по-разному и чувствовали по-разному и по-разному сжимали в сильных руках ее мягкое тело. Но и не сравнивать она не могла, потому что и сейчас, с другим, она изо всех сил пыталась найти — и никак не могла — хоть кусочек прежнего счастья. Не было его. Приятно и даже очень хорошо временами было, но ощущение прежнего полета куда-то ушло. Сейчас она не летела, а просто проваливалась в глубокую, душную яму, и там, на дне, вокруг нее кружилось множество приятно покалывающих мелких иголочек, и, втыкаясь в самые чувствительные места, они парализовали разум и волю.

— Тебе хорошо? — хрипло спросил он.

— Да, — шепнула она, хотя мысленно сказала совсем другое: «Заканчивай поскорее». Когда приятные покалывания прошли, терпеть на себе его горячее тело уже не слишком хотелось.

Раньше, по любви, это приносило ей особенное удовольствие, когда муж становился вдруг эгоистом и даже делал больно. Но она была счастлива только уже оттого, что доставляет радость ему. А сегодня не смогла удержаться от очередного глупого вопроса:

— Зачем мы это делаем?

— Не знаю, как ты, а я после этого крепче сплю, — ответил Герман и отвернулся к стене.

А Ксении не спалось. Прошлые ночи она часто просыпалась от страха, а сегодня не хотела отключаться, потому что боялась завтрашнего утра. Герману ничто не мешало найти постель, где ему будут больше рады. А ей также ничто не мешает найти того, кто просто воспользуется ее одиночеством.

«А почему бы ему здесь не остаться?» — подумала Ксения и заснула с мыслью, что надо бы за завтраком об этом у Германа спросить.

...Он молча пил кофе и вопроса словно не услышал.

— Герман, ты можешь не снимать квартиру. Это же так дорого!

— Не дороже денег. А деньги — дерьмо.

— Но ты же нигде не работаешь!

— Ты тоже.

— Я — женщина.

— А я мужчина. Половой признак еще не есть клеймо раба. Я хочу оставить за собой право говорить приятные вещи тем, кто мне действительно приятен.

— Но при чем здесь...

— При всем. Работая, ты включаешься в сообщество тех, с кем должен считаться. Ну кто, скажи мне, может в лицо крикнуть своему начальнику, что он идиот?

— Но, если никто не будет работать...

— На другого.

— Что?

— Фразу надо закончить так: если никто не будет работать на другого, то он будет работать на себя самого.

— Хорошо, — сдалась Ксения. — Но почему ты не можешь ко мне переехать?

— Не к тебе. Это квартира Женьки Князевой. А ее убили.

— Ну и что?

— А если это сделал я?

Он улыбался, но Ксении было не до смеха.

— Герман, но зачем?

— А затем, что ты опоздала, девочка Черри. — Ксения не знала, почему ни разу не напомнила Герману о том, что он на целый год младше. — Почему ты не предложила этого в тот день, когда я просил?

— Когда?!

— Когда я предлагал договориться.

— Но я же не знала...

— Ты и сейчас в том же положении. Нет уж, давай каждый останется при своих проблемах.

— У тебя кто-то есть? — спросила Ксения.

— Типично женская логика. Если мужчина не хочет трахаться с ней каждый день, значит, у него кто-то есть. Без вариантов. А вчера я подумал о тебе лучше.

— Я хотела этого для тебя.

— Для меня сделай, пожалуйста, парочку бутербродов. С собой. Только не таких тупых, какие делала Валентина. Положи зелени, огурчика. Прояви фантазию, не как сегодня ночью в постели.

Ксения обиделась и не собиралась больше с ним разговаривать.

— И даже не спросишь, приду ли я еще? — спросил Герман уже в дверях. — Думаю, судьба сведет. Ты, кстати, не знаешь, куда исчез тот парень из общаги? Который заикается?

— А зачем тебе Толя?

— Затем, что ты не поверишь. Несмотря на свою скрытность, Женька один раз была со мной откровенна. Теперь это дорогого стоит. Ну, пока!

30 : 75

«Теперь это дорогого стоит», — повторила про себя Ксения, моя посуду на кухне. Она никак не могла зацепиться за одну очень важную мысль. Вернее, не могла сделать правильного вывода из того, что казалось ей подозрительным. Все они говорили о Жене Князевой по-разному. Либо она меняла свой стиль поведения с каждым новым романом, либо кто-то из шестерых врал.

Почему Герман так интересовался Анатолием Воробьевым? Именно им?

Ксения не знала, как построить свой день. Лежать до вечера на диване перед телевизором? Поехать по магазинам? И вдруг подумала с ужасом, что ей не нужна новая одежда. Вообще никакая не нужна, потому что глупо привлекать к себе мужское внимание, если не хочешь случайных знакомств. Немыслимо привести кого-то в эту квартиру, где произошло столько человеческих драм. Ксения чувствовала, что даже воздух ее заразный. Хотелось сорваться наконец и сделать что-нибудь неожиданное, абсолютно нелогичное.

— Мне надо прогуляться. Просто прогуляться, — сказала Ксения пухленькой темноглазой девушке в зеркале, беззвучно приоткрывшей несколько раз ротик-вишенку. — Согласна ты со мной или нет, но мы сейчас будем одеваться.

Повторяя ее движения, темноглазая натянула на себя джинсы и свитер. Нахмурилась, застегивая молнию, и осуждающе зашевелила губами:

— Есть надо меньше.

Хотя Ксения знала, что против природы не пойдешь. Она, Вишенка, никогда не будет похожа на худющую узкобедрую подругу-теннисистку. И чудных длинных ног не будет, даже если вовсе не слезать с диет. Но бывший муж любил Ксению именно за то, что она относилась к себе и окружающим очень просто, принимая без зависти достоинства других и прощая им различного рода недостатки, не заставляя при этом прощать свои. Бывают у людей такие вот неконфликтные характеры. Казалось бы, у таких людей все должно быть хорошо, но почему-то получалось наоборот. Судьба сталкивала Ксению с самыми жестокими эгоистами, словно проверяя на прочность. И в итоге делала ее несчастной.

— Ну и пусть! — махнула Ксения рукой черноглазой, оставшейся в прихожей, в небольшом круглом зеркале возле входной двери.

Она шла по улице, заглядывая в витрины. Кто-то нуждался в красивых вещах, продавая для этого другие красивые вещи. «Как жаль, что мне ничего этого не нужно!» — подумала Ксения. Сама она разлюбила красивые вещи после того, как ради них от нее ушел любимый муж. И Ксении даже сейчас не хотелось их иметь, она боялась за этими вещами затеряться. Знала, что слишком наивна для того, чтобы хорошо разбираться в людях. Те могли охотиться за красивыми вещами, используя ее в качестве посредника.

Не заметив как, Ксения оказалась у знакомого общежития. Вроде бы приехала, чтобы еще раз подняться пешком на пятый этаж и прочитать надпись горелой спичкой: «А пошли вы все на...»

«Ну уж нет», — подумала Ксения и нажала пальцем на оплавленную кнопку. И только тут подумала, что Анатолий на работе.

— Тю! Опять эта фея! — Мужик в грязной тельняшке, казалось, не нуждался в том, чтобы зарабатывать себе на кусок хлеба. Основательно заправленный спиртным, он был в прекрасном расположении духа.

— Извините, я ошиблась, — попятилась Ксения.

— Э, нет! — Мужик погрозил ей пальцем. — Я помню! Поищем смысл жизни, а? На брудершафт? — В последнем слове заплетающимся языком он оставил меж редких зубов половину согласных.

— Анатолий на работе? — все еще стоя на пороге, спросила Ксения.

— Почему на работе? — Мужик всей пятерней залез в спутанные волосы: — Работа не волк, каши не просит. Или это: с миру по нитке — люби и саночки возить.

— Баба с возу — всей птичке пропасть? — улыбнулась Ксения.

— Молодец, девка! Заходи! — Мужик широким жестом пригласил ее войти в прихожую.

— Так он дома? — Дальше порога она пройти не решилась, замерла, зацепившись каблуком за грязный половик. — Если не на работе — значит, дома?

— Не-а-а. Уехал. В турр-рристическое пут-шествие.

— Какое еще путешествие? Он что, разбогател или сошел с ума?

— И то, и другое грозит небом в клетку, — тут же нашелся мужик, выразительно сложив крестом волосатые пальцы.

— Послушайте, вы можете мне все внятно разъяснить? Где Анатолий?

— А я что говорю? Внятно: море, пальмы, стройную креолку он увидел на песке...

— И когда уехал?

— Вчера. Утром. Сумасшедшие бабки, между прочим, заплатил. Чтобы побыстрее. А то милиция бы его не отпустила.

— Какая милиция? Почему?

— А кой хрен мужик из прокуратуры меня спрашивал, где Воробей был во вторник, в девять часов вечера, а, девка?

— Когда спрашивал?

— Позавчера. Воробей-то от мужика будто прятался. А вчера за бугор слинял. В туррр-рристическое пут-шествие.

— Разве с него не брали подписку о невыезде? — удивилась Ксения.

— Чего-о? — протянул мужик.

Ксения поняла, что к Анатолию Воробьеву у следователя претензий не оказалось. Наверное, обеспечил себе очень хорошее алиби.

— И что ты сказал? — спросила Ксения. — Следователю, стало быть.

— Своих не выдаем, — подмигнул ей сосед Анатолия. — Врагу не сдается. Мы с Воробьем четыре года из одного холодильника продукты друг у друга таскаем, так неужто я его ментам сдам? Этим... — Мужик заковыристо выругался.

— У тебя что, были проблемы с законом? — догадалась она.

— Ага. Водку продавать закон не запрещает, напротив, имеет с этого нехилые бабки. Пить тоже не запрещает, а вот вести себя, напившись, соответственно потребностям раскреп ... — Он икнул. — Раскреп... оствившейся души...

— Когда он приедет? — прервала его Ксения. — На сколько путевка и куда?

— В Ит... алию. Ой, что ж это такое? Пардон. На три дня.

— Так мало?!

— На больше и бабки большие нужны.

— Но зачем ему ехать в Италию на три дня, когда можно... Ой! — сообразила вдруг она.

— Думаешь, не вернется? — подмигнул мужик.

— Не думаю. Наследство ему здесь светит.

— А тюрьма?

Ксения удивилась тому, что он не так уж и пьян. Неужели Ваньку валяет?

— Он тебе денег обещал, да? — спросила она.

— Мы с Воробьем...

— Знаю. Четыре года в одном холодильнике...

— В одной помойке, девка. А жить все хотят. Думаешь, мне не надоело каждый день видеть это дерьмо возле мусоропровода? И вонь не надоела? И то, что ко мне в гости надо записываться, как на прием к министру финансов?

— Послушайте...

— Да иди ты. Читать умеешь?

— Извините. Я уже ушла. Не забудьте сказать Анатолию, что я заходила. Если сможет, пусть позвонит.

— Ага. Сможет, — сказал ей вслед мужик. — Не понимаете вы никто смысла жизни...

Ксения забрала на вахте свой паспорт, все еще думая о странной поездке небогатого Анатолия Воробьева в Италию. Чтобы человек на последние деньги покупал горящую путевку и всего на три дня менял холодную, слякотную Москву на прелести средиземноморских курортов? Лишь бы успеть последний раз взглянуть на мир, что ли?

Она очень устала и почти пожалела об этой поездке. Вот так всегда: дома не сидится, потому что скучно, а стоит выйти на улицу, да пару раз поцапаться с продавцами, да разорвать о чужую сумку новые колготки в автобусе, да почувствовать на себе в толкотне вагона метро чьи-то липкие пальцы... Ксения развернулась и посмотрела тому, кто нарочно протиснулся поближе, прямо в глаза. Ничего. Пустота. Даже глаз не отводит, хотя и вжимается изо всех сил в ее вспотевшее от отвращения тело. «Лучше выйти», — поняла она и, оказавшись на незнакомой станции метро, села на ближайшую лавочку. «Как глупо получается: если не участвовать во всеобщей гонке на выживание, то и заняться особо нечем, — подумала она. — Все эти люди считают, что они чужие на празднике жизни, но не хотят понять, что и праздника-то никакого нет. Безделье — это не праздник, а сплошная серая скука».

Дома она поняла, что опять не хочет есть. Сидела, тупо глядя в экран телевизора, у которого зачем-то выключила звук. Она сама придумывала слова всем тем, кто появлялся на экране, те, которые хотела. И уже решив, что вечер безнадежно пропал, Ксения услышала телефонный звонок.

40 : 75

— Привет, Ксюша! Узнала? — Это был он, ее бывший. — Где ты гуляешь? Я с утра звоню.

— Зачем?

— Хотел пригласить тебя поужинать.

— Куда?

— У нас с тобой были любимые места.

— «Макдональдс»? Кафе-мороженое возле кинотеатра «Ударник»? Или пельменная в центре?

Она сейчас променяла бы на эту пельменную самый дорогой в мире ресторан. Не глядя и на всю оставшуюся жизнь, хоть за те десять минут, которые требовались ему, чтобы проглотить свою порцию и доесть то, что она заботливо оставляла в своей тарелке, даже если была голодна. Здоровый, сильный мужчина, которому всегда требовалось много еды. Неужели он этого не помнит? А бывший муж только рассмеялся:

— Ты права. Мы уже давно выросли, Черри.

— Мы не выросли. Мы просто стали такими же, как все.

— У тебя голос грустный. Так где ты была?

— Хотела напроситься в гости к одному молодому человеку...

Она привычно оборвала фразу и вздохнула. Он молчал.

— Но он уехал. В Италию.

— Ты хочешь в Италию?

— Я? Не знаю. Там сейчас тепло.

— Мы поедем, Ксюша. Обязательно. А сейчас я могу предложить тебе только итальянскую кухню — спагетти, пиццу, салат по-гречески. Я помню: ты очень любишь пиццу.

Наверное, ей надо было отказаться. Ксения открыла рот, чтобы сказать «нет» и услышала как бы со стороны:

— Да. Я очень люблю пиццу.

— Вот и здорово! — обрадовался он. — Я заеду за тобой. Во сколько?

— А работа?

— А... Я все равно решил оттуда уйти.

— Давно?

— Да, решил давно.

Ксения хотела сказать, что разговаривала несколько дней назад с его начальницей, и у той даже в мыслях нет, что ее красавец менеджер решил уволиться. Что это все вранье, как и якобы сломавшаяся на шоссе машина в тот день, когда убили Женю, но почему-то промолчала. Вместо этого она начала думать о том, не слишком ли располнела для черного вечернего платья. И стала ждать, когда он подъедет, уже с того мгновения, как в трубке раздались короткие гудки...

... — Отлично выглядишь, — сказал бывший муж, целуя Ксению в щеку.

И ей сразу стало противно от театральности этого жеста, от его банальных слов, неброского галстука и темного костюма. Он вел себя так, словно был на сцене, и Ксения гораздо охотнее простила бы своему бывшему, если бы прямо сейчас, без всяких предисловий, он бросил бы на пол свой дорогой пиджак и так же нетерпеливо начал бы снимать с нее черное вечернее платье.

Но у него имелся свой сценарий на весь этот вечер. Сначала ужин в ресторане, обязательные объяснения, танцы, букет цветов, потом тихим голосом испрошенное разрешение остаться. «Какой идиот придумал все это? — подумала Ксения. — И зачем?»

Тот, кто раз и навсегда изобрел этот обязательный для мужчины и женщины ритуал, никогда не любил. Ибо о какой любви может идти речь, когда ты глядишь в залитую соусом тарелку? Если бы все произошло сейчас, в этой полутемной прихожей, она поверила бы ему и простила, но уже выйдя на улицу, к машине, поняла, что они теперь навсегда чужие люди. По-прежнему друг друга любящие, но все равно чужие.

— Так что это был за парень, к которому ты хотела напроситься в гости? — спросил он, поворачивая ключ в замке зажигания. И Ксения не поняла, подлинная ли это ревность, или тоже один из обязательных элементов ритуала?

— Так. Пустяки.

— Там все кончено? — поинтересовался он слишком уж безразлично для рассерженного ревнивца.

— Даже не начиналось. — От исключительно банальных фраз, которые произносил бывший муж, к ней начала возвращаться та ирония, которой ее научила Евгения Князева. Интересно, а в постели он стал таким же? Вместо прежней страсти — дежурный набор ласк, которые в прейскуранте женщины отметили звездочками благодарных поцелуев.

— Я тебя не узнаю, Ксюша. Раньше ты была доброй.

— А ты... — Обидные слова чуть не сорвались с языка, но она сдержалась.

Он остановил машину возле цветочницы и через несколько минут положил Ксении на колени роскошные розы. Но ничего уже нельзя было изменить. Ксения слишком хорошо знала этот сценарий. Раньше они оба были очень изобретательны. Отсутствие лишних денег порождало маленькие уловки. Ксения каждый день экономила несколько монет, то проходя пешком пару остановок вместо того, чтобы сесть на автобус, то отказывая себе в мороженом или другой мелочи. Он тайком брал у своего однокурсника чертежи, потому что имел способности именно к инженерной графике. Обмениваясь маленькими подарками, каждый чувствовал себя хитрее другого.

— Зачем все это? — спросила она, когда бывший заказал дорогой ужин. Слишком дорогой.

— Я просто не знаю, как еще замолить свои грехи.

— И платить большие деньги — это способ?

— Неужели, прожив столько времени с Женей, ты так и осталась идеалисткой?

— Расскажи мне все честно. Ведь я знаю: ты искал с ней встречи. Зачем?

— Рассказала все-таки? — скорее всего, он подумал на Евгению, а не на свою нынешнюю любовницу.

— Ты что, вернуться к ней захотел?

— Нет. Просто хотел попросить помощи.

— Какой помощи?

— Я хотел бросить свою работу и...

— Свою любовницу. Но неужели ты не знаешь, что Женя могла предложить тебе только одного рода помощь.

— Да она вообще не захотела со мной разговаривать!

— Так это ты ей звонил? Перед матчем?

— А если и так?

— С украденного мобильника?

— Ну ты вообще... Не поверишь, уже целый год я ищу выход. Мне кажется, что моя жизнь — это тупик в чьих-то чужих хоромах. Такое чувство, что я достиг своего потолка. На минутку выползаю из своего тупика, и тут же, испугавшись, ныряю обратно.

— Но можно ведь и стену пробить, — улыбнулась Ксения. Интересно, долго он сочинял этот впечатляющий монолог?

— Что?..

— Я говорю, что не обязательно искать свой путь через чужие хоромы. А вообще — хватит. Тебе что-то от меня нужно. Но ты ведешь себя так, словно я посторонняя женщина, которую тебе обязательно надо соблазнить. Ты разучился быть самим собой.

— Ну, хорошо, — вздохнул он. — Я все время думаю об этом наследстве. И было бы здорово, если бы кроме нас не было других претендентов.

Ксения вздрогнула:

— Послушай, а где ты был во вторник вечером?

— Я? Во вторник? — Его рука нервно начала перекладывать лежащие рядом столовые приборы. Ровненько, в линию. — Дома.

— Нет.

— Во вторник?

— Вечером.

— Ксюша, я не помню. Пойдем танцевать?

— Не было тебя дома. А в моем подъезде убили Владимира Попова.

— Кто такой... Попов?

— Не прикидывайся. Значит, уже целый год ищешь выход? А просто позвонить по объявлениям о работе?

— Но там слишком мало предлагают. А если много, то я через это уже проходил. Ты помнишь. Обжегшись на молоке...

— Не вынешь и рыбку из пруда, — вспомнила Ксения мужика в грязной тельняшке.

— Какая чушь!

— Пойдем танцевать. Я согласна...

2 : 7

...Более глупой сцены, чем та, что произошла поздно вечером возле дверей ее подъезда, трудно было себе представить. Раньше она видела это только в кино: мужчина и женщина хотят провести вместе ночь, но оба находят повод, чтобы этого избежать. Причем каждый ищет повод, жалея другого. Во имя любви. А получается, что во имя очередной глупости.

В кино это смотрелось бы очень красиво, а здесь, ночью, когда бывший мялся, не зная, что уместнее — уйти или остаться, на его замерзшее лицо жалко было смотреть. В теплом салоне «пассата» он не возил с собой ни шапки, ни теплой зимней куртки. А с драповым щегольским пальто ледяной осенний ветер справлялся легко.

«Он боится меня спугнуть, — догадалась Ксения. — В самом деле, зачем спешить, если я и так никуда не денусь?»

— Не зайдешь? — спросила она.

— Ну...

— Что, страшно?

— Боюсь снова оказаться за дверью.

— Так в себе неуверен?

— Я виноват. Знаешь, тот ребенок...

Вот этого ему не стоило говорить. Ту страшную боль Ксения никогда не забывала.

— Что ж.

— Не будем спешить.

— Да, не будем.

— Иди, холодно.

— Иду.

Они постояли еще немного. И ей в это время показалось, что она кому-то еще нужна.

— Ты не против, если мы еще раз как-то поужинаем? — спросил бывший.

— Нет. Мне понравилось, — соврала она.

— Тогда я пошел?..

— Иди.

— Нет, ты первая.

Она чуть не крикнула: «Да хватит уже! Давай поднимайся со мной в Женькину квартиру!» Но из горла выполз только невнятный кашель.

— Простудишься, — заботливо сказал бывший. — Иди... У нас еще будет время.

И только закрыв за собой тяжелую железную дверь подъезда, которую так и не починили, Ксения расплакалась, еще не зная, что будет сильно жалеть о том, как закончился сегодняшний вечер.

А закончился он неожиданным телефонным звонком. И Ксения меньше всего хотела услышать сейчас следователя, который спросил:

— Вас обрадовать, Ксения Максимовна?

— Нет ничего хуже ваших новостей.

— А напрасно. Я вам симпатизирую. Завоевываю расположение. Очень хочу, чтобы и вы мне помогли.

— Что-то случилось?

— Да. Вот только что с дозволения руководства звонил в Италию. Одну маленькую подробность хотел уточнить. Разговор-то на две минуты. А получилось и того меньше.

— Вы разговаривали с Элеонорой Станиславовной?

— Не пришлось. Не знаю, кому как, а вы должны радоваться, Ксения Максимовна.

— Чему?

— Синьора Ламанчини сегодня утром утонула, купаясь в море.

— Да вы что?! Ее убили?!

— Синьор Ламанчини сказал, что сердце у его жены внезапно отказало. Это бывает, когда заплываешь слишком далеко, а организм истощен диетами и солевыми ваннами. А вы ничего не хотите мне сказать, Ксения Максимовна?

— Я никак не могу...

— Сюрприз, да? Прямая наследница утонула. Концы в воду, а? В теплую воду голубого залива. Некому оспаривать завещание.

— Она и не хотела.

— Значит, хотел кто-то другой. Так ничего не скажете?

— Я ужасно устала. — Ксения не могла поверить, что никогда больше не услышит эти слова. Синьора Ламанчини навсегда осталась в теплой Италии.

— Ну, не буду мешать. Отдыхайте. Я думаю, что через пару месяцев можно подать заявление об открытии наследства. Никто теперь не помешает, а?..

Гейм четвертый

15 : 0

«Утонула в теплой воде голубого залива. Утонула. В теплой воде. Италия. Куда я так и не попала. Зато Анатолий Воробьев сейчас в Италии. Скорее всего, что завтра он вернется обратно. Что же делать?»

И Ксения вспомнила, с какой счастливой улыбкой синьора Ламанчини отправилась навстречу своей смерти. В солнечную страну, где женщины носят шубки с легкими туфлями. И там, в теплой голубой воде, у нее внезапно отказало сердце. А она так его берегла!

Ксении казалось, что в спальне до сих пор пахнет увядшими цветами. Эта красивая богатая женщина словно бежала от кого-то. Наверное, были вещи, которые она хотела навсегда забыть. И люди. Ксения подумала, что теперь можно с чистой совестью выбросить из ящиков весь семейный архив. Вряд ли итальянец-миллионер заинтересуется родней своей покойной жены. Нищей, давно уже забытой родней. Скорее всего, найдет себе новую красотку, женится, и по песчаному берегу голубого залива будет, скучая, бродить очередная синьора Ламанчини, шикарная женщина, больше всего на свете берегущая свое сердце.

В большой комнате на стене висел портрет Элеоноры Станиславовны, тогда еще Князевой. Карандашный набросок, сделанный за полчаса. Слегка приукрашенная уличным художником, она была слишком хороша для того, чтобы быть настоящей. С каким наслаждением портретист выписывал тонкие черты ее лица! Работа на заказ и сделанная случайным человеком, но Ксении очень нравилось смотреть на этот портрет. Подруга не сняла его со стены даже после того, как мать навсегда уехала в Италию.

— В семье Козельских все женщины были удивительно хороши, — повторяла Евгения с насмешкой, но карандашный набросок в гостиной продолжал висеть.

Ксении казалось, что подругу мучает тоска по тому, чего с ней не случилось. На Элеоноре Станиславовне кончилась череда редких красавиц семьи, осчастлививших своим присутствием этот мир. Остались только пыльные альбомы с фотографиями и письма, которые поскорее надо бы сжечь.

Ксения не любила копаться в чужих вещах. Все, что лежало в ящиках секретера, ей не принадлежало. Но получилось так, что теперь уже не принадлежало никому. И она нехотя стала перебирать конверты. Жене просто некогда было заняться всем этим барахлом. Письма от поклонников и поклонниц лежали вперемешку с корреспонденцией матери. Письма ей, письма от нее. Элеонора Станиславовна предупреждала Ксению, что многие конверты с посланиями от ее родственников даже не распечатаны. Что ж, ее письма дочери тоже лежали в заклеенных конвертах. Элеонора Станиславовна личным примером приучила Женю отстраняться от родственных связей и быть в этом мире одинокой. Куда теперь все это?

И Ксения начала разбирать письма на отдельные пачки, перевязывая их найденной в том же ящике синей лентой. Хоть чем-то заняться. Интересно же смотреть на чужой почерк и представлять себе, какой это был человек. И почему имя Элеоноры Князевой написано в графе «кому» такими корявыми буквами, словно писал кто-то малограмотный? Фамилия отправителя на одном из таких нераспечатанных конвертов показалась Ксении знакомой. Она помедлила минуту и вскрыла конверт. Прочитав, схватила пачку и отобрала еще несколько писем. Сидела, все еще не веря в то, что такое может быть. Жизнь полна удивительных совпадений. Она сводит людей со своеобразным чувством юмора. И эти письма были тому доказательством.

Прочитав их все, Ксения поняла, от кого бежала Элеонора Станиславовна. И почему этот человек так настойчиво ее преследовал. До тех пор, пока на его пути не встретился теплый голубой залив.

И надо же быть такой дурехой!

15 : 15

Сначала она хотела тут же кому-нибудь о найденных письмах рассказать. Но потом вдруг вспомнила слова следователя: «Надо было уточнить одну маленькую деталь...» И без нее, дурехи, все давно уже стало известно.

Кто еще об этом знал?

Когда вечером следующего дня позвонил Анатолий Воробьев, Ксения даже растерялась.

— Т-ты заходила? — услышала она и съязвила:

— Откуда звонишь? Из Италии?

— Т-только что п-приехал.

— Как отдохнул?

— Н-нам бы п-поговорить. Есть о чем. — Он замолчал, собираясь с мыслями или готовясь побороть очередную непокорную согласную. И у него это неплохо получилось: — Знаешь, да?

— Что тебе от меня надо?

— Д-давай п-по-хорошему... Не п-по телефону.

— Я больше не хочу видеть твоего придурка соседа. Понял?

— Т-тогда к т-тебе?..

Она насторожилась. Кто знает тайну этих внезапных сердечных приступов? Голубого залива рядом нет, но зато внизу целых десять этажей. Тоже неплохо.

— Б-боишься?

— Я позвоню своему другу и предупрежу. Если со мной что-то случится...

— Не п-переживай.

— Я дома весь вечер. Никуда не собираюсь.

Анатолий ничего не сказал, но Ксения поняла, что он вышел из общежития сразу же после того, как повесил трубку. Если звонил уже не из ближайшего метро. На всякий случай она решила выполнить свою угрозу. И позвонила Герману. Телефон не отвечал.

— Да что ж это такое? — вслух сказала Ксения. — Когда он мне нужен, его обязательно нет! И такие новости!

По странному совпадению она опять-таки дозвонилась только Генке.

— Сердишься?

— Послушай, если бы моя жена не была ангелом...

— Ты бы на ней никогда не женился.

— Черри, я жалею, что у меня нет другого выхода. Но...

— У нас проблемы. С деньгами.

— Какие? — сразу насторожился он.

— Есть прямой наследник и он будет оспаривать завещание.

— Кто? Синьора Ламанчини?

— Она умерла.

— Что, так внезапно? Какая неожиданная радость! Откровенно говоря, я ее терпеть не мог.

— Генка, ты, конечно, не приедешь?

— Конечно нет. Очередной маньяк уже ломится в твои двери?

— Это не смешно!

— Надеюсь, его тоже найдут в твоем подъезде с ножом в спине.

— Так ты...

— Я два раза подряд на грабли не наступаю. А что, ты уже позвонила очередному маньяку и сообщила о своих планах на вечер?

— Он сам позвонил. И едет. Между прочим, это с ним проблема.

— Вот как?

— Ты можешь вообще ничего не получить!

— С ума сошла?! Я уже взял денег в долг и вчера выкупил эту разбитую тачку. За тридцать штук. Надеюсь, что ее можно еще отремонтировать и продать. Но на это опять-таки нужны большие деньги. Дорогая машина. Но красивая. Была, — кисло добавил он.

— Как Лидуша? — деликатно поинтересовалась Ксения.

— Думаешь, это так быстро проходит? Есть люди, которые себя плохо чувствуют, имея долги.

— Ей нельзя волноваться.

— Спасибо. Вот и не навязывай мне своих маньяков.

— Но я просто хотела, чтоб ты знал. На всякий случай... Спокойной ночи.

На Генку Ксения не злилась, просто по-прежнему немного ревновала его к жене. Если бы в ее бывшем была хоть капля Генкиной порядочности! И черт с ним, пусть был бы рыжим...

30 : 15

Он позвонил в дверь примерно через полчаса. Видимо, и на самом деле разговаривал по телефону уже из метро. Ксения открыла верхний замок и минуты две стояла, придерживая цепочку.

— Кто?

— Анатолий.

И пришлось открыть дверь.

Он давно уже не был в этой квартире. Но до сих пор вспоминал тот страшный день, когда первый раз вошел в темную прихожую, и только утром понял, что это могло быть только злой шуткой. Но зато теперь он получил свой шанс. И прошел прямо в гостиную.

Ксения тоже остановилась перед портретом Элеоноры Станиславовны. А он, почти не заикаясь, нараспев сказал:

— В семье Козельских все женщины были удивительно х-хороши.

— И твоя мать тоже?

— М-между прочим, я н-не нашел ни одной ее фотографии в этом д-доме. Это с-с-справедливо?

И Ксения стало стыдно за те нераспечатанные письма, что она нашла в одном из ящиков секретера. Хорошо, что он этого никогда не узнает. Она, Ксения, письма прочла. Все. И поняла: Анатолию Воробьеву было на что обижаться.

...Жили-были две сестры: Антонина Козельская и Элеонора Козельская. Обе удивительные красавицы. Из рода обрусевших поляков. Одна вышла замуж по любви, другая по расчету. Одна всю жизнь жила в нищете, работая по чужим людям, и умерла от инфаркта два года назад. Другая достигла вершин богатства, похоронив первого мужа, вышла замуж за миллионера-иностранца, и утонула в голубом заливе, недалеко от собственной виллы. И случилось это два дня назад.

Старшая сестра не раз писала к младшей. Она не могла поверить в то, что можно раз и навсегда отрезать себя от родной семьи. Что можно не приезжать в город, где прошло детство, отделываться денежными переводами от матери с отцом, и даже не приехать на их похороны. Что можно передать через сторожиху родному племяннику ключи от дачи и укатить с дочерью и мужем за границу, на очередной теннисный турнир. А появись бедный племянник в доме хоть раз, он не обнаружил бы в большой комнате портрет знакомой по фотографиям красавицы тетки и не понял бы, что женщина, с которой он только что провел ночь, его первая в жизни женщина, — его же собственная двоюродная сестра.

А Евгения, узнав об этом, только рассмеялась и сказала:

— Это забавно получилось.

Но Анатолий думал совсем иначе. Свою двоюродную сестру, богатую и балованную девочку, он возненавидел еще заочно: у нее было все, чего у него самого не было. Теперь поводов для ненависти стало еще больше.

Тем не менее Анатолий прожил с Женей Князевой почти год. Пока окончательно не надоел той своей бессловесной покорностью. И никак не мог понять, почему же не уходит сам? Он боялся признаться себе в том, что так же, как и бессердечная тетка, больше всего на свете любит деньги. Но даже не за то, что за них можно купить любые вещи, но и внимание к себе людей. Застенчивый заика мечтал, чтобы его заметили. Он любой ценой хотел вернуться в тот мир, в который его сначала не пустили, а пустив, спустя год незаслуженно выгнали...

...Ксения протянула ему аккуратно перевязанные ленточкой письма:

— Вот. Если нужны.

— С-спасибо. — Он замялся.

— Значит, ты и есть теперь самый близкий Женин родственник? И что ты хочешь?

— С-съезжай отсюда.

— А ты переедешь, да? В ее квартиру. Один или с соседом?

— Н-не зря же я с-старался.

— Так это ты ее зарезал?

— Д-докажи.

— А в Италию зачем ездил?

— Не т-т-т... — Он так и не смог выговорить, до того разволновался.

— А я тебя еще пожалела!

— С-суд будет. С-съезжай.

— Ладно, Толя. Не утруждайся. Ты так много сделал для того, чтобы переселиться наконец из своей вонючей общаги в эти хоромы. Пользуйся.

— Н-ничего я не с-сделал.

— Ты ее утопил. Элеонору Станиславовну.

— Она с-сама. Мы п-плыли. Ей стало п-плохо.

Он вспомнил ненавистное теткино лицо. Спокойное, расслабленное. Она все хотела от него спрятаться. Тогда, на кладбище, обещала обязательно поговорить и тут же сбежала в Италию. Всю жизнь он был для тетки чем-то тягостным — плебеем. А когда Евгения приехала на турнир со своим новым бой-френдом и представила его матери: «А это Толик. Мой двоюродный брат. С Урала, помнишь, мама?» — ее красивое лицо исказила презрительная гримаса: «Как ты могла?»

Он очень хорошо помнил их первую встречу. Теперь, добравшись наконец до ее виллы, он сказал:

— Теперь вам п-придется меня п-принять, Элеонора Станиславовна.

Ее длинное и невероятно сложное имя он выговаривал старательно и почти не заикаясь. Учился этому долго, а был он упрям. Тетка сидела на веранде, необыкновенно красивой веранде, освещенной ярким солнцем, и старательно смотрела мимо. Так и не поймав теткиного взгляда, он решил: «Я ее убью». Слишком долго он этого хотел. За себя, за Женю, за счастье, которое продлилось только до утра. За то, что у них с двоюродной сестрой не могло быть ничего — ни будущего, ни общих детей.

40 : 75

— Ах, у меня столько дел! И я ужасно устала! Когда у тебя самолет?

— Я м-могу задержаться.

— Не стоит.

— О Ж-жене...

— Ах, только не сейчас! И не о делах, умоляю! Я хотела пойти на пляж.

Он взял со столика полотенце и крем для загара. А потом они с теткой плыли. Вместе. Она слишком уж старалась его не замечать. И уплыть подальше. Как это глупо и неосмотрительно для пятидесятилетней женщины, не слезающей с диет. А он говорил, говорил, говорил... Заикаясь, и оттого многие вещи казались еще неприятнее. Здоровый, сильный мужчина, для которого плыть рядом с ней было так же легко, как толкать перед собой надувной матрас. Хоть километр, хоть два — никакой усталости. И губы у нее посинели.

И вот тогда он почувствовал дикий восторг. Наконец-то! Его заметили!

— Помогите! — прохрипела она.

— Сейчас.

И рукой он слегка утопил в воде теткину голову так, чтобы она захлебнулась. Проплывавшая мимо яхта подняла Элеонору Станиславовну на борт уже мертвой. Ее племянник, находившийся рядом, изо всех сил помогал испуганному яхтсмену делать женщине искусственное дыхание. Но он-то знал, что они оба пытаются оживить труп. У Элеоноры Станиславовны в нужный момент все-таки нашлось сердце, чтобы остановиться.

40 : 30

— Что ты ей сказал?

— П-правду. О с-себе, о т-тебе.

— А право у тебя есть правду говорить? И что ты вообще про меня знаешь?!

— О ваших от-т-т...

— Замолчи! — И потом очень устало: — Сволочь ты. Убогих вообще-то жалеть надо. Но ты сволочь.

Ксения подумала, что он ударит. Но Анатолий Воробьев был только рад, что его представления о женщинах оказались верными. Все они жестокие. Прикидываются добрыми только тогда, когда чувствуют свою выгоду.

— В-все в-вы... — так и сказал он.

И Ксения поняла, что рукам он волю не даст, но отомстит по-своему. И за то случайное заикание, и за сегодняшнее презрение. Просто воспользуется ее слабостью, добротой и неумением урвать от жизни свой кусок, если есть хоть малейшая зацепка.

— Ладно, я уйду, — сказала Ксения. — Не надо никакого суда.

— Б-боишься п-проиграть? — усмехнулся он.

— Боюсь, что ты не получишь того, что заслужил. Подожди минутку.

Ксения услышала, как зазвонил телефон. Она побежала в спальню, чтобы не говорить при нем. Зажгла ночник, присела на кровать. Почувствовала, что только он может захотеть с ней поговорить в это позднее время.

— Ксюша? Успел соскучиться. Зря я тогда ушел, да?

— Наверное.

— Вот и решил сегодня повторить тот вечер. Раз тебе понравилось. Можем пойти в тот же ресторан. Я возле твоего дома. Сижу в машине, звоню, смотрю на твои окна. Ты тоже можешь выглянуть в окно. Из спальни, я на этой стороне.

— Ой, не сейчас!.. У меня гости.

— Интересно. Значит, я могу подняться и повеселиться вместе со всеми?

— Ты не понял. Это не вечеринка. Деловой разговор.

— Еще лучше. Тебе помочь?

— Если только чемоданы вынести. Но не сейчас. Завтра.

— Какие чемоданы? — насторожился он. — Ты куда-то переезжаешь?

И Ксения неуверенно сказала:

— Может, к тебе?

— Ко мне?!

— Раз у нас с тобой все так хорошо...

— Подожди, я не понял. Женькина квартира гораздо больше, и район лучше. Зачем нам с тобой жить у меня?

— Потому что... Словом, на ее наследство можешь больше не рассчитывать.

— Да что случилось?!

— У нее есть двоюродный брат. Я не хочу, чтобы дело дошло до суда. Не предъявлять же судьям глупое завещание, которое было написано в шутку?

— Но зато деньги серьезные! Ты соображаешь, что делаешь? Взять и подарить кому-то целое состояние!

Ксения насторожилась:

— Значит, тебе деньги нужны, не я?

— Да, я люблю тебя, как ты не можешь этого понять! Но мы уже не дети!

— И?..

— Нам надо где-то жить. Надо на что-то жить. Я же знаю, что ты не умеешь работать. Твое призвание быть домохозяйкой.

— Это плохо? — Ксения почувствовала, что сейчас расплачется. Только бы он не заговорил сейчас о детях! Тоже ее призвание, но что с ним стало?

— Хорошо, — сказал бывший муж. — С тобой все хорошо. И у нас сейчас все могло бы быть хорошо, если бы не объявился этот братец. Где он, кстати?

— Здесь, у меня.

— Как — у тебя?! Ты там с мужчиной? А почему в спальне горит ночник? Он что там, в твоей спальне?!

— Нет, в комнате.

— Это правда? Я сейчас поднимусь.

— Не надо, — испугалась Ксения. Она знала, что ее бывший муж с детства боится драк. Боится бить и особенно, что могут побить его. И она со всей нежность его оберегала от этого. Анатолий же после убийства тетки мог войти во вкус.

— Значит, он нас подслушивает? Через параллельный аппарат?

— Но я не думаю, что...

— Ты вообще не умеешь думать, — жестко сказал он. — Немедленно выстави его вон.

— Но...

— Но сначала скажи, что никуда не собираешься переезжать.

— Нет.

— Что значит — нет?

— Если ты не хочешь, чтобы мы жили вместе... Если ты... — Она расплакалась наконец.

— Ксюша... Ксюша, ну хватит. Ксюша!

— Не заставляй меня это делать!

— Но это же так просто — один раз перетерпеть. А потом всю жизнь...

— Я не могу.

— Хорошо, — сдался он. — Завтра поговорим.

— Как это завтра? Мне уезжать надо!

— Не ночью же.

— Но...

— Завтра. Мне надо уладить кое-какие дела. Я не могу так сразу.

— Значит, ты мне все врешь, да? Ничего там не кончено. И все эти букеты, рестораны, эти вздохи у подъезда...

— Я люблю тебя.

— Хватит.

— Ксения!

Она положила трубку и выключила в спальне свет.

2 : 2

Анатолий Воробьев сидел в кресле перед журнальным столиком и листал альбом с фотографиями. Ксения решила, что ему незачем подслушивать чужие разговоры. Но и фотографии тоже вроде были ни к чему. Вся та жизнь, что была у Элеоноры Козельской до замужества, оказалась ею же и отрезанной навсегда. Первым снимком в альбоме стала счастливая пара, обменивающаяся обручальными кольцами. А потом маленькая Женечка и много разных Женечек, но все уже только с теннисными ракетками в руках.

Ксения подошла. Анатолий внимательно смотрел на кудрявую девочку посреди зеленого луга. За ее спиной, на террасе, Элеонора Станиславовна позировала для фотографа. И передний план оказался чуть размытым: тот, кто снимал, все свое внимание сконцентрировал на красавице матери.

— З-знакомое м-место, — сказал Анатолий.

— Дача.

— Д-да. Д-дача.

— Неужели вы с мамой в детстве никогда не приезжали в Москву? Ну хоть на несколько дней? — спросила Ксения, которой не давали покоя детские воспоминания подруги. Что-то в них было такое, что тревожило и ее саму. Но что?

— Н-нет, — неуверенно сказал он. — Н-не помню.

— Быть может, ты просто не помнишь? А скатерть с бахромой? Цветущая сирень? Одеколон «Саша»?

— К-какой еще одеколон? — пробормотал он и вдруг вынул из альбома ту фотографию, что перед этим внимательно разглядывал.

— Я это в-возьму.

И Ксения вдруг догадалась:

— Ты же ее любил, да? — И сама не поняла, кого имела в виду — подругу или Элеонору Станиславовну. Тот шаг, что был от любви до ненависти, Анатолий Воробьев все-таки сделал. — А если бы Женя не была твоей двоюродной сестрой?

— Она б-была.

— И ты убил Элеонору Станиславовну только за то, что она была ее матерью! И твоей собственной теткой! Но почему?

— З-запутался.

— Что ж такое за существо — человек? В своих собственных чувствах не может разобраться!

— П-пойду я, — поднялся Анатолий.

— А все-таки есть на свете справедливость, — сказала Ксения. — В том, что все это будет твое. Это честно.

— Т-ты... — начал было он. — Т-ты...

Ксения не дала ему договорить:

— Уеду отсюда завтра. Вспомнила, что у меня есть комната в коммуналке. Кстати, можешь забрать весь альбом. Хотя зачем? Ты же сюда все равно скоро переедешь.

— К-ключ.

— Что?

— К-ключ. К-ключа у меня н-нет.

— Ах да!

Ксения кинулась в прихожую и на полочке нашла тот, что принадлежал Жене. В целой связке ключей с дорогим, интересным брелком, сделанным по специальному заказу. Из серебра, в форме теннисной ракетки и с вензелем подруги. Очень эффектная вещица, но Ксения не стала снимать ключ от квартиры с брелка. Анатолий Воробьев покрутил вещицу в руке и сказал:

— К-красиво.

— Здесь от дома, от гаража и от машины. Разберешься сам. А свои занесу потом. Когда разберусь с вещами.

— В-возьми, что захочешь.

— Какая щедрость! — не удержалась Ксения. — Что, не жалко? А вдруг мебель вынесу? Плитку в ванной обдеру? Кухню итальянскую увезу по частям? Не жалко?

Он нахмурился, видимо прикидывая возможный ущерб. Потом четко сказал:

— Не увезешь.

— Как мы знаем людей! И знаем, что девочка Черри в милицию не побежит закладывать! А вдруг побегу?

— П-пошел. — Он сунул ключи в карман. — З-закрой.

Ксения поняла, что отношения выяснять Анатолий не собирается. Он не был силен в словесных перепалках. Даже не мог толком выразить, что хочет. Но в том, что свой шанс он не упустит, Ксения не сомневалась. И она закрыла за ним дверь только с одной мыслью: поскорее начать собирать чемоданы. Никакой итальянской кухни она, конечно, не возьмет. И денег не возьмет. Или возьмет?.. Надо срочно разобраться со своей совестью, только взглянуть разок в окно: вдруг бывший муж еще не уехал? Ведь он прав. И насчет ее призвания быть просто домохозяйкой, и насчет того, что надо где-то и на что-то жить. Ксении надо признаться себе наконец в том, что ее благородство происходит не из кристальной честности, а из самой обыкновенной трусости.

И надо еще разобраться в том, кто из них двоих с бывшим мужем плохой, а кто хороший. Человек, разумно оценивающий ситуацию, или девушка, привыкшая к тому, что за нее всегда думают другие. Бездельница и тунеядка.

Ксения подбежала к окну в спальне. Никакой машины там, у подъезда, разумеется, не было. Что он, глупый, стоять под окнами и ждать неизвестно чего? Ксения не могла удержаться, чтобы не полюбоваться на то, как в свете фонаря кружатся крупные снежинки. Почти зима, подморозило. Тихо, красиво. И прохожих мало, потому что уже поздно. С работы в это время приходят одни только трудоголики и такие карьеристы, как этот противный Попов. Ксения подумала, что вспомнила его совсем некстати. Не надо так плохо думать о покойниках. Его уже нет. Поэтому надо говорить про себя: «Он был хороший, хороший... Ну, не такой уж и плохой...»

Она вздрогнула. А ведь Анатолий из подъезда не выходил. Куда же он делся? В лифте, что ли, застрял? Или она его прозевала?

Нет, не может быть. По всем правилам Анатолий должен был пройти как раз под фонарем, потому что к ближайшей станции метро именно в эту сторону. Даже если бы он пошел в противоположную, все равно должен был мелькнуть возле подъезда. Если только не нырнул под балконами первого этажа, на узкую, обледеневшую тропинку. Но зачем? Там темно, скользко, да и от кого надо прятаться?

Ксения никак не могла отделаться от тревожного предчувствия. Да что ж это такое? И надо же было подойти к этому окну! Вот так всегда: не знаешь — и не переживаешь. Пошла бы сразу собирать чемоданы и не задумалась бы сейчас над тем, почему Анатолий не вышел из подъезда. Дуреха! Так тебе и надо!

И Ксения пошла за теплой курткой в прихожую. Все равно надо забрать из ящика почту. Хотя какая может быть почта? Письма от поклонников? Она даже усмехнулась. В ящике полно только газет и маленьких бумажек с рекламой, которые обрадованные сломанным кодовым замком распространители напихивают туда битком.

Но она все равно оделась и взяла связку ключей.

«Спущусь. По крайней мере, успокоюсь».

Маленький лифт сломался, и Ксения долго ждала, пока приедет грузовой. Окно на площадке было открыто, из него страшно дуло, и снежинки набивались между стеклами, уже не тая.

Все эти мелочи она вспоминала потом, потому что мысленно так и осталась перед лифтом, на площадке между этажами. Только это ей хотелось помнить, а все, что произошло потом, — забыть.

Гейм пятый

75 : 0

Лампочку в подъезде все-таки ввернули. Слишком яркую, потому что свет резал глаза. Ксения моргнула несколько раз, выйдя из лифта. Пригляделась и вздохнула с облегчением: возле почтовых ящиков никого нет. Никакого ужасного мертвеца с ножом в спине. Она спустилась, выгребла из ящика ворох газет и рекламных проспектов.

«Значит, я его все-таки прозевала», — подумала она.

Зачем Ксения решила выйти на улицу, она сама так и не поняла. В подъезде были две двери: входная, железная, со сломанным теперь кодовым замком и другая, деревянная, перед маленьким «предбанником». Словно две шлюзовые камеры, пропускающие людей из холода в тепло. Эта вторая, деревянная дверь была открыта. Ксения подумала, что за ней очень удобно прятаться, если хочешь, чтобы вышедший на улицу человек тебя не заметил.

Он и не заметил. Анатолий Воробьев, который лежал навзничь перед первой, железной дверью.

Ксения глубоко вздохнула и выронила из рук газеты. Они посыпались прямо на мертвое тело Анатолия. Маленькая бумажка с яркой цветной картинкой упала в темное пятно на ледяном полу. Ксения почему-то хотела поднять именно ее, но с ужасом поняла, что это кровь, и кровь еще теплая. Его убили минут десять назад, не больше.

Она постояла несколько минут, ежась от холода, потом нагнулась и стала собирать газеты. Но вдруг опомнилась: «Что же это я делаю?»

Железная дверь ржаво заскрипела. Какой-то мужчина вошел в подъезд, громко выругавшись:

— Черт, когда же наконец замок починят! Халявщики, так твою разэдак!

Потом он споткнулся о тело Анатолия Воробьева и выругался еще раз:

— Черт!

— Тихо! — почему-то сказала Ксения. — Не кричите!

— Что случилось, девушка, а?

— Вот, — кивнула Ксения на тело. — Убили. Видите, кровь.

— Как это убили? А? — Он растерялся. И еще раз переспросил: — Серьезно, что ли? Черт!

— Надо позвонить, — сказала Ксения.

— Да, конечно. Вы идите, а я тут постою.

— Хорошо, — сказала Ксения, которой в голову пришла дикая мысль: «Надо караулить мертвое тело. Никуда он не сбежит с ножом в спине». Она уже шагнула из «предбанника» в подъезд, когда услышала его шепот:

— Черт! Девушка, да у меня ж труба в кармане!

Она вернулась. Мужик растерянно моргал:

— Надо же так, а? И не сообразил. Чего там надо набирать? Ноль — один, что ли? Или ноль — два?

У самой Ксении от страха все в голове перемешалось. Но домашний телефон следователя она помнила, видимо, все от того же страха.

— Дайте сюда!

— Бориса Витальевича, — с трудом произнесла она имя и отчество следователя, когда услышала в трубке женский голос.

— Боря, тебя!

«Жена, — подумала Ксения. — Будет скандал».

— Борис Витальевич? Это Ксения Вишнякова.

— Что ж так поздно?

— Да. Поздно. Толю зарезали, — растерянно проговорила она.

— Какого Толю? Где? — озадаченно спросил следователь.

— У меня в подъезде. Я не знаю, что надо делать. Звонить по ноль — два или...

— Вы в своем уме?!

— А что, значит, не звонить?

— Да когда вы кончите играть в детектива! Я вас в СИЗО упеку до конца следствия! Сейчас опергруппа приедет.

— А вы?

— Я в вашем подъезде теперь топчан поставлю...

... — Ну что? — спросил мужик, забирая у Ксении мобильник.

— Сейчас приедут.

— Слушай, здесь же недавно еще кого-то зарезали? Мужика какого-то. Это что ж, маньяк в городе? Пушку с собой носить, что ли, да?

— Носите, — пожала плечами Ксения.

— Что ж за дерьмо такое! Хату надо менять...

Она не слушала возмущенного жильца, глядела в пол и думала о том, что в некоторых случаях Господь Бог мог бы в виде исключения разрешить поворачивать назад время. Всего на десять минут. Если нельзя повернуть его на целые сутки.

Двойная ошибка

15 : 15

Она постепенно приходила в себя. Кто мог это сделать? Кто?!

На полу возле ее ноги лежал окурок дорогой сигареты с фильтром. Свидетель, возмущенный мужик с трубой, вышел на улицу, курить. И уже кому-то названивал. Ксения слышала из-за двери его громкий голос.

Она даже нагнулась, чтобы поднять с пола недокуренную сигарету. Оторвала клочок газеты, положила ее туда. Именно такие покупал Анатолий в тот день, когда они шли от его общежития к метро вместе с Германом. Но это ничего не значит. Одинаковые сигареты, одинаковый одеколон. Вдруг Анатолий стоял здесь и курил, нервничая? Но зачем же в «предбаннике», перед входной дверью?

Ксения вдруг подумала, что ее бывший муж тоже курит такие сигареты. Наследство Евгении Князевой. Она так хотела, чтобы все ее «шурики» были одинаковыми!

И на телефонный разговор с бывшим мужем Ксения вдруг посмотрела совсем по-другому. Он был здесь, возле дома, на своей машине. Он знал, что в квартире у Ксении внезапно всплывший из небытия двоюродный брат Жени Князевой предъявляет на наследство свои законные права. Ксения сама все рассказала. И про то, что решила переехать. Если следователь узнает об этом разговоре...

Но откуда? Только Анатолий Воробьев мог подслушивать по параллельному аппарату. Но он-то уж точно ничего не скажет. И Ксения ничего не скажет.

Внезапно она поняла, что все это может обернуться в ее пользу. Анатолия больше нет. Значит, не надо никуда переезжать. Не надо ссориться с бывшим мужем, не надо думать о том, как и на что жить дальше. Все складывается просто отлично. Устранен не только прямой наследник. Теперь уже не на одного, а на двоих стало меньше. И она, Ксения, еще может быть счастлива. Хорошая квартира, обеспеченная жизнь, любимый муж, дети... Главное, дети. Двадцать семь лет, позади нелегкая прогулка по жизни, позади несколько лет отчаяния и унижений. Одна Элеонора Станиславовна чего стоит! Она заслужила, честное слово, заслужила!

В тот момент Ксения даже не думала о цене своего будущего счастья. Только о том, что надо завернуть окурок в клочок газеты и спрятать его в кармане. Не будут же ее обыскивать. А если и будут, то это ее сигарета. Она, Черри, начала курить. Кто докажет обратное?

Остались только ключи. Никто не должен знать, о чем был ее последний разговор с Анатолием Воробьевым. Одна правда невольно потянет за собой другую. Поэтому нельзя говорить ничего. Главное, о своей заинтересованности в смерти Анатолия Воробьева. Он просто пришел за письмами своей матери. И все.

Ксения даже зажмурилась, нагибаясь над мертвым. Сейчас они уже приедут. Надо это сделать. Всего-навсего засунуть руку в карман его куртки. Он положил ключи туда. Нижний левый карман, тяжелая связка ключей на кольце с серебряным брелком в форме теннисной ракетки. Много ключей: от квартиры, от гаража, от машины. И Ксения вполне может научиться водить машину. Надо только опустить руку в карман.

Вот теперь ей стало плохо. Эйфория от неожиданной удачи прошла. Ксения сообразила, что вот уже минут десять стоит рядом с мертвецом, на полу кровь, а в подъезде ужасно холодно. И ее жизнь превращается в настоящий кошмар.

Потому что *никаких ключей в кармане у Анатолия Воробьева не было.*

30 : 15

Ксения выскочила из подъезда и прислонилась спиной к холодной железной двери. Мужик, державший в одной руке сигарету, а в другой мобильник, участливо сказал:

— Плохо, да? Может, «скорую»? Черт, опять ерунду говорю. Сейчас все приедут. С мигалками. — Он выругался, в перерывах между непечатными словами вставляя: — Во попал, а? Во попал?

А Ксения бормотала про себя: «Это же моя подача, моя подача...» Но она опаздывала. Не угадывала, куда бьет противник. Он ошибся только в одном: взял ключи. Зачем взял? Непонятно. Ведь если их найдут...

Она не успела представить себе, что может случиться, если ключи вдруг найдутся. Приехали те машины с мигалками, которые обещал мужик.

— Вы свидетель? — тут же кинулся к нему оперативник.

— Свидетель, ё... — обреченно сказал жилец. — Ну? Попал. Нате, берите.

— Кто нашел труп?

— Я, — сказала Ксения, которая уже отошла от двери, пропустив в подъезд, к телу Анатолия, эксперта и двух человек в штатском.

— Так, — сказал, подойдя к ней, следователь, — на этот раз вы и труп сами нашли. И как оно все было?

— Я спустилась вниз за газетами и...

— Что, читать любите? — поинтересовался следователь. — И разве он не от вас вышел? А?

— От меня, — прошептала Ксения.

— Послушайте, мне что, жить теперь в вашей квартире, что ли? Маньяков караулить?

— Борис Витальевич, на минутку! — позвали его из подъезда.

— Иду. Стойте здесь, Ксения Максимовна. И дышите. Дышите.

Она дышала. Прерывисто, от страха. В кармане лежал комок из газетной бумаги и табака. Ксения мяла его пальцами, словно стараясь стереть с лица земли. Жители дома, начавшие понемногу стекаться к подъезду, у которого вновь стояли милицейские машины, уже открыто паниковали: «Дожили... Вот вам и демократия... В Москве, в столице нашей родины, маньяков не могут переловить!.. Президенту надо писать!»

Судя по отдельным репликам, сборище в любой момент могло превратиться в политический митинг. Какой-то крепкий мужик уже тащил деревянный ящик, пытаясь встать на него, чтобы привлечь к себе внимание:

— Граждане! Предлагаю провести сейчас собрание жильцов нашего дома!

— Вот народ, а? — повернулся к Ксении мужик с мобильником. — Поорут и разойдутся. А хату все равно надо менять.

Вышедший из подъезда следователь стал лицом к толпе:

— Граждане! Кто что слышал и видел, попрошу подойти и дать показания. Остальные могут высказать свои чувства в интервью. Вон и телевидение приехало.

Молодой журналист с микрофоном в руке выскочил из микроавтобуса, на котором было написано название известной телепередачи. И толпа хлынула уже к нему, выталкивая вперед женщину в старом драповом пальто поверх домашнего халата:

— Верка, давай! Давай, Вера Алексевна!

— Что вы можете сказать по поводу инцидента? — смазливый журналист встал так, чтобы за его спиной были милицейская машина и орущая толпа. На фоне волнения толпы его лицо должно было смотреться особенно эффектно. Говорил журналист быстро, захлебываясь словами и глотая концы фраз: — Итак, мы с вами находимся у подъезда одного из жилых домов в... Судя по всему, в Москве произошло очередное заказное убийство, которые свидетельствуют о переделе сфер влияния бандитских... Убитый был крупным бизнесменом, да?

— Да кто его знает, кем он был. Ходют тут всякие...

Дальше Ксения уже не слышала, потому что следователь уволок ее в подъезд.

— Ну все, пошла работа! — с чувством сказал он. — Теперь начальство будет так наседать, будто это единственное дело у меня в производстве! Хотя, конечно, признаюсь: в моей практике такого еще не было. Все интереснее и интереснее. Заходите, Ксения Максимовна, не стесняйтесь. Вы это уже видели.

Ксения бочком протиснулась в подъезд. Теперь зрелище казалось ей жутким. Она даже представить себе не могла, что совсем недавно осмелилась залезть мертвецу в карман. А следователь смотрел на нее очень внимательно:

— А не вы его, часом, Ксения Максимовна? А? Ножичком-то?

— Я? — Ксения чуть не закашлялась.

— Ну да. Если на табуретку встать... Впрочем, что я говорю? Мужицкая работа. Нападавший был с Анатолием Воробьевым примерно одного роста.

— Я не могу здесь... — невнятно прохрипела Ксения.

— Наверх поднимемся? Ну, хорошо, хорошо. На шатыря ни у кого нет? Девушке плохо.

— Мне не... Господи, да что ж это такое?!

40 : 15

Он был сегодня не злым, а очень даже грустным. И Ксения впервые увидела в нем не врага, а просто человека. Нормального человека, в котором есть и достоинства, и недостатки. Увидела не слишком молодого, полного, лысеющего мужчину, усталого — ведь его подняли ночью из теплой постели внезапным звонком. Кто знает, почему он стал следователем?

— А знаете, почему у меня нет детей, Ксения Максимовна? — вдруг спросил он.

— Почему?

— Я уже в третий раз женат. Жены уходят от меня быстрее, чем я успеваю сделать их беременными. Думаете, это потому, что я люблю свою работу?

— Не знаю.

— Вот и я не знаю. Утешаю себя тем, что выполняю свой долг. Но женщина может терпеть отсутствие в доме мужчины до определенного предела. Пока не начинает понимать, что годы проходят. И тогда ей приходит в голову мысль, что надо срочно изменить свою жизнь. Самый постой способ — это развод. Вот и думай после этого.

— Я знаю, что Анатолий был ее двоюродным братом.

— И я знаю, милая. Не слишком трудно было установить. Признаюсь, что с самого начала думал, что это он. Прямая выгода — между ним и наследством Евгении Князевой стояла только синьора Ламанчини. Единственное, чего я не понял, это зачем он Попова-то убил? А теперь выходит, что наша песня хороша, начинай сначала. Теперь нет смысла доказывать, что это он утопил бедную Элеонору Станиславовну.

— Богатую.

— Но утопил же, а?

— Он сказал, что они с теткой просто плыли.

— Да, вскрытие подтвердило инфаркт, я справлялся. Но он же был рядом, здоровый сильный мужчина, спортсмен. Неужто не мог поднять на борт яхты тетку живой? Люди и после нескольких инфарктов выживают. И ведут после этого весьма активную жизнь. Впрочем, это уже не имеет значения.

— Почему?

— Потому что его и Попова зарезал один и тот же человек. Удар очень характерный. Профессионально поставленный, я бы сказал. Надо долго тренироваться, чтоб так бить. Одна только неувязочка.

— Какая?

— Вы что, хотите, чтобы я прямо сейчас раскрыл вам тайны следствия? Кто кого допрашивает?

— Вы — меня, — просипела Ксения.

— Вот и давайте начнем по порядку: зачем он сюда пришел?

— За...

— Не спешите врать.

— Я и не собираюсь, — сказала Ксения и покраснела. — Толя хотел забрать письма матери.

— Ох ты, как сентиментально! А парень не похож на романтика. Уж очень неромантично он себя вел. Узнал, что наследство точно светит ему и поторопил события. Скажите еще, что он убил синьору Ламанчини из чувства мести.

— Никто не знает, почему он ее убил.

— На самом деле из-за денег убивают только отъявленные мерзавцы. Всеми остальными движут смешанные чувства. Приятного человека трудно пырнуть ножом, даже если после этого ты решаешь все свои проблемы... Значит, он к вам пришел за письмами своей матери. Допустим. И вы открыли ему дверь?

— Да.

— А если бы он вас убил? Ведь неизвестно пока, кто из шестерых зарезал вашу близкую подругу. Неужели не было страшно?

— Было.

— И не врите мне, что вы не подстраховались. Инстинкт выживания в вас очень силен, Ксения Максимовна. Такие люди, как вы, не склонны к самоубийству. Для этого надо, пардон, иметь мозги и крепкие нервы. Чтобы рука не дрогнула.

— Но...

— Что вы хотите сказать? Считается, что это делают люди слабые? Случается. Но дело в том, что они только хотят попробовать. И всегда оставляют себе маленький шанс. Чтобы их потом жалели, носились с ними. Чтобы психологи их уговаривали. А вы, как я понял, еще хотите личного счастья. Кому вы звонили, Черри?

Она поняла, что то самое личное счастье, о котором он говорит, повисло в воздухе. Следователь сегодня же поедет к ее бывшему и найдет у него в машине связку ключей. Он же такой неосторожный! И зачем надо было брать эти проклятые ключи? И Ксения поняла, что надо сказать ту половину правды, которая даст ей маленький шанс. А вдруг повезет?

— Да, я звонила.

— Кому?

— Генке.

— И он сказал, что приедет?

— Прямо не сказал. Но узнал о том, что есть прямой наследник.

— И виды его самого на наследство весьма призрачны. А долг надо отдавать. Как его жена, кстати?

— Лучше.

— Жаль. В смысле, что придется ей опять сильно расстроиться. Что ж, спасибо, Ксения Максимовна.

— Что, все?

— Надо идти по горячему следу. Выяснить, где был Геннадий Рюмин в момент убийства Анатолия Воробьева. С вами не прощаюсь. Очень много у нас еще впереди задушевных разговоров. Не скажу, что мне это слишком неприятно.

Ксения даже не знала, что делать с этой его симпатией. Вот уже и откровенничать начал. А вдруг это хитрый прием? Раскручивает ее, рассказывая о своих собственных проблемах. Ждет, что в ответ она расскажет о своих. Но разве мужчина может быть настолько близким другом, чтобы рассказать ему, как это трудно быть глупой, беззащитной женщиной? Дурехой?..

И Ксения вдруг поняла, что только что совершила предательство. Она предала Генку, который единственный был рядом, когда ей было очень и очень плохо. Чтобы спасти другого предателя, которого она неизвестно за что любила и разлюбить не могла.

3 : 2

Но Генка вполне мог никуда не выходить в этот вечер из дома. Сидеть со своей Лидушей перед телевизором и смотреть, как она вяжет крохотный шерстяной носочек. И Ксения жалобно всхлипнула, вспомнив, что четыре года назад не успела купить даже ни одной пеленки.

Подлец! Господи, ну почему она такая дуреха?!

На следующий день утром Ксения вспомнила, что у него выходной. Надо поехать за этими проклятыми ключами. Вернуть их на положенное место: на полочку в прихожей. В кармане ее теплой куртки по-прежнему лежал плотный шарик, скрученный из газетного клочка. Она вздохнула с облегчением, когда выбросила его в первую же попавшуюся на дороге урну. А вообще утро ей нравилось. Как всякое утро, которое Ксения проводила вместе с ним. Обычно они долго, до самого обеда валялись в постели, и обоим хотелось только одного: чтобы и через десять лет, и через двадцать наступали эти долгожданные выходные, и все начиналось бы с поцелуя, и на несколько часов они оставались бы на свете одни...

«Быть может, сегодня?» — подумала она, нажимая на кнопку звонка.

— Черри? — Он стоял на пороге в накинутом на плечи махровом халате. Светлые волосы, светлый халат, а глаза темные, блестящие, словно ягоды черной смородины, в спелой мякоти которых почти целиком утоплен зрачок. И щурится больше, чем обычно: — Черри?

— Вчера ты так хотел меня видеть. Пройти-то можно?

— Послушай, я должен тебе объяснить...

Она поняла сразу же:

— Значит, там все кончено? — На вешалке в прихожей висело модное женское пальто.

— Это не то, что ты думаешь.

— Господи, да когда же ты будешь нормально говорить?!

Это была самая настоящая истерика. Никогда в жизни она себе не позволяла бить его по лицу, а тем более царапать ногтями. И сейчас он очень легко перехватил ее руки, только на подбородке ноготь указательного пальца оставил длинный красный след.

— Что там за крик? — услышала Ксения знакомый женский голос. Спокойный и очень доброжелательный, как тогда, в офисе. И тут же испугалась:

— Я не хочу. Ты слышишь? Не хочу все это видеть. — Ксения говорила громким шепотом. — Ее вещи в спальне, постель...

— Да она только что зашла!

— А почему...

— Если хочешь, можешь пройти, — посторонился он.

— Нет! — Она попятилась к дверям и вдруг приложила к губам палец: — Т-с-с! Ничего ей не говори!

— Что с тобой?

— Я не знаю. Не знаю, что делать. Что я должна делать? — Так и не повернувшись к нему спиной, Ксения перешагнула порог и оказалась на лестничной клетке.

— Ксюша! — Он выбежал за ней вслед.

Ксения задержалась:

— Ты хоть знаешь, что я ради тебя сделала?.. Где ключи?

— Какие ключи?

— Зачем ты их взял?

— Да ты помешалась! Как будто я один виноват! Как же, Ксения Вишнякова гордая! А чего мне стоила эта твоя гордость, знаешь? Обиженной быть легко. Она же знала, что я тебя люблю! И специально разводила! А ты...

— Что я?

— Тебе надо было простить меня тогда. Три года назад. А теперь даже для прощения все сроки уже давно прошли.

— Пусть!

Она побежала вниз, по лестнице, спотыкаясь и бормоча:

— Пусть. Пусть его посадят. Пусть.

Ей было жалко себя и свои глупые, совершенно никчемные надежды.

...А Генка был дома. Усталый после бессонной ночи, в синих глазах муть, веки красные. Но Ксения очень обрадовалась, когда дверь открылась и он появился на пороге:

— Тебя уже отпустили?

Он молчал долго, потом не выдержал:

— Если бы ты не была женщиной...

— Генка, я передумала, — жалобно сказала Ксения. — Я скажу им правду.

— Надо было вчера думать.

— Можно я зайду?

— Нет.

— Где Лидуша? Ей плохо?

— А как должна чувствовать себя беременная женщина, если ей всю ночь задают глупые вопросы? Очень бережно и осторожно, и от этого она сразу начинает догадываться, что самое страшное от нес скрывают. И после этого ты приходишь. Она до сих пор вздрагивает от каждого звонка. Я тебя не впущу.

— Но, Генка, ты же мог сказать им, что вчера весь вечер сидел дома.

— Мог.

— Лидуше нельзя не поверить. Она такая... Такая... Неужели показания жены следователь не примет в расчет?

— Принял бы, если бы не показания соседки. Она же еще не знает, что я хороший. Мы сюда недавно переехали. Вот ее и спросили: «Не гуляли ли вы вчера вечером с собачкой, мадам?» — «Да, гуляла», — отвечает она. «А ваш сосед, парень с рыжими волосами, случайно, не гулял ли тоже со своей собачкой?» — «Что вы, у него нет никой собачки! Но он очень вежливый молодой человек и вчера сказал «добрый вечер», хотя с утра мы уже здоровались». — «Да что вы говорите? И во сколько же часов вы слышали от него это приветствие?» — «Конечно же вечером, а на руке у меня случайно были часы. И я на всякий случай проверила, вечер сейчас, или я что-то путаю. Может, моему драгоценному песику уже пора на выставку собак, ах, ах, ах?»

— Что ты плетешь?

— А то. Черри, вчера вечером меня не было дома.

Гейм шестой

15 : 0

— Ты... Генка, ты...

— Погоди... Лидуша зовет. Я сейчас.

Дверь он оставил открытой, но Ксения в квартиру войти не решилась. Она представила себе весь ужас вчерашнего вечера. Этот недовязанный крохотный носочек, телевизор, у которого выключили звук, чтобы не мешал задавать страшные вопросы, измученную токсикозом и переживаниями по поводу чужой разбитой машины женщину. Генка ее, Черри, никогда не простит.

Он вышел через пять минут, с пачкой сигарет в руках.

— Сказал, что пойду покурить. Она дыма не выносит.

— Ты разве куришь?! Генка?! А как же спорт?

— Какой теперь спорт! — махнул он.

— Но почему именно эти сигареты?!

— Не знаю. Видел у Женьки на столе. Ну бывает так, заклинило в мозгу, и все. Почему все в жизни обязательно надо объяснять? Купил, стал курить. Вроде легче.

— И давно? Давно ты куришь?

— Слушай, хватит из себя заботливую мамашу изображать! Зачем пришла?

— И куда же ты пошел после того, как я позвонила?

— А что ты на меня так смотришь? Думаешь, Толика Воробьева убивать?

— Ты же говоришь, что вы были не знакомы. А сейчас — Толик.

— Глупо как, а? Стыдно было признаться. Когда Женька его бросила и следующим был я, то в мою рыжую голову и прийти не могло, что земля-то вертится. Я не знал, что буду ходить к ее дому и там случайно встречусь с тобой. Как человек добрый, я Толика всегда понимал. И пытался с ним поговорить по-человечески.

— Значит, вы ругались, да?

— Самое глупое, что были тому свидетели. И теперь я оказываюсь обложен красными флажками, как волк. Да, ты мне позвонила. Да, я понял, что Женькины деньги больше не светят. Да, я знал его в лицо. Да, меня вчера не было дома. Нет, я ничего не могу объяснить. А главное — не хочу.

— И куда ты пошел?

— По делам. По своим собственным делам. Допустим, что к одному приятелю.

— Значит, он скажет, что ты приходил, — с облегчением вздохнула Ксения. — И конец всем проблемам.

— Начало. К большому сожалению, его не было дома.

— Но...

— А ты никогда не оттягивала возвращение домой, когда знала, что ничего хорошего тебя там не ждет?

— Но ты же любишь Лидушу!

— Люблю. Я очень люблю Лидушу. Поэтому мне нужны силы, чтобы не начать ее ненавидеть. Я понимаю, что она несчастна. Она виновата. Она ждет ребенка. Ей нужны забота и внимание. Но не могу я каждый день видеть это заплаканное лицо! Не могу слушать только жалобы и только о том, что у нас все плохо, что мы останемся на улице, умрем с голоду, замерзнем, пропадем, что угодно! Если бы она хоть раз сказала, что у нас все хорошо, у меня бы силы появились. А так... Она ждет от меня хороших новостей, а я могу поделиться только плохими.

— Я понимаю. В таком состоянии...

— Могу тебе смело сказать: именно в таком состоянии люди идут грабить банк. Причем тот, где больше всего охраны. Чтобы в случае провала не сесть в тюрьму, а умереть на месте.

Больше всего Ксении хотелось спросить Генку про ключи, но она удержалась. Надо дать ему отдохнуть. Человек не зверь, даже если он сидит, со всех сторон обложенный красными флажками. В отличие от зверя он умеет думать и устает именно от мыслей, а не от беготни. Кто не думает, тот не устает. И силы у него каждое утро появляются новые. Но если задуматься над тем, имеет ли смысл твой каторжный труд изо дня в день, то это конец. В одно прекрасное утро ты просто пошлешь все к черту.

— Не надо думать, Генка, — сказала Ксения. И в ответ на его недоуменный взгляд добавила: — Ни о чем. Надо просто жить.

— Я хотел спросить у своего кредитора, как можно отработать свой долг.

— Но ведь тридцать тысяч долларов!

— А что, нет такой работы?

— Наверное, есть, но... Генка!

— Не кричи, — поморщился он. — Иногда выбор бывает между плохим и плохим. Это мы почему-то думаем, что всегда выбираем между плохим и хорошим. А я в таком отчаянии, что способен сейчас выиграть даже турнир Большого шлема. И за вычетом налогов мне бы все равно этого хватило.

— Выиграй.

— Кто меня туда теперь пустит? К сожалению, поезда уходят, и дальше везут уже других. Ладно, Черри, пора.

— Все-таки я верю в счастливые концы.

— Счастливый конец — это промежуточный финиш. А самый главный у нас у всех один. И не скажу, чтобы он меня сильно радовал. Прощай, Черри. Ты сделала все, что могла.

«Генка!» — крикнула она одними губами. Потому что знала — он обернется и скажет устало и раздраженно: «Ну что еще?»

— Ничего, — вслух сказала она закрывшейся двери.

Окурок сигареты валялся прямо перед ней, на полу. Точно такой же Ксения сегодня утром выбросила в мусорный бак. Вернее, то, что от него осталось. Раньше аккуратный Генка никогда не бросал окурки на пол. Порядок и порядочность во всем были для него важнее собственных проблем. Неужели все так изменилось?

30 : 0

«Какой сегодня день? — подумала Ксения, оказавшись на улице. — Какое число? Время года? Ах да, глубокая осень». И тут она вспомнила, что пропустила тот девятый день, когда положено поминать усопших. Прожив свою жизнь в гордом одиночестве, Евгения Князева после смерти оказалась никому не нужна. Даже близкой подруге, которая запуталась в своих проблемах.

«А вот я не могу одна», — подумала Ксения. Она имела в виду не то одиночество, которое испытывают наедине с собой, от безысходности и отсутствия рядом близкого человека. А то, что бывает среди людей — сознательное противопоставление себя и чужим, и близким, когда даже в самые откровенные моменты жизни сказать правду труднее, чем соврать.

Ксения подошла к ближайшему цветочному киоску.

— Что вы хотели, девушка? — почти безразлично окинула ее взглядом скучающая продавщица.

— Цветы.

— А на какую сумму вы рассчитываете? — Ксения поняла эту подозрительность: зачем покупать дорогой букет девушке, скромно и буднично одетой, одинокой, без кавалера? И в самом деле, зачем?

Ксения полезла в карман куртки, вытащила все деньги, которые там были. Отсчитала мелочь себе на обратную дорогу, остальное протянула продавщице:

— Вот. Посчитайте, что там выходит.

И услышала удивленное:

— На все?!.

...Букет вышел просто огромным. Выходя с ним из автобуса у ворот кладбища, Ксения ловила на себе удивленные взгляды. С такими цветами надо приезжать по крайней мере на «Мерседесе». Да, она небогата. Но кто сказал, что чем больше у человека денег, тем шире его душа? Быть может, за скромный подарок другу кем-то было отдано последнее, как, например, за этот букет? Все относительно, даже сумма, которая стоит на ценнике.

К удивлению Ксении, на могиле подруги кто-то недавно был. Букет, который там лежал, тоже был огромным. Цветы уже успел побить мороз, и они были словно чем-то обожжены. Но все равно живые — не пластмассовые. Свой букет Ксения положила рядом, подумала, что неплохо было бы поставить памятник. Как только появятся деньги...

— Черри?

Она обернулась испуганно. Его она хотела видеть меньше всего. И надо же было встретиться!

— Здравствуй, Звягин.

Два золотистых солнца вспыхнули, и Ксении показалось, что пламя это — прежняя неприязнь. Какой оказался порядочный! И на похороны пришел, и сейчас не забыл отметиться.

— Твой? — кивнула она на побитый морозом букет, лежащий на свежей могиле.

— А ты порядочнее, чем я думал.

— Взаимно.

Они постояли молча. Ксения уже хотела было уйти. Он вдруг спросил:

— Ты не на машине?

— Откуда бы она у меня взялась?

— Слушай, ты зачем нашу секретаршу доставала — насчет меня?

— А зачем ты все время врал?

— Думаешь, что я преступник?

— Может, хватит? Ты меня спрашиваешь, я тебя спрашиваю. А отвечать кто будет?

— За что? За это? — Он кивнул на свежий могильный холм.

— Ты странный человек.

— И в чем моя странность? Я, например, тебя не понимаю. Ты меня. Мой сосед Вася не понимает моего соседа Петю. Значит, все мы странные люди, да? А кто тогда подходит под стандарт?

— Ты не пьяный случайно, Звягин?

Он промолчал. С кладбища пошли вместе, в одну сторону. У ворот он достал сигареты, закурил. Ксения вздрогнула: «Опять!» Наваждение, в самом деле! Так чей же окурок она так вдохновенно спасала от следствия?

— Тебя милиция не вызывала?

— Милиция? Когда? — удивился он. Но два золотистых солнца при этом испуганно погасли.

Ксения насторожилась:

— Может, тебя вчера вечером тоже дома не было?

— А я обязан давать тебе отчет?

— Их убили. Попова и Толю.

Самое странное, что он не стал напряженно вспоминать, кто они такие, эти Попов и Толя. И вдруг:

— Что, двоюродного братца больше нет в живых? Радуешься?

— Да ты-то откуда знаешь? Что он брат? Это ведь ты сказал мне, что Женька была болтлива! А она не была болтлива! Все так говорят. Ты соврал, Звягин, я это поняла.

— Умнеешь, Черри, — усмехнулся он.

— Да только ради того, чтобы ты перестал на меня так смотреть, я готова всю жизнь коллекционировать дипломы!

— Вот и займись.

Она никак не могла сосредоточиться. Ведь было что-то еще, очень важное, и оно касалось именно его. Этих золотистых глаз, похожих на два маленьких солнца. И никогда он не был тем, за кого себя выдавал. И непонятно, каким образом узнал, когда похороны Жени. И пришел. Ведь их было только трое: Герман, Анатолий Воробьев и этот, с золотыми глазами.

— Ты был на похоронах.

— А я и не прятался.

— Теперь букеты носишь.

— Что же делать, если даже родная мать о ней не помнит?

— Она умерла.

— Кто?

— Элеонора Станиславовна.

— Никогда не испытывал к ней особой симпатии, — сказал он теми же словами, что недавно Генка. — Не буду врать, что сожалею о ее преждевременной смерти.

— Нет, все-таки ты странный человек, — снова не удержалась Ксения.

— Да? Тогда могу подвезти до дома.

— С чего такая щедрость?

— От моей странности. Считай, что это дивиденды. Ты же знаешь, что чувства иногда приносят неплохой доход.

Ксения даже не удивилась, что это его машина. Черный джип с тонированными стеклами, «тойота-лэндкраузер», насколько она в этом разбиралась. Огромный дом на колесах, и, судя по всему, свеженький, не какое-нибудь старье.

— Так, — не удержалась она. — И после этого ты будешь утверждать, что не врешь. Тебе ведь никогда не были нужны ее деньги.

— Зато тебе они очень нужны, Черри. — И вдруг он больно схватил Ксению за руку: — С кем ты договорилась? С которым? С бывшим мужем? С Германом? Или с этим рыжим? Ну?

— Пусти!

Он разжал пальцы и вдруг брезгливо вытер их о полу своей светлой замшевой куртки. Потом резко сказал:

— Я не дурак. Меньше народу — больше кислороду, так? Только со мной ничего не выйдет, Черри. Я буду очень осторожен. Садись в машину.

Она с трудом залезла в джип. Ноги дрожали. Что он себе вообразил? Может, он бандит или наемный убийца? И вовсе никакой не Звягин. «У нас два Звягиных, — вспомнила вдруг она. — У нас два Звягиных, и среди них нет ни одного менеджера».

— А кто такой Николай Кириллович? — спросила она.

— Ты прикидываешься, что ли, Черри? Давно узнала?

— О чем?

— А может, это ты ей все рассказала? И она меня бросила. Долго думала, но все-таки бросила. Ей всегда нужна была только игрушка. Мужчина без права голоса, удобный, как торшер: включил — выключил.

— Останови машину. Я выйду, пожалуй. — Ксения не собиралась выслушивать его за то, что с комфортом доедет до дома. Сейчас опять начнутся оскорбления. И поэтому повторила: — Останови.

Черный джип резко затормозил у обочины. Он почти успокоился и уже равнодушно сказал:

— Как хочешь. Запомнила, что я буду осторожен?

Она выскочила из машины, чуть не порвав свою куртку. Прохожие с интересом посмотрели на девушку, спасающуюся бегством от богатого кавалера. Две старшеклассницы, вальяжно курившие у киоска, переглянулись и вызывающе засмеялись. Обе косились при этом на черный джип. «Дурехи!» — обозлилась на них Ксения и заправила под вязаную шапочку волосы.

«А ведь он вполне мог Женьку зарезать», — подумала Ксения и почти побежала к метро.

40 : 0

Ксения долго не могла отделаться от мысли, что в доме без нее кто-то был. Вроде и вещи лежали на своих местах, и порядок везде был идеальный, потому что от скуки она делала уборку по два раза в день. Все так, и все не так. Как будто вещи брали в руки, а потом клали на место, стараясь в точности повторить то, что было. Там крохотное, еле заметное отклонение, здесь маленький сдвиг, а в целом ощущение, словно все в квартире перевернули вверх дном.

«Кто? Зачем?» — подумала она. Если приходила милиция, то могли бы и при ней все обыскать. Уже делали это в тот день, когда убили Женю. Ксения и не собиралась ничего прятать и скрывать. Хватит. Спасла уже. Только теперь непонятно, кого.

«А вдруг что-нибудь пропало? — испугалась она. — С меня же все спросят!»

Кто спросит и зачем, она в тот момент не думала. Было страшно, что на нее, Ксению Вишнякову, кто-то может подумать, что она воровка. О небольших суммах денег, потихоньку извлекаемых из шкафчика на кухне, Ксения как-то старалась не думать. Это все мелочи, никто не знает, сколько в доме у подруги было денег, а вот вещи...

«Господи, да что у нее было-то?!» — лихорадочно думала Ксения, дрожащими руками открывая встроенный в мебельную стенку сейф. Ключ от него всегда валялся здесь же, на полочке. Никто не знал, зачем надо запирать сейф на ключ и ключ этот не прятать. Просто так было заведено: открыть, закрыть, положить рядом.

Женя не носила драгоценностей, но они у нее были. Подарки матери на дни рождения и по особо торжественным случаям. Элеонора Станиславовна была от драгоценностей без ума. Все ее нежные чувства достались презренному металлу и холодным, прозрачным камням. Ее дочь считала, что драгоценности созданы для красавиц, а ей незачем привлекать внимание к своему лицу сверкающими бриллиантовыми серьгами. Ксения же полагала, что подруга не носит подарков матери исключительно ей назло. Самой Ксении и в голову не приходило залезть в сейф, чтобы посмотреть на содержимое. У нее самой из золотых вещей было только обручальное кольцо, которое ей подарил бывший муж, но Ксения как-то со злости выбросила его в маленький прудик под окнами собственного дома. Даже не подумала, что вещь эту можно продать, когда совсем не станет денег.

И вот теперь шкатулка с сокровищами была открыта. Странно, но Ксения всегда думала, что украшений в ней должно быть больше. Ксения не знала этих вещей, но она знала Элеонору Станиславовну, которая полагала, что материнский долг состоит в том, чтобы навешивать дорогие побрякушки на дочь. В глазах Элеоноры Станиславовны это было высшим доказательством ее пламенной любви.

«Не может быть, чтобы это было все!» — подумала она, заглядывая в шкатулку. Первая мысль, которая пришла Ксении в голову, была о синьоре Ламанчини. Она вполне могла открыть сейф и забрать то, что сама же и покупала. Это было бы справедливо. Но почему тогда не позвать Ксению и не сказать ей:

— Милочка, я все это забираю.

И Ксения не стала бы возражать. Наоборот, вздохнула бы с облегчением. Ей хватит и квартиры. Просто спокойной жизни без судов и без дележа. А милиция, между прочим, все это наверняка описала! Ксения похолодела. Как бы узнать, что здесь вообще лежало? Позвонить следователю, сказать про ключи? А про все остальное тоже говорить? Стало обидно, ужасно обидно. Все в ее руках, а удача куда-то уплывает. Ей прямо в руки отдают победу, отдают легко, не сопротивляясь, но все время рядом происходит какое-то скрытое движение. И возникает предчувствие: да, я выигрываю, мне очень легко было взять этот гейм, но так же легко возьмет свое и противник. И будет ждать ошибки. А как сделать так, чтобы не ошибаться?

3 : 3

Ксения сидела в зале, перед телевизором, смотрела на стены, оклеенные дорогими, красивыми обоями, и думала о том, что начинает их потихоньку ненавидеть. Вот, все есть. Тепло, сытно, не надо никого за это ублажать. Дальше-то что? Вылизывать целыми днями эту трехкомнатную квартиру под нудные переживания героев сериала? Они словно нарочно сменяют друг друга на дневном экране, создавая иллюзию присутствия в доме целой толпы людей. Да, можно раствориться целиком в чужой, придуманной жизни, но это уже тихое помешательство.

«Хоть бы кто-нибудь ко мне пришел!» — подумала Ксения и услышала звонок в дверь. Она надеялась, что это бывший муж приехал замаливать грехи. Конечно, никто бы его сюда не впустил, но пусть бы он помучился под дверью, пусть бы сочинял очередное вранье, пусть бы...

— Здравствуй.

Заплаканная Лидуша старательно вытирала ноги о половичок. Чистюля. Ксения посмотрела на ее измученное лицо, подурневшее еще больше, и почувствовала, что ей стало очень стыдно. Сама же была такой! Да, Лидушу любимый муж не бросал, но зато его подозревают в убийстве теперь уже трех человек, и уж лучше бы развод, чем такое. Ксения вдруг представила в тюрьме своего бывшего, неподражаемого красавца любовника, да к тому же еще и труса, и кинулась к Лидуше:

— Прости, прости!

Та даже испугалась:

— Ты что?!

Ксения поняла, что не стоит так пугать людей. Они же с Лидушей не близкие подруги, и вообще не подруги. Зачем же она пришла?

— Проходи, — сказала Ксения, почти успокоившись. — Случилось что-то?

Ксения взяла у Генкиной жены пальто, не удержавшись от того, чтобы не взглянуть на живот. Этот непроизвольный взгляд женщины, которая узнает о том, что другая женщина беременна — сколько? Ничего еще не было заметно, и Ксения определила для себя: месяца три, не больше. Некоторые женщины в это время худеют, а не полнеют. От Лидуши же вообще остались одни кости. Ксения провела ее в гостиную.

— Хорошая квартира, — равнодушно произнесла Лидуша. — Большая. Мне надо было куда-то уйти. Я больше там не могу.

— А где Генка?

— Ушел.

— Куда?

— Я даже боюсь об этом спрашивать. А он боится, что я спрошу. Так и боимся оба. И делаем вид, что у нас все нормально, ничего не случилось. Но случилось же! И зачем я в тот день села за руль?! Зачем?!

«Генка прав. Прав, — думала Ксения, отпаивая Лидушу водой. — Ну нельзя же так! У нее просто комплекс вины. Ведь с каждым могло случиться».

— С каждым могло случиться, — сказала она вслух.

— Но почему со мной? Почему сейчас?

— А почему со мной? Тебя хоть муж не бросал, — не удержалась Ксения.

— Недолго осталось, — сказала обреченно Лидуша и привалилась к спинке дивана. — Что делать? Что делать?

— А откуда ты адрес узнала? — спросила вдруг Ксения. — Как ты меня нашла?

— Женя ведь с детства жила в этой квартире. Это дачу они продавали несколько раз, а квартира все время была одна и та же. И я подумала...

— Погоди. Так ты ее знала? Ах да, Генка же говорил!

— Говорил, что ты живешь у нее в квартире. Я здесь раньше бывала. Генка ушел, а я захотела у тебя спросить: что такое происходит? Он же мне ничего не рассказывает! А эти, из милиции, задают странные вопросы, но тоже ничего не объясняют. Я так больше не могу. Мне от этой жалости только хуже. Ведь ее убили, да?

Гейм седьмой

75 : 0

— Да, ее убили, — сказала Ксения.

— Генка, да? — шепотом произнесла Лидуша.

— С чего ты это взяла?

— Я начинаю понимать... Из-за меня... Господи, все его несчастья из-за меня! А я такая некрасивая! Почему он этого не видит?

— Дуреха, — ласково сказала Ксения. — Ничего ты не понимаешь. Женька ему все нервы измотала. Ой! — Она поняла, что сказала что-то не то. Генка же просил! И надо же было ляпнуть! Хотела как лучше. А теперь Лидуша разволновалась еще больше:

— Значит, я правильно догадалась, да? Они были... Он с ней...

Она расплакалась, и Ксения подумала, что правильно сделала, когда принесла из кухни целый графин с водой. Это еще только начало. Ну все: сказал «а» — продолжай дальше до самого конца алфавита. Иначе человек не поймет и начнет изучать китайскую грамоту вместо родного языка.

— Лидуша, Генка разве не говорил, что они с Женей знакомы?

— Говорил. Что тренировались вместе. Да я и сама это помню: детство, очень добрый тренер, много детей, самых разных, и смешной рыжий мальчишка. Ведь он был очень способный! Только очень добрый. И сильный. Сильные всегда добрые. И тренер сразу сказал: «Генка, талантливый ты парень, но в тотализаторе я бы на тебя никогда не поставил. Проигрываешь ты смешно». А он даже не обиделся, мой

Генка. Я не представляю себе, что могло сделать его таким... злым.

Она замялась перед последним словом, и Ксения ее поняла: нет, Генка злым не стал. Просто невозможно точно определить его теперешнее состояние. Сам он выразился очень образно: «...Ограбить банк, где больше всего охраны». Когда добрых людей жизнь загоняет в угол — это трагедия. Они должны либо измениться, чтобы стать такими же, как все, либо... И Ксения испугалась:

— Куда же он все-таки пошел?

— Не знаю. Опять к этому своему приятелю, который одолжил денег.

— А кто он?

— Бизнесмен, — пожала плечами Лидуша. — Кажется.

— В теннис любит играть, да?

— Ну... Это модно.

— Тяжело с ними? — догадалась Ксения.

— Я же с детьми. С ними проще. Они очень откликаются на ласку. Особенно если родители все время на работе, а приходящие няни сменяют одна другую. Дети нуждаются в постоянстве. Видеть каждый день одно и то же лицо, ходить в одну и ту же школу, заниматься у одного и того же тренера. Мне даже сейчас трудно бросить своих детей. Среди них есть очень талантливые. Быть может, у них получится лучше, чем у меня.

— А что у тебя произошло с Женей? — решилась наконец Ксения.

— Кто тебе сказал, что что-то произошло?

— Ну, если Генка не говорил тебе о том, что был ее бой-френдом, значит, ты сильно на Женьку разозлилась. А за что?

— А как они... Что у них было?

Вот тут Ксения замялась. Деликатно ли это? Насколько Лидуша готова принять, то есть простить страстную любовь своего благоверного к другой женщине, пусть даже та была до нее? Ревность бывает разной. Некоторые и к любовницам не ревнуют, а есть такие, которые даже мысли мужа стараются прочитать и проконтролировать.

— Ты не бойся, — сказала Лидуша. — Ее же больше нет.

— А если бы Женя не умерла? И если бы ты узнала о том, что они с Генкой встречались?

— Не знаю. На Женю я очень обиделась.

— Ну вот представь себе: ты замужем за Генкой, у вас все хорошо, как раньше, и вдруг Женя Князева рассказывает тебе, как твой муж был ее любовником, как она его бросила, а он долго еще напрашивался вернуться?

— Он ее так любил?!

— Просто Генка очень привязчивый. Он откликается на всех, кто к нему хорошо относится.

— Я знаю, — упавшим голосом сказала Лидуша.

— А с Женей они были больше друзья, чем... Тебе водички еще, да?.. Генка легкий человек. И ему очень нравилась легкая жизнь. Но это все было несерьезно.

— А ты? Ты все это видела, да?

— Нет, Генка был у Жени до меня. До моего мужа.

— Как это?!

— Потом мой муж ушел к ней, — как-то очень легко сказала Ксения. Рядом с Лидушей ей было даже приятно в этом признаться. В самом деле — какая чепуха...

— Ты его отдала?!

— Знаешь, мой бывший — не Генка, — слегка обиделась Ксения. — А я не такая, как ты. Я не стала показывать им всем, как мне плохо.

— Но если мне действительно плохо!

— Надо уметь переживать трагедии. Не загоняй его в угол.

Лидуша испуганно зажала рот рукой:

— Боюсь, что я уже...

30 : 0

— Расскажи-ка мне, что там у вас с Женей случилось? — сказала Ксения, зачем-то налив в стакан воды и себе. Потом догадалась спросить: — Может, сока?

— Нет, ты сначала расскажи, — словно не услышала вопроса Лидуша. — Ой, что это мы? Знаешь, после Женьки я даже боюсь иметь близких подруг.

— И я. Она тебя сильно обидела, да?

— Мы даже не ссорились. Просто перестали разговаривать. Она и не спросила, почему я этого не делаю, ты же знаешь — Женя никогда не шла на сближение первой. А я... Ну не могла я смотреть, как она себя ведет, и все! Казалось, что именно мне легко быть вечно вторым номером. Мне и было легко. Женя талантливее. Она и ростом выше, и мощнее, и... Словом, все, чего мне природа не дала, у нее было. И я думала, что тренер прав, когда работает преимущественно с ней. И плелась в хвосте, покорно уступая дорогу. Но вдруг она проиграла один турнир, другой. И никто не мог понять, почему? А я-то как раз поняла: ей никогда ничего не выиграть. И звездой не быть. И я стала работать. Работала, работала, работала... А она смеялась. Ты даже не понимаешь, что это такое! Один жизнь кладет, чтоб научиться десятой доле того, что другому просто дано от природы. И совершенно непонятно — почему не мне? Ведь если бы я была такая, как Женька, я бы... ну все выиграла, понимаешь? А она так небрежно обращалась со своим талантом! Я ее понимаю: родители богатые, все есть, а главное, себя, любимую, жалко. Спорт — это каторжный труд. Она умела все, кроме одного — трудиться. Эти бесконечные нарушения спортивного режима, эти мальчики. Вот куда она себя расходовала. И если бы я узнала, что Генка был одним из них...

— Разве ты их вместе не встречала?

— Знаешь, к тому времени я уже бросила большой теннис. У меня был шанс. Как у каждого вечно второго номера. У того, который сидит в запасе. Вот он сидит, сидит, сидит, смотрит, как побеждает первый. А его не берут. И в один прекрасный день первый номер ошибается. Или его начинают преследовать травмы. А второй только того и ждет — вот он я! Случайная, незапланированная слава. Но разве что-нибудь бывает в жизни случайным? Так вот и я ждала. И тренировалась, как проклятая. И случилось так, что Женя получила травму. Нам обеим было по семнадцать лет, мы же ровесницы. В те времена еще сборная команда Советского Союза везде ездила. За рубеж выпускали по большому блату. Я — девочка из бедной семьи, а Женька мало того что звезда, так еще и родители не простые люди. Папа — большой начальник, мать — светская дама. И она знала, что не выиграет, после своей травмы сойдет в первом же круге, а я как раз в отличной форме. И Женька это видела. Все видели. И все зависело только от нее. Если бы вмешался ее всесильный папа... Она могла бы пропустить этот турнир. У нее потом могли быть и другие. Ну разве трудно было дать мне этот шанс? Мы же были подругами. И я ее попросила. Ты знаешь, как это унизительно: просить свое? Наверное, ей не понравилось, как я это сделала. Я фальшивить не могу. И комплименты могу говорить только заслуженные. Я честно сказала, что у нее шансов нет, а у меня есть. И она вдруг сказала: «Поеду!»

— И поехала? — спросила Ксения.

— Да.

— А почему тренер не вмешался?

— Из-за папы. Если единственный ребенок большого начальника хочет за рубеж, он туда поедет. Наверное, и Элеонора Станиславовна вмешалась.

— Сколько, говоришь, вам было? Семнадцать? Толику, значит, чуть больше двадцати.

— Какому Толику?

— Какая странная все-таки вещь — жизнь. Десять лет назад у Элеоноры Станиславовны Князевой неожиданно объявился племянник, и чтобы с ним не встречаться, она была готова на все. Даже везти на турнир травмированную дочь. А любящий муж, стараясь угодить, надавил, где надо. И вот семья едет за границу, племянник отправляется на дачу, а ты остаешься в Москве, реветь. Она проиграла?

— Да. В первом же круге. Но при чем здесь какой-то Толик? При чем Элеонора Станиславовна?

— При всем. В семнадцать лет Женя еще не была такой самостоятельной. Мама хотела, чтобы они поехали. Тогда всем казалось, что так будет лучше. И только через десять лет выяснилось, какая же эта была ошибка! Анатолий не встретился со своей двоюродной сестрой, ты закончила теннисную карьеру, а Генка...

— Что Генка?

— Боялся тебе признаться, что почти год жил в квартире у ненавистной тебе бывшей подруги. Оказывается, иногда должно пройти много-много лет, чтобы из какого-то поступка выплыло совершенно неожиданное следствие. Кто бы мог тогда подумать, что все так обернется? Кошмар! Наверное, после этого Женя стала особенно недолюбливать свою мать. Поняла, какая та эгоистка. Но неужели все зависело от одного только турнира?

Лидуша поняла этот вопрос по-своему:

— Для меня — да. После этого случая во мне что-то сломалось. Знаешь, так бывает. Разочаровываешься в любимом деле. Оказывается, даже не от тебя все зависит. Ты любишь работать, хочешь работать и в силах чего-то добиться, а тебе в любой момент может помешать какая-то мразь. Просто потому, что ей в тебе что-то не понравилось.

— Но Женя...

— Да, может, и не она. Но мне-то что теперь? Я перестала верить в себя. И все кончилось. Никаких успехов. Через два года я вообще бросила теннис. Занялась с детишками, поступила в институт, на кафедру физвоспитания. Но про Женьку больше слышать не могла.

— А я думала, что только из-за любви можно так возненавидеть человека.

— У кого к чему любовь. Тогда в моей жизни не было Генки. А спорт — это больше, чем страсть. Это вторая жизнь. Вернее, без него никакой жизни. Тебе не понять.

— Да уж, — вздохнула Ксения. — А зачем ты потащила Генку на ее последний матч?

— Зачем? — удивилась Лидуша. — Ах да! Ее же там и зарезали! Генка! — вдруг сообразила она.

— Что Генка? — вздрогнула Ксения.

40 : 0

— Он уходил, как ты не понимаешь! Туда, к ней!

— Но зачем?

— Я сама виновата. Много лет уже не видела, как она играет. Почему-то подумала: ей уже двадцать семь лет. Закат карьеры. И никаких заметных успехов. И показалось, что я смогу ее простить. Пожалеть — и простить. Ты понимаешь?

— Я видела тот матч, — обреченно сказала Ксения.

— Как она играла! Другие радовались, а у меня слезы были на глазах. Ты даже не представляешь, что значит иметь единственного врага! Если у тебя постоянно с кем-то конфликты, то это не так страшно. Дробишь свою ненависть, и она бессильна. Но у меня со всеми прекрасные отношения. Вся злость, что заложена в человеке, досталась ей, Жене. И тут я вижу такое! Блестящую игру. Это был полет высокого класса. И рядом с ненавистью во мне уживалась мысль: я бы так никогда не сыграла.

— И она так никогда не играла. Я видела все ее матчи за последние три года.

— Но я-то их не видела! Мне казалось, что я ошиблась тогда, что она всегда такая. Мощная, подвижная, вдохновенная. И какие красивые удары! Я просто давилась слезами.

— Генка видел, да?

— Я ему все рассказала, — упавшим голосом произнесла Лидуша. — Еще давно.

— Послушай, а ведь Женя грозилась Генке, что все тебе расскажет про их роман. Он же говорил что-то про собаку на сене. Она хотела вас развести. Я поняла! Все поняла! Он хотел с Женькой об этом поговорить. Пригрозить ей как следует, чтоб не лезла. А тут еще и ты подлила масла в огонь.

— И ты думаешь...

— Но ты же сама сказала.

— Да. Он мог. Что же я наделала!

— Я же говорила: надо держать себя в руках, — назидательно сказала Ксения. — А ты... Дуреха. Ладно, не плачь.

— А те двое?

— Кто?

— Эти, которых ножом.

— Господи, почему ж ему дома не сиделось!

— Но зачем он их-то?

— А ты не понимаешь? Деньги. Вам же очень нужны деньги.

— Ох ты Боже мой!

— Тише! Никто ничего не докажет! Надо только немного потерпеть.

— Я боюсь! — Лидуша зажала ладонью рот. — Черри!

— Нам надо вместе. Можешь даже остаться здесь ночевать.

Ксения подумала, что проблема ее одиночества решена. Вместе с Лидушей будет не так тоскливо. И не так страшно. Только вот Генка.

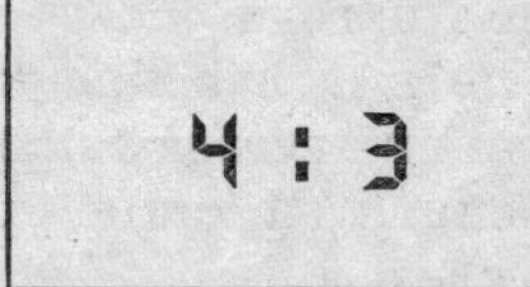

Словно в ответ на ее слова раздался телефонный звонок.

— Кто бы это мог быть? — пожала плечами Ксения.

— Мне уйти? — деликатно спросила Лидуша.

— Еще чего! — Если бы это оказался бывший, в присутствии Лидуши Ксения чувствовала бы себя смелее. Уж она бы ему показала! Но это оказался Генка.

— Черри? А я тут с ума схожу! Лидуша пропала!

— Она не пропала. Сидит у меня.

— Как это у тебя?! Как она к тебе попала?

— Она пришла в гости.

— Но почему к тебе? И как она узнала адрес?! Я же ей никогда не говорил!

— Может, зря, Генка? Надо было все-таки попробовать. А не кидаться отношения с Женькой выяснить.

— Шла бы ты...

— Куда?

— Домой, Пенелопа, — удержался он, съязвив, как обычно. — Дай-ка ей трубку.

Ксения повернулась к испуганной Лидуше:

— На. Тебя любимый муж потерял. А ты боишься, что уйдет! Видишь, как переживает?

Бледная Лидуша неуверенно взяла трубку:

— Да. Нет. Ой... — ладонью прикрыла трубку. — Говорит: «Немедленно домой!»

Лидуша слушала Генку минуты три. Потом молча положила трубку.

— Сказал, что приедет за мной. По-моему, он на тебя очень злой. И еще к нему кто-то пришел.

— Кто же это?

— Не знаю. Генка сказал, что в дверь позвонили, что он никого не ждет, и задерживаться в квартире не собирается. Выезжает. Сказал, чтобы сидела у тебя и ждала, когда он приедет.

— Правильно. Нечего беременной женщине одной ночью по городу разъезжать... И долго ему ехать?

— Минут сорок.

— Давай пока чаю, что ли, попьем? Ты голодная?

— Я сейчас всегда голодная, — жалобно улыбнулась Лидуша. И Ксения подумала, что болезнь прошла, пора бы обеим снова иметь близких подруг.

Гейм восьмой

Они сидели на кухне, пили чай и разговаривали уже спокойно. О пустяках. Ксения давно уже ни с кем не делилась своими маленькими проблемами.

Ей всегда не хватало матери, вечно занятой старшим братом и его семьей. Но добрая Ксения вдруг с радостью подумала, что может им всем теперь помочь. И матери, и брату, которого любимая жена обобрала до нитки. Спит теперь на раскладушке в кухне, как когда-то Ксения спала за ширмой, в одной комнате с отцом.

Все это она и рассказывала Лидуше, догадавшись, что той в жизни тоже не очень-то везло. Не то что Евгении Князевой... Все самое светлое в Лидушиной жизни началось именно с Генки. И Ксения с тоской снова вспомнила себя в восемнадцать лет. Ей тоже все это пришлось пережить, только намного раньше. Но все равно казалось, что на кухне рядом с ней сидит родная сестра.

— Лидуша, не бросай меня, — попросила Ксения.

— Что это ты? — удивилась та.

— За то время, пока я с Женей ездила по турнирам, у меня совсем не осталось близких людей. Богатым я всегда была чужая, потому что по положению своему... что-то вроде бедной компаньонки. Элеонора Станиславовна вообще считала меня за прислугу. А бедным... Те завидовали, что я мотаюсь по заграницам, живу в дорогих отелях, ни в чем не нуждаюсь. А бедные — это все мои бывшие одноклассники, родители, брат и друзья детства. Вот так я и оказалась между и ни с кем. И тогда меня никто не понимал, и сейчас вряд ли кто поймет.

— Я не буду тебе завидовать, — сказала Лидуша, и Ксения ей поверила. — Я даже Женьке не завидовала. Просто осуждала ее за то, что бездарно пропал такой талант.

— Да, понимаю, — откликнулась Ксения.

— Что-то Генки долго нет, — заволновалась вдруг Лидуша.

— Может, с транспортом что?

— Думаешь? А я начинаю волноваться. Мне что-то не по себе. Знобит.

— Еще чаю?

Они снова говорили о пустяках, но разговор уже стал напряженным. И Ксения, и Лидуша по очереди смотрели на часы. Сорок минут давно прошли. Где же Генка?

— Его, наверное, тот знакомый задержал, — вспомнила Ксения.

— Какой знакомый?

— Который в дверь звонил...

Они посидели на кухне еще полчаса. Наконец Лидуша сообразила:

— Так почему мы ему не позвоним? Дай-ка телефон.

Она упорно набирала и набирала номер.

— Никого, — сказала растерянно.

— Конечно. Он же сюда едет, — успокоила ее Ксения.

— Нет, я не могу так, — вскочила Лидуша. — Давай собираться!

И Ксения не спеша стала одеваться. В спальне, перед зеркалом, зачем-то наложила макияж по полной программе. Словно бы в ресторан собиралась. Лидуша молча смотрела, как подруга возится с лицом. Потом так же долго Ксения выбирала, что бы такое надеть. Все это время обе ждали только одного: звонка в дверь. Но его не было.

Прошло еще полчаса. Они топтались в прихожей, Лидуша снова звонила по телефону, а Ксения искала деньги на такси. Как будто они могли лежать не в шкафчике на кухне, а совсем в другом месте. И обе ждали, ждали...

— Нет, это невыносимо! — вскрикнула наконец Лидуша. — Пойдем! Немедленно!

— Ну хорошо. Только оставим Генке записку.

— Как же он сюда войдет?

«Ключи», — подумала Ксения, но Лидуше ничего не сказала. Написала записку, положила ее в прихожей на видном месте: «Генка, сиди тут. Мы скоро придем».

Уже в лифте Ксения вспомнила Попова и Толю и вцепилась в Лидушину руку. А вдруг Генка опять сорвется? Надо поскорее пробежать через подъезд.

— Ты что? — спросила Лидуша.

— Ничего.

Слава Богу, никого возле почтовых ящиков не было. Ксения вздохнула с облегчением, но к двери в «предбанник» подошла с опаской. Открыла ее, заглянула: никого.

— Все хорошо, — сказала она Лидуше. — Пойдем. Теперь будет все хорошо.

30 : 0

На улице была уже настоящая зима. Почему-то, когда она начинается, делается так холодно, что поневоле думаешь: что же будет дальше? Как пережить сильные морозы, если уже сейчас, при минус трех, холодная ночь кажется концом света? Но проходит какое-то время, наступают настоящие холода, и никто от этого не умирает. Все становится на свои места.

В две первые машины, которые остановились, Ксения не села. Молодые парни, сидевшие в них, не внушали доверия. Что могут делать поздно вечером на шоссе две молодые девушки, одна из которых очень и очень симпатичная, сильно накрашенная?

Очевидно, сами платить не собираются, а ждут, что заплатят им. Останавливались именно те, которые как раз заплатить могли.

— Чего ты ждешь? — удивленно спросила замерзшая наивная Лидуша. — Почему мы не поехали?

— Они нас не за тех принимают, — ответила Ксения и усмехнулась про себя: «А мы с ней сейчас странная парочка».

Лидуша все равно не поняла, но терпеливо стояла на шоссе. И все время вертела головой. «Генку ждет», — догадалась Ксения. Наконец в третьей машине она с облегчением увидела одинокого пожилого мужчину, на вид вполне интеллигентного. Объяснила ему, куда они с подругой хотели бы доехать, и первым делом спросила:

— Сколько?

Чтобы не возникало больше никаких вопросов, деньги отдала сразу. В машине Лидушу слегка тошнило, и Ксения держала ее влажную руку, все время спрашивала:

— Остановить?.. Остановить? Ты только скажи.

—Ничего... Ничего... — шептала измученная Лидуша.

Доехали они быстро. Неизвестно, что там подумал водитель, но если бы у него на машине была мигалка, врубил бы и ее. Даже попытался вернуть Ксении деньги уже возле самого подъезда.

— Да вы что? — возмутилась та. — У нас все в порядке!

Ей и на самом деле хотелось так думать. Зачем надо было слушать Лидушу и мчаться сюда ночью через всю Москву? Мало ли какие дела могли задержать Генку? А та, войдя в подъезд, вздохнула с облегчением:

— Пришли! — И начала шарить в кармане в поисках ключа.

— Да погоди ты, может, он еще дома! — возмутилась Ксения.

Потом они долго-долго звонили в дверь. По очереди, как будто Генка мог уснуть и никуда не поехать. Ксения отчего-то начала Лидушу ругать:

— Ну я же тебе говорила! Зачем было сюда тащиться? Он теперь сидит там один, в Женькиной квартире, и ждет нас. Поехали обратно.

— Нет, я открою.

— Не надо.

— Открою.

— Лидуша!

У Ксении вдруг до боли сжалось сердце. Ну не могла она пустить ее туда первой. Измученная Лидуша не попадала ключом в замок. А Ксения молча ждала — все, что могло случиться, уже случилось.

— Пусти, — сказала наконец Ксения и сама открыла дверь.

— Генка! — крикнула из-за ее спины Лидуша.

Он лежал в единственной комнате, на полу. Ксении показалось, что на Генкином лице написано облегчение. Мол, для меня все уже кончено, а вы как хотите.

Крови было мало. Ксения поняла, что Генка не мучился. Точный удар ножом в спину, которую он, похоже, охотно подставил сам. Но почему? Ведь он знал, что убийца на свободе. И единственный знал наверняка, что сам точно никого не убивал. И так опрометчиво повернулся спиной.

— Генка! — снова крикнула Лидуша.

— Ты бы не ходила сюда, — повернулась к ней Ксения.

— Он спит, да? — измученно улыбнулась Лидуша.

— Он умер.

Ничего глупее Ксения не могла сказать. И Лидуша тоже повела себя странно. Присела в прихожей, на табуретку, и с облегчением сказала:

— По крайней мере, он дома.

40 : 0

Лидуша устала так сильно, что не могла до конца понять весь ужас того, что произошло. Ксения так и не пустила ее в комнату, усадила на кухне, притащив туда кресло и обложив Лидушу подушками. И та задремала. Ксения даже показалось, что она умерла.

— Эй, — потрясла она за плечо Лидушу. — Ты держись, эй!

И пошла звонить следователю. К телефону подошла рассерженная женщина. Почему-то, услышав ее голос, Ксения подумала, что женщина очень красива. Именно недовольные красавицы ведут себя так снисходительно-надменно:

— Да? Говорите.

— Мне бы Бориса Витальевича. Это срочно.

— Девушка, вы ... — И тут же его почти сонный голос:

— Я слушаю.

— Это Ксения Вишнякова.

— Только не говорите мне, что еще кого-то зарезали, прошу вас.

— Я не могу... Генка.

— Что?! Но ведь он же... И где он? В вашем подъезде?

— У себя дома. Я бы очень вас попросила потише. Лидуша спит. И я прошу прощения у вашей жены. Но кто-то же будет следующим?

— Ну уж нет. Я сейчас же еду... Да перестань ты кричать, Маша! Да, я сейчас...

Это Ксения успела услышать до гудков. «У меня еще есть время», — подумала она. И пошла в комнату, к Генке. Ксения поняла сразу, что эти двое сначала разговаривали. Быть может, долго. Оба курили, и курили одинаковые сигареты. На столе стояла пепельница, полная окурков. Ксения вышла на балкон и на всякий случай вытряхнула все, что там было, в ночь. Казалось, что нет ничего надежнее темноты. Потом Ксения вернулась в комнату и начала переставлять с места на место вещи. Почему-то ей хотелось, чтобы в комнате были следы борьбы. Бывший муж и Генка были знакомы. А чужого Генка к себе в квартиру не впустил бы. А если бы впустил, то ни за что не повернулся бы к нему спиной. Генка был очень неглупым человеком. Что ж его так могло расслабить?

Она все кружила по комнате и никак не могла остановиться. Пусть здесь будут только ее следы. А она-то уж точно никого не убивала. Они в это время сидели вместе с Лидушей на кухне и пили чай. Не будут же привлекать за то, что мешаешь следствию. Пусть сначала докажут.

Резкий звонок в дверь прервал ее кружение. Ксения открыла дверь и впустила их всех. В последнее время она очень хорошо начала разбираться в тонкостях расследования убийств: кто должен приехать, что должны делать эти люди и как долго они будут находиться в квартире. Подумала только, что Лидуше уже не дадут поспать. И, зайдя на кухню, аккуратно потрясла ее за плечо:

— Эй!

— А Генка? — сонно спросила Лидуша. И вдруг, что-то сообразив, на одной ноте тоненько-тоненько закричала: — А-а-а-а!..

...Когда ее увезли в больницу, Ксения вздохнула с облегчением. Лидушу надо сейчас держать под присмотром, а ей, Ксении, предстоит еще много дел. Похоже, что большая игра подходит к концу. События развиваются все стремительнее. И кажется, что оба они решили побыстрее доиграть второй сет до конца. Брать свою подачу и выяснить отношения на тай-брейке. Бедный Генка, ну разве он мог быть ее противником?

Следователь выглядел еще мрачнее, чем в прошлый раз. Ксении даже сделалось его жалко. Громкое дело, которое чем дальше, тем абсурднее. Так можно и работу потерять. Завтра весь город узнает, что объявился маньяк, а милиция ничего не может сделать. Но попробуй ты отловить в многомиллионном городе маньяков того из них, который захотел вдруг убить всех бывших любовников Евгении Князевой!

— Это не Генка, — сказала ему Ксения. — Но почему он их убивает?

— А вы еще не поняли, Ксения Максимовна? Меньше народу — больше кислороду.

— Что-что? — переспросила она. — Где-то я это уже недавно слышала. Ну, конечно! Звягин...

— Звягин? Это который? Пятый?

— А ведь их всего трое осталось, — Ксения испуганно зажала ладонью рот.

— Может, жребий кинуть? — усмехнулся следователь. — А проще посадить всех троих.

— Послушайте, но... Я об этом раньше не думала. Но он же убивает их по порядку!

— Может, и впрямь маньяк? Я на самом деле ничего теперь не понимаю. Если эти убийства из-за денег, то логичнее всего начать с вас. Это же целая половина наследства Евгении Князевой! Почему же он вас не трогает, а?

Она замерла. Черт бы побрал его логику! А следователь сказал:

— Что, охрану к вам прикажете приставить? К кому еще? Или еще несколько дней подождать?

Меньше народу — больше кислороду, — повторил он.

— Допросите лучше Звягина, — сказала Ксения. — У него черный джип.

— Значит, по-вашему, он бандит. А тот, который с мольбертом под мышкой, обязательно художник. А может, он просто несет эти рисунки продавать?

— Я хочу, чтобы вы узнали, кто такой Звягин.

— Это личная неприязнь, да? А почему у вас с ним не складывается? Именно с ним? Такая симпатичная девушка, а? Я не удивлюсь, если так называемые кавалеры вашей подруги втайне симпатизировали именно вам. Или не втайне?

— Что за намеки? — выпрямилась в своем кресле Ксения. Генку уже увезли, а мертвой крови она давно уже не боялась.

Следователь внимательно смотрел на ее лицо. Ксения вспомнила, что наложила почти вечерний макияж по полной программе. Но он же не знает, как и отчего это было?

— Да вы прямо красавица у нас! Знаете, как я познакомился со своей женой? С последней? Она тоже проходила свидетельницей по делу. И мы могли много бывать вместе. А потом дело закрыли. И наш медовый месяц внезапно кончился. И даже на юг летом она поехала одна. А на меня навесили очередное дело.

Ксения испугалась. Сколько может выдержать человек, которого постоянно дергают по ночам? Ему все время кажется, что еще немного, и будет схвачен убийца, а вместо этого подозреваемый превращается в очередной труп.

— Борис Витальевич, вы с женой поссорились?

— Да что вы понимаете? Может, это мой последний шанс в жизни?

— Какой? Поймать этого маньяка?

— Он гораздо нормальнее нас с вами. А главное, умнее. Ладно, рассказывайте по порядку, как оно все было, хватит друг другу душу изливать.

— Сегодня днем на кладбище я встретила Звягина.

— Как же вы его не любите, Черри!

— Это взаимная неприязнь. И он мне сказал, что будет очень осторожен.

— Осторожен — в чем?

— Откуда я знаю?

— Ладно, оставьте Звягина в покое. Зачем к вам пришла жена Рюмина?

— Лидуша? Просто так. Они с Генкой не очень ладили из-за этой аварии. Мы просто разговаривали, пока Генка не позвонил. А потом он сказал, что кто-то пришел, и повесил трубку.

— Надо соседей спросить. Хотя, какие в такую погоду свидетели? Он же обещал, что будет осторожен.

— Значит, и вы думаете, что это Звягин?

— Я думаю, что в Сочи надо бы слетать, да ниточка не туда ведет. Значит, так, Ксения Максимовна, переехали бы вы пока из этой квартирки.

— Куда? — испугалась Ксения.

— Но есть же у вас какое-то жилье?

— Комната в коммуналке.

— Вот и поживите там. Тесно, наверное, но маньяк по крайней мере не появится.

— Не знаю.

— Да бросьте вы! Рано или поздно мы его поймаем. Он, похоже, сорвался. Бывает так: человек, словно сжатая пружина, копит в себе и терпит, терпит, терпит... И вот пружина срывается — и уже не может не распрямиться до конца. А потом это уже просто беспомощный и никому не нужный кусок металла. И делай с ним, что хочешь. Хоть гни, хоть ломай.

Она не поверила. Пусть он свои проблемы решает, этот философ. А у нее теперь еще и Лидуша на руках.

4 : 4

Дома Ксения не выдержала и налила себе немного вина.

— За Генку, — сказала она вслух.

Почему-то вспомнилось все. Из памяти не убе-решь веселого рыжего парня, который оказался все-таки порядочным человеком. И никого он не мог убить, иначе не подставил бы с легкостью свою собственную спину. Он людям верил. А его обманули.

Она расплакалась, слезы расслабили, и пришел страх. Ксения вдруг вспомнила, что у кого-то есть ключ от этой квартиры. А она так и не призналась в этом следователю.

«Но он просто не может меня убить!» — всхлипнула Ксения. Потом набрала номер.

— Ты дома был сегодня вечером?

— Видишь ли... — неуверенно начал бывший, и Ксения поняла, что он сейчас соврет.

— Пока. — Она положила трубку. И подумала привычно: «Мерзавец».

Мерзавец звонил еще долго. Ксения просто была уверена, что это он. Хватает же наглости у человека! Она так сильно его ненавидела, что даже начала по нем тосковать. «Увидеть бы его, сказать бы все, что я о нем думаю! И пусть бы он снова просил прощение. А я бы все равно его не простила. Я бы... Я бы... Я бы...»

Она расстроилась совсем, а ночью долго не могла уснуть. Все время казалось, что в замке поворачивается ключ. Совершенно измученная, утром она стала собирать чемодан. Почему-то вещей в это кожаное брюхастое чудовище уместилось немного. Ксения пинала ногами его набитое чрево и думала о том, что жизнь удивительно несправедлива. Наконец два железных замка-зуба клацнули, и только тут Ксения вспомнила, что положила в чемодан преимущественно летние вещи. А на улице почти зима. Снег идет.

— Да что же со мной?! — крикнула она. И сказала своему отражению, девушке с испуганными черными глазами: — Успокойся. Надо все начать сначала...

...Ее собственный ключ к замку почему-то не подошел. Ксения стояла на лестничной клетке, бросив рядом чемодан, и тщетно пыталась попасть в собственную, точнее, в коммунальную квартиру. Вернее, в одну из ее комнат. Потом долго звонила в дверь.

Ее наконец чуть-чуть приоткрыли, оставив накинутой цепочку. Соседка, толстая баба в цветном халате, вытаращила глаза:

— Явилась! Эй, Константин, ты глянь, кто пришел!

— А где бабушка? — глупо спросила Ксения. И поняла, что опять сказала что-то не то. Потому что баба в халате тут же показала ей фигу:

— Видала?

— Я хочу попасть к себе домой!

— А на кладбище попасть не хочешь? Только что божьего одуванчика туда снесли. За свои кровные, между прочим! Давай очередь занимай, фря! — Это уже сам сосед нарисовался рядом с женой, за накинутой цепочкой.

— Вы не имели права менять замок!

— А ты бы появлялась здеся почаще! — выкрикнула из-за широкой полосатой спины мужа соседка.

— Я сюда с милицией приду! — пригрозила Ксения.

— Не беспокойся, милиция тобой уже интересовалась!

Дверь захлопнулась. «Ловко же они сообразили! — подумала Ксения. — Бабушка умерла, про меня наплели всякого в домоуправлении, врезали новый замок, и хорошая трехкомнатная квартира в кармане. Теперь пропишут в ней деда с бабкой и решат свои жилищные проблемы раз и навсегда. Это и называется уметь вовремя подсуетиться. А знакомые скажут: какие молодцы! Так и надо! Умеют люди жить! А обо мне никто даже и не вспомнит. О том, что со мной теперь будет».

— Люди, почему вы люди? — спросила она закрытую дверь.

Гейм девятый

0 : 75

Следователь позвонил днем. Ксения в это время все еще сидела перед набитым вещами чемоданом и не могла решить: разбирать их или оставить, как есть.

«Так разбирать или не разбирать?» — хотелось ей задать вопрос звонившему, кем бы он ни был. И тут она услышала:

— Ксения Максимовна? Вы еще там?

— Да, — печально сказала она. — Разбирать или не разбирать?

— Наверное, не стоит.

— Откуда вы знаете? Про чемодан? Но мне некуда идти.

— А ваша комната?

— Нет у меня больше никакой комнаты.

— Ну-ну. Не надо так. Что за проблемы?

— Соседи.

— Хотите, я их припугну?

— Со своей женой вы тоже так начинали?

— Упрямая вы девушка, — вздохнул он. — Ну, как хотите. Я ведь звоню не просто так. Насчет Звягина вы были правы. Не было его дома вчера вечером. Я проверил. Приметная у него машина: черный джип. Соседи видели, как он из дома уезжал. А вот у дома Рюмина этот джип никто не видел.

— Он его мог и за углом оставить, — раздраженно сказала Ксения.

— Мог. Только как тогда доказать, что он там был? Отпечатков пальцев мы, кроме ваших и Рюмина, никаких не нашли. Такое ощущение, что это вы весь вечер с рыжим чаи распивали.

— Они не чаи распивали. Сидели и курили. Ой! — Ксения испуганно зажала рот. Но он уже обрадовался — легкий мяч. Хорошо, когда противник сам ошибается. И ехидно:

— Странно как: весь вечер курили, а пепельница пуста. — И после паузы: — Я ведь знаю, кого вы выгораживаете. Любовь-морковь, значит. Знакомое дело.

— Я его ненавижу! — заявила Ксения и сама устыдилась неудачной фразы.

— Если бы вы его ненавидели, он бы за решеткой давно сидел. А вы пепельницы с балкона вытряхиваете. Не иначе как от большой ненависти. Так хочется ему плохо сделать, аж жуть! Я бы на вашем месте сам улики следствию подбрасывал, а вы... Эх, Черри... Отпечатки пальцев тоже вы вытирали?

— Нет. Я только мебель.

— Что «мебель»?

Она промолчала. Пусть уж добивает.

— Значит, рыжий ваш был с этим парнем хорошо знаком? Драки-то не было, а, Черри? Молчите? Вот что я вам скажу: я не могу понять его логики. Я не могу понять, кто будет следующим. И, главное, не могу понять, к чему все идет. Он знает что-то, чего не знаем мы. И, пользуясь этим, идет на шаг впереди, причем идет к какой-то конкретной, заранее известной цели. А вообще-то все в этом деле — глупое стечение обстоятельств. Ладно, не буду вас больше беспокоить. К Звягину поеду. Всего хорошего, Черри.

«Чтоб ты провалился!» — подумала Ксения, бросив трубку. Она совсем не умеет врать, а следователь этим пользуется. Покушается на самое дорогое, что у нее еще осталось: на мечту о счастье. Умом она понимает всю ее бесплодность, но инстинктом цепляется, словно пальцами за узкий карниз, сорвавшись с которого уже остается только лететь и лететь, без мыслей, без чувств, до самого удара о землю, которым все и кончится. Человек должен чем-то держаться за жизнь. У дерева есть корни, у него есть привязанности. Новые корни пустить гораздо труднее, чем обрубить старые. Зачем?

«Зачем?» — думала она, выполняя все тот же механический ритуал служения этой трехкомнатной квартире. Ей было тоскливо. Она должна была принять какое-то решение.

30 : 0

Спустя час Ксения надела куртку, чтобы сходить в магазин. Взяла хозяйственную сумку, открыла дверь и вздрогнула от неожиданности: на пороге стоял Герман.

— Напугал! — вскрикнула она. — Почему не звонишь?

— Куда?

— В дверь, чучело!

«Чучело» моргнуло зелеными глазами. Ксении захотелось пальцем потрогать густые мохнатые ресницы: может, отклеятся?

— Далеко собралась? — посторонился Герман.

— В магазин. Сумки поможешь донести?

Он пожал плечами, шагнул вслед за Ксенией в лифт.

— Что, гости ожидаются? Кормить надо, да?

— Ты можешь снять пробу.

— И что это будет? Сливки или объедки с барского стола?

— У тебя глупый юмор.

— А у тебя вообще никакого. Только женщина, лишенная чувства юмора, может всерьез воспринимать клоунские попытки своего бывшего мужа вымолить прощение.

— Фраза для тебя слишком умная.

— Я много читал за последние дни, — глубокомысленно изрек он. — От скуки.

— Ты?! Читал?!

— Да, Черри. Книги. Долго не мог понять, почему люди делают такую глупость. Телевизор гораздо проще. Но дело в том, что, глядя в него, многое можно пропустить. Отлучился на несколько минут в кухню за куском колбасы, глядь — пропустил самую суть. Нажрался, но остался в неведении. А читая книгу... Ты меня не слушаешь!

— Герман, с тобой по улицам невозможно ходить! На тебя все женщины смотрят.

— Да? Значит, я красивее, чем твой бывший муж?

— Это совершенно бабский вопрос.

— Тогда ответь по-мужски. Конкретно и без вранья: ты его уже простила?

Ей было весело. Настроение почему-то поднялось. «Вот я иду по улице с красивым парнем, — думала Ксения. — На него все смотрят. А мне все равно. А они все думают, что мы вместе». Она даже улыбнулась. Наверное, все прохожие подумали в этот момент: «Боже, как она счастлива!» Герман даже холода не боялся: шел без шапки, в любимом белом свитере, в черной куртке. Он очень естественно чувствовал себя в центре внимания: не позировал, не смеялся слишком громко, не говорил напыщенных и глупых фраз. Просто шел, и все, один, на этой улице, полной завидующих мужчин и восхищенных женщин.

— Из тебя вышел бы классный актер, — не удержалась Ксения.

— Что? Актер? Чтобы девочки визжали от восторга, глядя как я в белой рубашке, со шпагой в руке, этакий герой-любовник какой-нибудь исторической мелодрамы разделываю толпу здоровых мужиков в мелкий винегрет? Чушь!

— В тебе романтики нет. Подержи, пожалуйста, сумку.

Она прицелилась на аппетитный кусок мяса: если потушить его с грибами, да с приправами, да добавить красного вина, да...

— Тебе столько не съесть, — пристально посмотрел на нее Герман.

— Угу. Взвесьте, пожалуйста.

— Все бабы дуры, — очень громко сказал он.

Продавщица уронила нож. Ксения вздрогнула. Никак невозможно сосредоточиться! Что-то вертится в голове, но что?

— Герман, перестань!

Ксения за рукав потащила его к кассе.

— Постой, пожалуйста, здесь. Нет, в уголке. Не верти головой. Я сейчас.

Почему-то ей показалось, что Герман уйдет. Назло ей, вместе с куском мяса. Но когда Ксения вернулась, он стоял все там же, у кассы, а какая-то дамочка подозрительно долго рылась в кошельке. И смотрела на его лицо, а его зеленые глаза неподвижно и зло уставились в одну точку.

— Эй! Герман! Ты в вине что-нибудь понимаешь?

— Пожалуй, тебя стоит разок напоить, — задумчиво сказал он.

— В другой раз. Если я куплю шампанского, это будет нормально?

— Не нормально. К мясу нельзя подавать шампанское. Брось его, Черри.

— Не поняла. Шампанское?

— Дура, — рассердился Герман. — Своего бывшего. У него любовница.

— Тебе-то что?

— Ты знаешь, что не обязательно должна уметь женщина, но обязательно должен уметь мужчина?

— Ну?

— Принимать решение. Это есть признак сильного пола. Не позволяй другим думать за себя. Пусть это будут твои ошибки, понятно?

— Тебе нельзя много читать, — грустно сказала Ксения. — Скажи, я когда-нибудь предъявляла на тебя хоть какие-нибудь права? Выговаривала за многочисленных любовниц?

— Нет, нет, нет.

— Мы с тобой даже не ровесники. Тебе только двадцать шесть, а мне уже двадцать семь! И ты никак не можешь понять, что в моем возрасте женщине уже давно пора иметь семью и детей. Ты можешь сейчас же отдать мне сумки и исчезнуть.

— Ну уж нет. Само собой, что я не джентльмен, но мне очень хочется узнать, чем все это кончится.

— Тогда пошли покупать шампанское.

30 : 15

Примерно через час они вернулись домой с полными сумками.

— Спасибо, — сказала Ксения. — Ты мне очень помог.

Она надеялась, что Герман после этого уйдет, но он словно не понял намека. Расположился на кухне с таким видом, будто собирался остаться на ночь. Ксения пожала плечами и занялась своими покупками. Мясо должно оттаять, шампанское, напротив, как следует охладиться. Овощи и зелень надо вымыть, обсушить полотенцем и красиво разложить на блюде. И вообще дел полно. Надо заняться собой, примерить платье, вымыть голову...

— А если его нет дома? — спросил Герман.

— Тебя сегодня никто не ждет? — поинтересовалась Ксения.

— Возможно, но мне хочется остаться здесь.

— Тогда я позвоню, не возражаешь?

— Само собой. Я вполне могу себя занять в течение нескольких минут.

— Фу ты, какие мы сегодня вежливые! Английский лорд в будуаре знатной дамы!

— Я еще надеюсь туда попасть. В будуар.

Она фыркнула и ушла звонить в гостиную. На ходу подумала: «Пусть подслушивает». Потом достала записную книжку, в которую после того неудачного вечера с ужином в ресторане записала номер его сотового.

— Муромский.

— Вишнякова. — Иногда бывший муж ее просто раздражал своими репликами.

— Ксюша? Слава Богу! Ты сердишься, да?

— Глупо сердиться на ветер за то, что он дует. Я тебя приглашаю сегодня на ужин.

— Куда? — неуверенно и очень вкрадчиво спросил он.

— К себе.

— То есть...

— Вот именно.

— Это значит...

— Слушай, если женщина позвала, то ей что, надо еще и объяснять, зачем она это сделала?

— Нет. Я понял.
— Когда приедешь?
— Сейчас.
— Не спеши. Не нужны мне никакие жертвы. Приезжай вечером. Пока.
— Целую, — услышала она и с недоумением посмотрела на телефонную трубку в руке. Какой он все-таки! Потом тихонечко прижала трубку к губам и улыбнулась.
...Герман пил на кухне растворимый кофе, самостоятельно сделав себе еще и огромный бутерброд. Увидев Ксению, иронично хмыкнул:
— Ну что, пала к ногам? Подобрали?
— Ты мальчишка! — разозлилась Ксения.
— Ха! Слушай, у нас еще есть время... Молчишь? Ну, если ты так хочешь детей, не кажется ли тебе, что маленький зеленоглазый брюнетик куда как симпатичнее, чем глупенький прилизанный блондинчик? А поскольку все случится в один день, то твой бывший и он же будущий муж...
— Вон.
— Сейчас. Доем только.
— Герман, чего тебе в общем-то надо?
— Спасения. — Нет, с ним невозможно серьезно говорить! В зеленых глазах болотные огоньки пляшут. Весело ему!
Ксения покачала головой:
— Ты долго еще будешь бродить по свету, испытывать женщин на прочность — сколько они смогут терпеть твои выходки, хамство твое.
— А что я такого говорю?
— Расстанемся. Ты получишь половину всего.
— Половину?
— Ну, Звягину ничего не нужно, как он говорит, а мы с...
— А если ему мало?
— Нет. Ты все врешь.
— Я никак не могу понять: была бы ты лучше, ес-

ли бы была хоть чуточку умнее, или хуже? Доброта глупа. Но из всех человеческих качеств это вообще-то самое дефицитное и ценное. Для меня, по крайней мере.

— Ты уйдешь?

— Если честно, это в моей жизни первый раз. Женщина выставляет меня за дверь ради другого мужчины. Очень необычно и интересно. Я, пожалуй, пересмотрю свои взгляды на жизнь. До сих пор мне не везло. Но учти, Черри, когда я разберусь в том, что произошло, я могу и обидеться.

— Ты очень и очень милый. — Ксении вдруг стало его жалко. В самом деле, не везло парню. Сделали из него какую-то игрушку только потому, что он так красив и беззащитен. И добавила: — Ты лучше, чем мой бывший муж.

— Вот спасибо! Значит, все дело в нем?

— Мне надо заняться ужином.

— Все понял. Ладно, Черри, до свидания.

Он почему-то медлил в дверях. И Ксения подумала, что хоть и должен мужчина уметь принимать решения, но как же это иногда тяжело! Особенно, если хочешь понять этот мир только через собственные ошибки.

40 : 15

Хотя она и посоветовала бывшему не спешить, но сама решила на всякий случай побыстрее покончить с делами. Иногда так хочется, чтобы мужчина не был таким послушным! Как ему об этом сказать? Невозможно. Но сам ведь ни за что не догадается!

Ксении казалось, что именно этот вечер она ждала много-много лет. Отодвигала его до тех пор, пока совсем не за что стало зацепиться. Ничего не осталось. Ни-че-го. И жить страшно, а умирать страшнее. Это когда у человека впереди вечность, он может позволить своему счастью бродить где-то далеко — то подпуская его поближе, то прогоняя прочь. Жить ожиданием и знать, что самое хорошее в будущем, а не в прошлом. Но надо чувствовать, когда это счастье может уйти совсем, когда нить между ним и тем, кто отпускает, натягивается до предела. Один маленький рывок — и дальше можно ждать уже до бесконечности — не вернешь.

Она даже напевала тихонько, пока накрывала на стол. Как давно всего этого не было! Где он, тот короткий любовный сонет, который так и не стал длинным романом? Может, пришло время его дописать? Теперь раздражавшие раньше атрибуты приятного вечера вдвоем казались ей вполне уместными. Свечи на столе? Что ж, не так заметно, когда лицо вдруг краснеет! Вечернее платье? А когда ж его еще надевать? Потом, в шкафу, оно будет пахнуть не только духами, но и теми воспоминаниями, которые и через много лет вызывают у женщины легкую лихорадку: было же... Было!

Как упоителен для женщины сам процесс подготовки к любовному свиданию! Множество мелочей, которые надо предусмотреть: чтобы бретелька не выглядывала из глубокого выреза, чтобы духами пахло чуть-чуть, чтобы, не дай бог, не размазалась помада, и — главное — не забыть про мясо в духовке. А как же? Чтобы не пересушилось, но и не остыло.

Ксения облизнула пальчик и подумала: рано! Надо внимательно смотреть в окно. Стемнело, но возле подъезда горит фонарь. Он обязательно должен там пройти. И, как только появится, значит, пора включать духовку. Пока поцелуи в полутемной прихожей, пока бокал холодного шампанского под салат, пока... Ах!

Она впервые находила для себя столько дел. Какая наполненность после всей пустоты и скуки! Поистине ничто не может занять женщину целиком — только любовь. Недаром говорят: всепоглощающе чувство. Куча житейских мелочей, в обыденной жизни таких значительных, вдруг исчезает. Волшебство, да и только.

Она уже полчаса смотрела в окно, хотя понимала что если уж он решится отработать день до конца, т ждать еще рано. Но все равно не смотреть не могла Потом вспомнила о салфетках, которые забыла положить на стол, метнулась в комнату, а когда вновь приникла к окну, то увидела, как он идет к подъезду Знакомые светлые волосы, отличная фигура, тольк почему куртка, а не пальто? А где его машина?

Ксения заметалась, потом бросила к плите и включила духовку. Подбежала к зеркалу в прихожей, наскоро брызнула на прическу лаком для волос. Господи, как хорошо-то! Она замерла, представив, что вот сейчас раздастся звонок, и его теплы губы снова станут родными...

Звонок.

Ксения рванула дверь и замерла: на пороге стоя Звягин.

5 : 4

— Подожди, я духовку выключу, — бесцветны голосом сказала Ксения.

Повернув ручку, она еще несколько минут стояла неподвижно, приходя в себя. Какое разочарование Она бы ни за что не открыла Звягину дверь, если б не перепутала его с бывшим. Надо же — так похожи! Ведь смотрела же в окно и заметила другую одежду, отметила, что нет машины! И все равно ошиблась.

И снова в памяти взволнованный голос подруги — сирень, скатерть с бахромой и запах одеколона... Ксения даже принюхалась: ничего.

— Проходи, — сказала она и поняла, что это в пустоту: Звягин давно уже в большой комнате. Стоит, сунув руки в карманы. Злой.

— Так. Готовишься, значит?

Она не поняла.

— Что тебе здесь надо?

— И кого ты ждешь?

— А моя личная жизнь тебя не касается! — с ходу ответила Ксения.

— Верно, — легко согласился он. — Не касается.

— Тогда зачем пришел?

— А почему ты открыла?

— Я подумала...

— Ах да! Номер четыре. Когда я его увидел, то подумал: пора! Скажи, а вот ты знаешь, что такое ревность?

— Я? — удивилась Ксения. — Но ведь...

— Почему прощают измену?

— Ну, не все прощают.

— Прощает тот, кто знает: у него есть шанс. Тебе давно надо было это сделать. — Ксения удивленно подняла брови.

— Что сделать?

— Простить, — пояснил он. — Может, не было бы тебя, и в моей жизни все было бы по-другому.

— Я-то здесь при чем?

Он внимательно оглядел накрытый стол.

— Так. Ее посуда. Шампанское на ее деньги. И вообще это ее дом. А не легко тебе все это досталось? И как я раньше не вспомнил об этом глупейшем завещании? Из-за какой-то бумажки вся жизнь теперь летит к чертям! Надо было в тот же день сжечь бумаженцию.

— Ах да, ты же единственный знал! — сообразила Ксения.

— Не повезло. Значит, у вас тут сейчас будет совет в Филях? Ну, и как убить Наполеона?

Ксения взглянула на часы:

— Звягин, уходи, пожалуйста!

— Не волнуйся: я не свиданию пришел мешать. Просто хочу, чтобы вы оба поняли: ничего не выйдет. Я догадался. Ко мне ведь следователь приходил. Рыжего больше нет. Кислороду еще больше. Он прав: меня дома не было. Но ведь его не было тоже! Я долго звонил в дверь. А когда все понял, то подготовился.

Ксения попятилась, потому что он сунул руку за пазуху.

— Ты ненормальный?

Спиной она почувствовала спинку кресла: «Не поднять. Чем бы в него таким кинуть?»

Гейм десятый

15 : 0

Он вынул из внутреннего кармана куртки пистолет и показал Ксении:

— Вот. Вчера купил.

Пистолет ему нравился. Игрушка для настоящего мужчины. С оружием в руках он совершенно успокоился:

— Не дергайся. Я сейчас уйду.

— Это все? Ты приходил мне пистолет показать?

— Посмотреть: может, он врал? Ну, этот. Все они под номерами. Мне на самом деле давно уже жить не хочется. Но только не так — понимаешь? Нельзя умирать только затем, чтоб кто-то думал потом, что он самый умный. Я лучше в тюрьму сяду. Грехи надо искупать по полной программе. Одумайся, Черри. Отговори его.

— Хорошо, — согласилась Ксения.

Она не понимала, о чем он говорит, кто ему позвонил и что сказал при этом. Она поняла только одно: Звягина кто-то очень долго раскачивал и наконец вывел из равновесия. Человек явно не в себе, и кто знает, сколько он еще будет размахивать тут своим пистолетом?

— Хорошо, — повторила она.

— Да? Ты, значит, поняла?

— Да.

— Скажи ему, что я подготовился. Если бы он просто попросил у меня денег... Но люди так устроены, что им все мало, мало... Положи рядом кошелек на веревочке, и будет видно, что это веревочка, но рука-то все равно потянется. А вдруг удастся схватить? Вдруг да раньше, чем за нее дернут? Но ведь деньги придумал кто? Человек! Выходит, что сам себе придумал главную в жизни проблему?

— Уходи, Звягин! — взмолилась Ксения. — Темно уже.

— Темно? Да, темно. Хорошо, хорошо. — Он почти успокоился. — Любовь — это хорошо. Ты все правильно делаешь, Черри.

Ксения тихонько подталкивала его к двери. Надо же! Все испортил! Хоть бы они в дверях не встретились! Вот еще, водевиль получится!

— Я было подумал, что ты лучше, — задержался он в прихожей. — Тогда, на кладбище.

— Да уходи же!

— Все, все.

Она захлопнула наконец дверь и на всякий случай приперла ее спиной. Действительно, все. Псих ненормальный! Надо срочно следователю позвонить, сказать, что у Звягина пистолет и что он ненормальный. Звягин, не пистолет. Пистолет, кажется, в порядке. Звягин барахло не будет покупать. У него вон какой шикарный джип! И денег куры не клюют, это сразу чувствуется. Знать бы еще, где он их берет. Поделился бы секретом. И кстати, где он сам?

Ксения подбежала к окну. Джипа внизу не было, зато машина ее бывшего мужа уже стояла у подъезда. Под самым окном спальни поставил, чтобы ночью можно было встать с постели и проверить. Конечно, о машине тоже стоит подумать. Ксения усмехнулась и вдруг сообразила: да что ж это она? Приехал!

И включила духовку.

30 : 0

В дверь почему-то долго не звонили. Ксения подумала, что он, наверное, внизу, ждет лифт. А маленький опять сломался... Горе-то какое: не подъезд, а развалины старого мира. Ну почему именно его облюбовали бомжи?

Множество глупых мыслей со скоростью с десяток за одно мгновение проносилось в голове, пока она стояла в полутемной прихожей. «Вот сейчас. Вот сейчас...» — вместо пульса ритмично отсчитывало сердце.

Звонок.

Она метнулась сначала к зеркалу, потом схватила с полочки расческу, потом ледяными ладонями тронула щеки и наконец сообразила: надо открыть. Всего несколько мгновений осталось до того момента, когда жизнь начала новый отсчет: до и после. Но она этого не знала. Пока не открыла. Она опять опоздала.

Он лежал у порога, по ту сторону двери, из уголка рта — черная струйка крови. Мягкие светлые волосы, до которых Ксения дотронулась, пахли чем-то сладким.

— Андрюша! — позвала она, присев на корточки. — Эй!

И тут же подумала: «Почему не было слышно выстрела?» Потом вдруг увидела на полу кровавый след. От лифта до самых дверей. Его убили не здесь, но зачем-то приволокли к этому порогу, положили и позвонили в дверь. Зверь принес к норе свою добычу: показать.

Ксения подолом вечернего платья стала вытирать ему рот. Почему-то не хотела, чтобы смерть в нем что-то испортила. Совершенную гармонию его лица, которое застывало в ее руках.

Она вдруг опомнилась: поняла, что на улице очень холодно, вечернее платье открывает руки и спину, шея тоже голая, а из окна на лестничной клетке сильно дует. И он без шапки, в драповом осеннем пальто.

— Сейчас, сейчас, Андрюша, — сказала она и, открыв пошире дверь, стала заволакивать его в прихожую. Он был очень тяжелым: высокий, сильный мужчина в ее неумелых руках с ненужным теперь маникюром. В прихожую Ксения втащила его с трудом и, только закрыв дверь, вздохнула облегченно. Потом с гордостью сказала:

— Я всегда была сильная, Андрюша.

Потом села рядом с ним на пол и стала плакать тихонечко-тихонечко, как будто он спал, а она просто боялась разбудить...

...В дверь уже давно и очень настойчиво звонили. Ксении даже показалось, что она задремала. Время проваливалось в пустоту, не оставляя в памяти никаких событий. А куда теперь спешить? Спешить надо было раньше, пока он был жив. Не наказывать, если знала, что все равно простит. Спешить.

Если с чем и стоит торопиться, так это с прощением. Потому что если не успел наказать, то потом этому только порадуешься, а если не успел простить...

Она не успела. И теперь, никуда уже не спеша, открыла дверь. На пороге стояла взволнованная соседка: дама средних лет с прижатой к груди черной кожаной сумочкой. Лицо у дамы было раздраженным:

— Ксюша, что это такое? — Рукой в черной замшевой перчатке дама указывала на кровавый след: — Кто это все будет убирать?! Да что там у тебя?

Она шагнула в прихожую и почти споткнулась о тело бывшего мужа Ксении. Сумочкой прикрыла рот и взвизгнула:

— Мамочки! Да здесь же человека зарезали!

— Не надо так кричать, Татьяна Георгиевна, — попросила Ксения.

— Да как же это... Мамочки! Маньяк!

И соседка осела на пол. Потом, дав ей воды, Ксения позвонила следователю. Она уже никуда не спешила, да и он совершенно спокойно сказал:

— Что? Муромского зарезали? И где?

— Возле моей двери.

— Что ж... Вы только сразу не умирайте... Черри...

Она почему-то вспомнила Лидушу. Ее, Ксении, собственные дети так и останутся теперь в той жизни, которая могла бы быть у нее, если бы она поспешила. А вот Лидуша успела. Но она может этого так и не узнать. Надо ей сказать. Обо всем. И о счастье, и о прощении. Лидуша должна узнать, как ей все-таки повезло.

Очнувшаяся соседка устроила настоящую истерику. Смерть человека близкого и чужого воспринимается людьми совершенно по-разному. Ксении хотелось, чтобы он так и остался лежать в этой прихожей, а дама причитала, беспокоясь только о том, чтобы поскорее приехали и увезли мертвеца.

— Милиция, где милиция? — то и дело вскрикивала она.

— Да идите же вы отсюда, Татьяна Георгиевна! — не выдержала Ксения.

— Я могу идти? Да-да. Могу. Я не понимаю: я что, свидетель? Ксюша, так это ты его зарезала?! — ахнула женщина.

Ксения ничего не ответила, но поняла наконец, что он мертвый. И никуда не денется из этой прихожей. И не надо больше ловить его на слове, бояться, что он кого-то убил, выгораживать, вытряхивать пепельницы, двигать мебель. Она ошибалась.

— Первый, второй, третий, четвертый... — догадалась наконец она.

В дверь опять звонили, и Ксении пришлось открыть.

— Чем это здесь так пахнет? — принюхался следователь.

Из кухни по всей квартире и лестничной клетке плыл вкусный запах приправ, в которых тушилось сочное мясо.

— Духовка, — сказала Ксения. — Мясо, кажется, готово...

30 : 75

Все время, пока в квартире находились посторонние люди, она сидела в гостиной, в уголке дивана, и не могла отделаться от мысли, показавшейся в первый момент абсурдной. «Должно быть, я сама этого хотела», — думала Ксения, глядя, как следователь, сидя за столом, пишет протокол. «Хотела, чтобы все было именно так. Не нарочно хотела, не явно, а где-то очень-очень глубоко в себе. Там, откуда даже мысли не допускается в сознание. Ведь как у Луны есть обратная сторона, так у человека есть запретная зона, которую он и сам в себе не до конца исследовал. И из этой темной зоны берется то темное, что самому противно, но тем не менее оно проникает в сознание и действует, словно яд. Только убивает медленно, начиная не с тебя, а с твоих близких...»

... — Итак, вы говорите, что сначала к вам пришел Звягин.

— Да.

— И угрожал пистолетом.

— Он не угрожал. Он просто показал, что купил его.

— Зачем?

— Я не знаю. Ему кто-то позвонил. Сказал, видимо, что это его собираются убить.

— Кто? Ваш муж? — выпрямился в кресле следователь.

— Бывший. Бывший муж, — поправила его Ксения и только теперь поняла, что это правда. Теперь уже и на самом деле — бывший.

— Вы хорошо держитесь. — Он очень внимательно на Ксению посмотрел.

Она разозлилась:

— По-вашему, я должна в истерике биться? И что же мне делать — кричать? Нет такого крика... и слов таких нет. Чтобы вернуть... вернуться.

— Скажите, вы улики уничтожали, чтобы Муромского не заподозрили, да?

— Он очень хотел освободиться. А человек, который ищет свободы, он на все способен. Способы ему уже безразличны.

— От чего же он так хотел освободиться?

— От Жени.

— Они ж давно расстались.

— А вы? Вы ничего в себе не сохранили от первых двух жен?

Он усмехнулся:

— Привычку бояться. Каждый день прихожу домой и боюсь, что в квартире больше нет женских вещей. Если человек становится вдруг подозрительным, он начинает подозревать всех и во всем. Я перестал доверять своей жене. Все эти любови, любовники, приторные красавцы... Меня же все время нет дома! Что она делает, а? Я тебя, Черри, спрашиваю: что она делает?

— Но... Она разве не работает?

— Работает. Парикмахершей в мужском салоне. Каждый день стрижет эти головы. Блондины, брюнеты, рыжие...

— Борис Витальевич!

— Блондины, брюнеты, рыжие... — обреченно повторил он.

— Но теперь же все ясно, да? Их же только двое осталось.

— Да. На выбор: убийство из-за денег или из ревности.

— Из какой ревности?

— Из какой? Вы у меня спрашиваете?!

— Но Звягин...

— Был он в тот день на стадионе. Я в этом уверен. Оба были. И один знает про другого, что он убил. Только кто про кого?

— Звягин — бандит, — уверенно сказала Ксения.

— А честных бизнесменов сейчас нет. Кто кого грабит: один конкурентов, а другой государство. А то и сразу обоих. За Звягиным, между прочим, никакого криминала не числится. Возможно, что от налогов он уклоняется, но конкурентов не заказывает. Это потому что не старается прыгнуть выше головы.

— Постойте, какой бизнесмен? Каких конкурентов? — удивилась Ксения.

— Я про Звягина. У него имеется фирма, торгующая оборудованием для пищевой промышленности. Когда-то он закончил институт, получил диплом инженера по производству всяких там съедобных изделий, Черри. Это я для вас обобщаю, вам же не детали интересны. Потом работал на фабрике, в цеху, где делались колбасы. Начальником производства. Но тут его сманила одна дамочка к себе в фирму. Я навел справки. Все говорят, что Звягин — хороший специалист. И психолог. Он быстро понял, что дамочке как следует не развернуться. И открыл свой филиальчик. Ушел из-под нее, одним словом. Сейчас же много всяких маленьких заводиков. Кто макароны производит, а кто, извиняюсь, самогон. Так вот Звягинская фирма и занимается тем, что закупает за рубежом оборудование и здесь, в России, его весьма удачно продает. Ну и с нашими умельцами связи налаживает. Звягин отслеживает, кто занимается производством такого оборудования в России и размещает свои заказы. Потом перепродает на периферию. Словом, не вдаваясь в подробности, дела у него идут. Умный мужик, хотя и молодой еще. Все так говорят.

— Но почему же он никогда об этом не рассказывал?!

— Не знаю.

— И давно у него эта фирма?

— Лет пять. Молодой, да ранний, как говорится. Своими мозгами мужик дело поднял. На родителей не надеялся. Мать — учительница, отец — работяга. И вот что интересно: два года назад он посадил генеральным директором своего старшего брата Николая.

— Кирилловича, — шепотом сказала Ксения.

— Ну да. Николай Кириллович Звягин — второй генеральный. А наш герой ушел в тень. Что-то ему в этой жизни не давало покоя. Чтобы с таким напором идти к цели, надо чтобы кто-то тебе в спину здорово дышал. Не ради денег Звягин все это делал.

— Почему?

— Деньги ради денег — это только для людей больных. Для которых цель жизни — простое накопительство. Но таких мало. Всеми остальными движут амбиции: «Я хочу, чтобы меня заметили». Если ты гениальный актер или, скажем, писатель, то тут все ясно. Знай себе пиши или в кино снимайся, а слава тебя найдет. А если нет никаких особых талантов? Тогда, Черри, остаются только деньги. Заработать их столько, чтобы все сказали: «Вот это да!» А для современных женщин достаточно отличной тачки, приличной квартирки и возможности ничего не делать с утра до вечера, неплохо при этом одеваясь и сладко кушая. Для любой бабы, которую ты случайно на улице остановишь, это — предел мечтаний.

— Это плохо? — прошептала Ксения, краснея от стыда.

— Нормально. И если тебе нужна такая, то твой способ быть замеченным тоже нормален. А что делать, если ты любишь талантливую женщину? Женщину, можно сказать, неординарную?

— Я не знаю, — все так же тихо ответила Ксения.

— Ты ее отпугнешь своей ординарностью, своей нормальностью.

— Но кем? Кем он хотел быть замеченным?

— Я так думаю, что вы уже и сами это поняли, Ксения Максимовна.

— Мне нехорошо. — Она вжалась в кресло. Вот оно: сирень, скатерть с бахромой, запах дешевого одеколона. Она же все знала с самого начала!

— Водички?

— Я прилягу. Куда вы его сейчас?

— В морг. На вскрытие.

И Ксения поняла, что теперь ее всегда будет тошнить от запаха жареного мяса. Он так и останется запахом смерти. «Надо будет все это выбросить поскорее», — подумала она.

40 : 75

Утром Ксения зашла на рынок, набила фруктами сумку, купила соку и минеральной воды и поехала к Лидуше в больницу.

— Ну как она? — спросила Ксения у вышедшего к ней врача.

— А вы кто будете? Родственница?

— Сестра, — ответила Ксения.

— Да? Родная? Что-то не похоже. — Врач с сомнением посмотрел на ее лицо.

— Бывает. Как ребеночек?

— А что ребеночек?

— Ну как, — замялась Ксения. — Мог же выкидыш быть.

— Это только в сериалах бывает. В бразильских, — усмехнулся врач. — Чуть споткнулась — и выкидыш. А русские женщины, они, знаете ли... Да... Одним словом, русские женщины. А сестра ваша — крепкая, здоровая девушка. Насколько я помню, спортсменка. Отличное здоровье, упругие мышцы. Нервный стресс, конечно, мог на ребенке отразиться, но это только время покажет. А родить она родит. Если захочет, конечно.

— Как это? — вздрогнула Ксения. — Как она может не захотеть?

— Это вы с ней сами разбирайтесь... сестра.

Он хмыкнул выразительно, но Ксению в палату велел пропустить. Она с трудом узнала среди лежащих женщин Лидушу. Господи, все на одно лицо! Сидят тут в четырех стенах, истосковались. В этой палате, насколько поняла Ксения, женщины лежали на сохранении. С плохими анализами или с болезнями, которые осложняли беременность. Лидушина койка стояла с краю, у стены. Сама она тихонько дремала, прикрыв одеялом голые ноги.

Ксения присела рядом, подумала, что пришла не вовремя. Жалко будить. Но Лидуша вдруг открыла глаза:

— Ты?

— Ну как дела? — спросила Ксения тем искусственно веселым голосом, которым разговаривают только с тяжелобольными.

— В порядке, — поморщилась Лидуша. — Ты зачем пришла?

— А что родители говорят? Ты же не одна.

— Одна. В этом городе одна. Меня кормить некому. Тем более с ребенком.

— Ладно, хватит стонать. Пойдем прогуляемся.

— Никуда я не хочу!

— Пойдешь, — жестко сказала Ксения. — Постыдись: здесь больные лежат. А у тебя только что с головой не в порядке.

Лидуша спустила ноги с кровати. Ксения тут же заставила ее надеть шерстяные колготки и кофту. Вместе они пошли по длинному больничному коридору. Топили хорошо, в палатах было слишком жарко и душно. Выйдя из отделения, Лидуша открыла рот и начала жадно дышать.

— Ну вот и все, — сказала Ксения. — Завтра, если хочешь, домой поедем.

— Куда домой? Я не поеду!

— Твою квартиру мы продадим. Я сегодня же буду звонить в агентство. Тебе там нельзя.

— А как же долг? — упавшим голосом спросила Лидуша.

— Часть отдадим, как только продастся квартира. Остальное — как только можно будет получить деньги с Жениного счета. Он подождет. Не зверь же, в самом деле...

— А если нет?

— Подождет. Не из жалости, так за проценты.

— Какая ты смелая!

— Кто, я? — Ксения очень удивилась. Всегда была трусихой. Ее обсчитывали и обвешивали, где только могли. Она не умела ругаться за себя. Другое дело — Лидуша. За нее можно. — Ну, успокоилась?

— Ксюша, Генку жалко...

— А ты такого же родишь. Кто у тебя? Мальчик?

— Не знаю еще.

— Мальчик. Красавчик будет.

— Как Генка? — спросила Лидуша.

— Как Генка. — Ксения думала о своем. Из больничной кухни потянуло запахом жареного мяса. И сразу захотелось плакать. Ну почему же так плохо-то, а?

— Ксюша, что с тобой? Что-то случилось?

— Нет-нет. Случилось, конечно. Но уже давно. Очень-очень давно. Четыре года назад. А может, и раньше...

...Потом она шла по улице и думала о том, что с сегодняшнего дня чувствует себя очень странно. Память упорно отсчитывала время так, что Ксения жила словно бы не вперед, а назад. Начиная с сегодняшнего сна, ее мучили только воспоминания. Она цеплялась за каждый день, который был во время того короткого счастья с бывшим мужем и до него. И каждый этот день хотелось пережить заново. Настолько сильным было желание вернуться в прошлое, что Ксения в итоге добралась и до собственного детства. Как же было хорошо-то! Пусть родители любили ее не так сильно, как старшего брата, пусть у нее не было таких дорогих игрушек, как у Жени, не было отличных оценок, не было теннисной ракетки и не было дачи в сосновом лесу. Но можно было летом на несколько дней поехать к подруге. К своей однокласснице Жене Князевой. Шесть мгновений маленького детского рая, раскладушка на террасе, в открытое окно заглядывают ветки сирени. А запах? Это не майская сирень, а поздняя, та, что цветет в начале июня. Цветки мохнатые, темно-бордовые. Господи, ну почему она решила, что «Саша» — это название одеколона? Ведь того мальчика тоже звали Сашей!

Следователь прав: она давно уже все поняла. Жаль только, что опоздала.

5 : 5

Из больницы Ксения поехала на фирму, где работал бывший муж. Почему-то ей захотелось увидеть ту женщину, из-за которой все так глупо вышло.

— Вы к кому? — спросил ее охранник.

— Насчет работы, — сказала Ксения привычный пароль. Все начальники не устают ждать супергероев, которые за маленькую зарплату будут совершать большие подвиги во имя чужого кармана, поэтому набор сотрудников не прекращают. А Ксения, видимо, выглядела неплохо, потому что охранник ее пропустил. Правда, пришлось посидеть на диване перед секретаршей, но Ксения со вчерашнего дня никуда не спешила. Наоборот. Наконец секретарша кивнула:

— Проходите.

На этот раз дама была в темно-синем брючном костюме, а не в светло-голубом. Но выглядела так же отлично.

— Опять вы? — удивилась она. — Что на этот раз?

— Его вчера убили.

— Как это? Его нет на работе, но... Вы серьезно?

— Скажите, где он был позавчера вечером?

— Подождите, подождите... — Дама кончиками пальцев тронула виски. Ксения внимательно следила за ее лицом. Очень крепкие нервы, но тем не менее ей жаль. У таких людей горе проявляется в сильной рассеянности. Они выглядят совершенно спокойными, но вдруг начинают отвечать невпопад.

— Он был с вами? — спросила Ксения, а в ответ получила:

— В дверь очень долго звонили.

Женщина тяжело встала, подошла к окну. По дороге споткнулась о ковер, но, обретя равновесие, еще сильнее выпрямила спину. Ксения ждала. И услышала повтор предыдущей фразы:

— Да, в дверь звонили.

— Почему же вы не открыли?

— Из-за вас. Ведь я его почти потеряла. Я недавно сказала вам очень глупую фразу: «Я вам его не отдам». Помните? Как-то неудобно отступать перед девчонкой. Я просто очень растерялась в тот момент.

Ксения удивилась. Эта женщина растерялась? Да она даже на мгновение не вышла из себя! Как и сейчас. Всякий может споткнуться о ковер.

— И я сама не поняла, как у меня это сорвалось с языка. Ведь он давно хотел меня бросить. Звонил Евгении, просил помочь с работой. Я знала. Мы до последнего момента поддерживали связь. И в этой истории с ее мальчиком... Впрочем, о чем это я? Ах да, об Андрее. Он хотел меня бросить. А что делает женщина, когда понимает, что мужчина собрался от нее уйти? Она пытается стать ему близким другом. Смешно, но что делать? В то утро, когда вы пришли, помните?

— Да, конечно.

— Я зашла к нему буквально за несколько минут до этого.

— Но он вышел ко мне в халате!

— Мы же долгое время были любовниками. Ему не было необходимости при моем появлении надевать галстук и пиджак. Если бы вы зашли в комнату...

— Нет! — Ксения испугалась.

— Вы еще очень молоды. Вам кажется, что впереди вечность. Поэтому можно оставить выяснение отношений на потом. И дать шанс другой женщине. Это щедрость, конечно. Но и... глупость. Простите.

— Ничего.

— А потом он просто испугался. Надо было брать на себя заботы о вас, а он так привык за последние годы, чтобы заботились о нем. Красавец, не правда ли? Жаль.

— Так позавчера...

— Да, мы были вместе. Если хотите, я выпросила это прощание. Ну, вы понимаете: свечи, романтическая музыка, мясо в духовке.

Ксению снова затошнило. Дуреха! Какая же дуреха! Она словно провалилась, пропустив несколько предложений.

— ...нельзя. У меня дети, муж, няни. А у него квартира свободна. И я приехала заранее, со своими ключами. — Она грустно усмехнулась. — Как раз позавчера должна была их вернуть. Вернула. Перед этим мы поужинали. И, знаете, ничего и не было. Ну, вы меня понимаете. И я сама себе удивилась. Оказывается, и не это совсем было нужно. Не близость с ним. Он ведь, в сущности, был неплохим человеком. Любой бы на его месте поступил бы точно так же. Выбрать тот путь к успеху, который единственно тебе доступен. Ведь природа не дала ему ничего такого, кроме потрясающей внешности. И на него просто приятно было смотреть... Мне жаль, — добавила она.

— Так почему же все-таки вы не открыли?

— Чтобы у вас с ним все было хорошо.

Ксения чуть не заплакала:

— Но я бы не пришла! Я бы никогда не пришла!

— Что, надо было в глазок посмотреть? А вам не кажется, что это выглядело бы очень смешно?

Конечно смешно: эти двое на цыпочках у двери. Респектабельная дама в возрасте под сорок и почти герой сериала. Со стаканом бренди в руке. Смешно!

— Сколько же было времени? — упавшим голосом спросила Ксения.

— Девушка, ну кто в такие минуты смотрит на часы?

— Да, конечно. Я понимаю.

— Ничего вы не понимаете! Вам сейчас кажется, что вы жизнь прожили, а у вас впереди еще две, три таких жизни. А я... А мне...

Она отвернулась к окну. Постояла так несколько минут, даже плечи не дрогнули. Ксения почему-то старалась не дышать. Надо было что-то сказать, но что? «Мне очень жаль»? Или: «К сожалению, мы друг друга не поняли». Будь прокляты слова соболезнования, которые от долгого употребления стерлись, словно древние монеты! И никакого золота в них не осталось, так, разменная мелочь, которой швыряются не жалея. Ксения, словно в кошельке, порылась в памяти, но настоящего золота так и не нашла. Промолчала.

— Я, пожалуй, поеду сегодня домой пораньше. — Женщина отошла от окна, уже вполне собравшаяся с духом, доброжелательная и корректная, как и прежде. И добавила: — Прямо сейчас. Вас подвезти?

— Ой, да я не знаю даже. Неудобно, — замялась Ксения и подумала: «Я даже имени ее не знаю. Спросить неловко, тем более неловко пользоваться ее услугами».

— Пойдемте к машине. Нечего стесняться.

Они вместе вышли в приемную. Ксения никак не могла очнуться. Оказывается, она потеряла гораздо больше, чем могла предположить. И теперь обижаться надо только на себя и спрашивать с себя. Но толку-то?

Гейм одиннадцатый

0 : 15

Уже в лифте женщина неожиданно спросила:

— У вас материальные затруднения?

— У меня? — удивилась Ксения. — Не знаю.

— Вы должны знать...

Она замолчала, потому что в лифт вошли двое мужчин. Возникла напряженная пауза, потому что те двое, видимо, тоже разговаривали о чем-то для них важном. Крошечный движущийся пятачок пространства, и на нем четверо топтались, в ожидании конца движения. Еще одна нелепость — сколько же их в жизни? Она уже почти не слушала спутницу.

— ...чувствовал, — долетело до нее.

— Что, простите?

— Свою вину. И он все время говорил про кольцо, которое сжимается.

Ксения усмехнулась:

— Да, именно так он и мог говорить. Такими словами.

— Он все оставил вам. Квартиру, имущество.

— Глупость какая! — Ксения вспыхнула. — Стоило с такими усилиями отнимать!

— Вы всегда можете ко мне обратиться.

— К вам?!

— Вы думаете, так просто делать зло? Увольнять, наказывать, заниматься мужскими делами? Я не такая уж стерва, как думают мои подчиненные. Можете у меня работать.

— Спасибо.

Они подошли к машине, и Ксения без зависти отметила, что эта женщина отлично держится. Естественно, не стараясь привлечь внимания окружающих к своему весьма престижному мотору.

— Садитесь, пожалуйста.

— Да, сейчас. — Она заметила Германа возле стоянки. Тот поймал взгляд Ксении, махнул рукой. Она нагнулась в салон: — Извините, здесь мой знакомый.

— Знакомый?..

— Вон тот парень в черной куртке нараспашку и белом свитере.

Дама слегка пригнулась, и у Ксении возникло такое чувство, что она хочет спрятаться:

— Я тороплюсь, извините.

— Да ничего страшного, — пожала плечами Ксения. Богатые так переменчивы! Только что чуть ли не в подружки набивалась, а теперь торопливо захлопнула дверцу перед ее носом. Ну и не надо! Ксения даже не обиделась, надела на голову капюшон и пошла прочь.

— Черри! — Женщина смотрела на нее поверх опущенного стекла. Напряженно и словно жалея. — Вы не обиделись?.. — Герман быстро пошел навстречу Ксении. Женщина вздрогнула: — Я непременно позвоню.

Машина рывком тронулась с места. Ксения даже отпрыгнула на руки Герману. Он подхватил ее, бросил раздраженно:

— Не терплю этих богатеньких сучек! Ни машину не жалко, ни тем более людей! Все брюки обрызгала! Кстати, кто это? Не успел разглядеть.

— Это та самая любовница, которой ты меня пугал. Господи Боже, ну сколько можно за мной ходить! — вдруг очнулась Ксения. — Откуда ты взялся?!

— Значит, она уехала? — задумчиво спросил Герман.

— Да! Уехала! Сбежала! Ты, который все знаешь, что тебе от меня нужно?!

— Что-то случилось?

— У меня больше нет мужа. Ни бывшего, ни... Вообще никакого нет! Ты хоть понимаешь, как я его любила?!

— Ничего... Ничего, Черри. — Он прижал ее к своей куртке так крепко, что Ксения щекой почувствовала жесткие швы. — Это пройдет.

— Да не хочу я. — Она попыталась вырваться. — Я не хочу, чтобы это проходило! Я закроюсь от всех! Я никого не хочу видеть! Буду носить этот траур всю жизнь! И растить чужого ребенка!

— Какого еще ребенка?

— Перестань за мной ходить.

— Какого ребенка, Черри?

— Исчезни. Это ведь ты звонил им в дверь?

— Куда?

— Да перестань! Если тебе деньги нужны, то можешь хоть все забрать. Но пойми наконец, что в таких случаях человеку нужно одиночество. О-ди-ночест-во. Непонятно?

— Нет! Мне не нужно одиночества.

— Вон их сколько! — Ксения обвела рукой широкий круг. — Пиши свой телефон всем подряд, хоть на лбу. У тебя высокий процент попадания.

Не поворачиваясь к нему спиной, она попятилась в сторону метро. Он шагнул следом:

— Черри!

— Все-все-все! — Руки Ксении беспорядочно рубили воздух. Она впервые заметила, что на нее и Германа смотрят. Причем все. Вот он, центр всеобщего внимания, лобное место, которое можно создать, где захочется. Но никто не осмелится переступить ту невидимую черту, которая отсекает чужое горе. Никто!

Она долго еще шла не в толпе — одна. Пока те, кто видели, как она кричала, не разошлись наконец каждый в свою сторону.

30 : 0

Ксения долго возилась с замком, пытаясь открыть дверь. То ли руки не слушались, то ли в квартиру идти не хотелось. Полы на лестничной клетке уборщица успела вымыть, но бурые разводы остались. Наступать на них было страшно.

Войдя в прихожую, она снова почувствовала смутную тревогу: «Ну вот, опять!» В квартире кто-то побывал. Больше всего изменений Ксения заметила в спальне. Кровать оказалась примята, и ее даже не стали оправлять и приводить в порядок, как все остальное. Он, видимо, лежал здесь и курил. Причем, затушенный окурок лежал здесь же, на тумбочке. Точно такой же, какой она подобрала возле двери, за которой он ждал Анатолия Воробьева. Сигареты, к которым всех их приучила Женя.

«Милицию бы сюда позвать», — подумала Ксения. Она не стала ничего трогать, даже в сейф не заглянула. Все вокруг было чужим: и стены, и мебель, и жизнь. То, что в квартиру в любой момент мог зайти посторонний, только подтверждало это. Проходной двор для своего и чужого горя.

«Может, и правда уехать? Чемодан еще не разобран», — вспомнила Ксения. Потом достала из шкафа альбом с фотографиями, который смотрел Анатолий в тот день, когда его убили. Вот она, дача в сосновом лесу. С чего все и началось много лет назад.

Женя была права: все берется из детства — и плохое, и хорошее. Тогда же у человеческой души формируется обратная сторона. Та, которую, как у Луны, никто никогда не видит. Там замыкается цепь ассоциаций, которые влияют на человека подсознательно и диктуют потом ему некоторые странные поступки. Ведь никто не может сказать, почему он поступает так, а не иначе.

Недаром люди так много и охотно рассказывают о детстве. Им интересно, как и почему они стали именно такими. Под влиянием чьей-то доброты или чьего-то эгоизма. Как кому повезло. А на фотографиях все такие милые! Позируя, улыбается Элеонора Станиславовна, ее муж, Николай Семенович Князев, в шортах и просторной футболке кажется добродушным толстяком. Ксения перебирала фотографии, раньше казавшиеся ей неинтересными. Почему она никогда не хотела этого вспоминать?

Вот оно: на заднем плане, за Женечкой с теннисной ракеткой в руке, маленькая темноволосая девочка. Прыгает через скакалку на зеленой лужайке.

«Да, я там была», — сказала себе Ксения. И тут зазвонил телефон.

— Борис Витальевич? — сразу угадала она.

— Звягина я забрал. Пока только за пистолет. Незаконное хранение огнестрельного оружия. Нашли у него.

— И что?

— Не знаю, с какого конца к нему подступиться.

— Я знаю.

— Вот как? Интересно.

— Можно приехать? Я хочу с ним поговорить. При вас.

— Что ж. Приезжайте.

— Как ваши дела? — не удержалась она.

— Мои де... Какие дела?

— Помирились?

— Ксения Максимовна, вы по делу свидетельницей проходите, не забывайте. Близкие отношения между нами неуместны. Сейчас вы про семейные дела спрашиваете, потом начнете выяснять доброжелательно, как идет следствие.

— У меня уже нет к этому никакого интереса.

— Кто знает. Не надо думать, что все так просто... Я вас жду завтра, в два часа.

— Почему завтра?

— У меня не одно дело в производстве. Да и Звягину надо еще созреть.

40 : 0

«Завтра? Как завтра? — Ксения вся сжалась. — Да я не доживу до завтра в этом проходном дворе!» Она лихорадочно начала думать, куда бы пойти переночевать.

«Почему я боюсь? Ведь Звягин в тюрьме! Но я боюсь».

Она не стала брать много вещей, наспех затолкала самое необходимое в спортивную сумку. Подумала, что можно было бы поехать на квартиру к бывшему мужу. Но где взять ключи? Наверняка там все опечатано. Ксения была готова совершить преступление, вскрыть дверь, но не отмычкой же! При бывшем муже в тот последний день наверняка были ключи, но это теперь вещественные доказательства до самого конца следствия. Чтобы их получить, надо пройти через кучу формальностей. Да и на каком основании? Она — бывшая жена. И что!..

Ксения успела подумать и о Лидуше, и о родителях, и о собственной комнате в коммуналке. Даже о Германе. Пока ехала в метро, все эти варианты проносились у нее в голове.

Вот и его дом. Есть в Москве такая улица. Теперь есть. И дом, с запретным номером, а в этом доме квартира двадцать восемь. И дверь, обклеенная теперь печатью. Наверное, оперативники пришли сюда после его смерти — делать обыск. Надо же проверить все версии и основательно перетряхнуть вещи убитого. Целая система оперативно-розыскных мероприятий, куда от нее деваться?

Ксения топталась у двери, все еще не решаясь уйти. Потрогала печать, потом ногой провела по плетеному половичку, лежащему у порога. Это не квартира, это то, что за ее пределами. Здесь не искали. И то, что бывший муж перед уходом положил под половичок, лежало на месте. Ксения догадалась, что это ключи. Ключи?!

Ногой она отбросила половичок. Боль, хлынувшая в виски с такой силой, что в глазах потемнело, внезапно отступила. Это были не те ключи. Не с серебряным брелком в виде теннисной ракетки. Просто ключи. Видимо, второй комплект, который ему вернула бывшая любовница. Ксения не могла понять, зачем они здесь лежат.

Она открыла дверь, сорвав печать, войдя, поставила сумку посреди прихожей. Везде были его вещи. Ксения поняла, что никогда не сможет здесь жить. Переночевать один раз, может быть, и сможет. Но и то это будет не сон, а оцепенение. Главное, ни до чего здесь не дотрагиваться. Не думать о том, что все это он тоже трогал своими руками.

Ксения сидела в кресле, начиная догадываться, зачем он оставил ключи под ковриком. Он, видимо, начал понимать смысл этих убийств. И сообразил, что он следующий. Но сказать ничего не успел, просто оставил ключи под ковриком. Для нее. Чтобы переждала.

А понял он логику убийцы по очень простой причине. Он сам хотел сделать то же, но не смог. Потому что был человеком слабым. Неспособным на поступок. И трусливо подождал, пока вечером, в подъезде, кто-то сильный не воткнет нож в его собственную спину. Для слабого человека неплохое решение всех проблем.

«Вот она — темная сторона твоей души», — подумала Ксения, глядя на свадебную фотографию, которую бывший муж зачем-то повесил на стену. Самый счастливый день в их жизни, хотя свадьба была очень скромной, ее шляпка куплена в комиссионке, а платье взято напрокат. Ведь и он прекрасно понимал, когда в его жизни было счастье, а когда его не стало. Но там, на темной стороне души, у него всегда жил страх. Перед бедностью, перед силой, перед решениями, которые надо было принимать. И темная сторона в итоге оказалась сильнее.

6 : 5

В шесть часов утра Ксения очнулась в своем кресле. «Ночь прошла», — подумала она. День, который наступил, должен был решить все. Игра подошла к концу, осталось совсем немного, чтобы свести ее в свою пользу. Одно небольшое усилие, и можно отдыхать.

С трудом дождавшись полудня, она поехала совершать этот последний рывок. В знакомом уже кабинете следователь перебирал бумаги, явно нервничая.

— Добрый день, — поздоровалась Ксения.

— И вам того же. Садитесь, Звягина сейчас привезут.

Она присела на краешек стула. Следователь спросил:

— Вы не в курсе, из квартиры Евгении Князевой что-нибудь пропадало?

— Из квартиры? — Ксения закашлялась. — Когда?

— Накануне ее смерти?
— Как это... Как это накануне?
— Она не жаловалась, что вещи, например, исчезают? Драгоценности?
— Нет... Не жаловалась.
— Вопросы странные не задавала?
— Вроде нет.
— Скажите, почему она выгнала Германа Варда?
— Господи Боже мой, да я-то откуда знаю?! Характерами не сошлись. И при чем здесь Герман?
— Я человечка в Сочи послал. Из розыска. По следам Евгении Князевой. Сегодня вечером жду. «Сочи, Сочи, темные ночи....» Ах, эти Сочи! Будь они!..
Он вдруг громко хлопнул папкой по столу. Ксения вздрогнула.
— Простите, следователь тоже человек. Люблю я ее, — тоскливо сказал он. — Черт его знает за что? Вроде и не за что. Красивая, конечно, но через месяц этого уже не замечаешь. Но все равно — люблю. А звягинский ствол я в ящик стола положил. Надо бы сдать. Черт его знает, зачем положил? И сидит же в человеке всякое дерьмо!
— На темной стороне, да?
— На какой еще стороне? Болтаете много.
— Да это вы болтаете!
— Я? Вот видите: уже не замечаю.
В кабинет кто-то заглянул, Ксения почувствовала это спиной.
— Звягина привезли, да? — спросил следователь. — Что ж, давайте. Будем работать.
Он вошел в кабинет, видимо, после бессонной ночи. Ксения всматривалась в его лицо и думала: «Как же так? Почему я его раньше не узнавала?» Ведь такие необыкновенные у него глаза, словно два маленьких солнца! И он так похож на ее бывшего мужа! Случайно или нет?
— Саша, я тебя наконец узнала, — сказала она.

Гейм двенадцатый

15 : 0

— Я тебя узнала.

Он ничего не ответил, молча сел на другой стул:

— Закурить можно?

— Курите. — Следователь словно еще ждал, когда он отреагирует. Не дождался, спросил сам: — Итак, Звягин Александр Кириллович, при каких обстоятельствах вы познакомились с Ксенией Максимовной Вишняковой?

— При обстоятельствах, когда в баре ко мне подошла Евгения Князева, — так же официально ответил он.

— Ложь! — вскрикнула Ксения. — Разве ты не помнишь? Мы были совсем детьми. Нам с Женей было по восемь лет, а тебе... Помнишь, как мы вместе играли на террасе?

— Разве?

— Саша, ведь там было две девочки. Две. Ты понимаешь?

— А какая мне была разница?

— Все правильно: ведь вы были с Женей. Я ревновала ужасно. По-детски, конечно. Она запомнила тот день лучше. Когда на террасе ты случайно зацепился за бахрому скатерти, и со стола упал пузырек одеколона «Саша». Женя всегда потом думала, что это только название одеколона. Но так звали мальчика, в которого она была по-детски влюблена. Потом ты ее поцеловал и убежал. А через много лет в ее жизни стали появляться «шурики».

— Откуда ты все это знаешь? — напряженно спросил он.

— Потому что мне было обидно, что мальчик обратил внимание не на меня. Из-за этой ревности я постаралась все забыть. Было просто больно, но почему, я никак не могла вспомнить. А потом я встретила человека, который был очень похож на этого мальчика. Светлые волосы, темные глаза. И мы даже были счастливы. Но ревность все равно осталась. Когда мы, то есть ты, я и Женя, стали жить вместе, я чувствовала себя скованно и напряженно. Ведь когда-то из-за тебя мы с Женей чуть не поссорились.

— Опять та же история, — усмехнулся он. — Из-за меня она чуть не поссорилась с тобой, а из-за тебя рассталась со мной. Вечно ты лезла в мою жизнь, когда тебя не просили! Черри, ты...

— Спокойнее, Звягин, — вмешался следователь. — Вы признаете, что много лет следили за Евгенией Князевой? С какой целью?

— Нет.

— Что «нет»?

— Он следил, — вмешалась Ксения. — И они, то есть «шурики», это чувствовали. Особенно Генка. Бедный Генка! И Женя. Тогда в баре, когда ты к нам подошел, она говорила про какой-то фантом. Человека, который ее преследует. Она тебя видела несколько раз. Она тебя все время чувствовала.

— Чепуха.

— И ты сам мне признался. Откуда милиция узнала их адреса? Причем — все? Я этого не говорила. Только про Германа и про тебя. Ведь ты же знал, где все они живут! Ты следил за каждым ее романом! Все время крутился рядом и ждал, ждал, ждал...

— Да, я ждал, — неожиданно согласился он. — Ждал, когда она вырастет. Когда ей надоест играть в куклы. Она бросила играть в куклы. В мертвые куклы. И стала искать себе живых. Мне ничего не оставалось, как стать одной из ее игрушек.

— Так что, Звягин? Расскажем? — Следователь взял ручку.

— Не надо только из себя гуманный суд изображать. Который меня по справедливости накажет. Так как я сам себя наказал, этого никто уже не сделает. Фирму только жалко. Дело, которое не только меня кормит.

— Это из-за дела вы рукоятку ножа, которым убили Евгению Князеву, носовым платком обернули? Или случайно?

— Я все сделал так, как сделал. — Он внимательно посмотрел на Ксению. — Хорошо, что хоть кто-то меня узнал.

15 : 15

— Кто может объяснить, почему одни люди нам нравятся, а другие нет? Ведь у всех есть и достоинства, и недостатки. Но в одних мы эти недостатки признаем с восторгом, а в других — с ненавистью и завистью. Почему мне нравилась одна девочка и не нравилась другая? Не знаю. Но после этого лета я захотел увидеть ее еще раз, а потом еще. Но на третье лето они продали дачу. Наверное, купили другую. Но мне-то от этого было не легче! Мои родители не могли с такой легкостью менять свою жизнь. Возможно, мне нравилась богатая девочка потому, что я сам был бедным. И она так здорово обращалась с этой теннисной ракеткой! Тогда все началось и тогда же могло и кончиться. Но через несколько лет я увидел ее по телевизору. Комментатор так взволнованно и торжественно говорил: «...Восходящая звезда, надежда отечественного спорта, престиж страны...» И мне было так радостно! Хотелось во все горло закричать: «Посмотрите, а я знаю эту девочку! Я даже поцеловал ее один раз! Не верите?

Но это правда! Правда!» Вот так все это и началось по-настоящему.

— Ты стал ходить на теннис, — зачем-то сказала Ксения.

— Черри, никто не умеет так мило и не к месту говорить вещи совершенно глупые и бесполезные. Нет, я не стал ходить на теннис. Во-первых, уже было поздно. Чтобы достичь выдающихся результатов в спорте, надо начинать с раннего детства. Во-вторых, я не дурак, чтобы не понять: для выдающихся результатов нужен еще и талант. У меня его не было. И не только в теннисе. Вообще нигде. Я совершенно ординарен и даже женщинам не умею нравиться, хотя они и говорят, что я красивый. Почему? Черри, почему?

— Ты слишком рационально ко всему подходишь.

— Может быть. Но именно благодаря этой рациональности я стал обходить все стадионы. Рационально. И я ее нашел. Прошло семь лет, я заканчивал школу. Надо было что-то делать дальше. Бездарному человеку все равно, куда двинуться. Он одинаково способен во всех областях. Или неспособен. Это кому как нравится. А я просто хотел быть рядом с девочкой, которая мне нравилась. К тому же все говорили, что она будет звездой. Она была талантлива! А какая бездарность не мечтает служить таланту? Через него стать известным. И я стал ходить на ее тренировки. Однажды даже подошел. Это был первый черный день в моей жизни: она меня не узнала.

— Саша, но вы же выросли! — почти крикнула Ксения.

— Да? А почему потом она так часто рассказывала тебе эту историю?

— Она сама не знала, чего хотела.

— Все она знала.

— Но почему ты ничего не сказал?

— Язык присох. Устраивает? Она так уверенн
шла к своему успеху, что у меня и в мыслях тогда н
было, что он так и не придет. И я решил подождать
Поступил в институт, не слишком престижный, н
высшее образование получил. Герои — это, конеч
но, были летчики, космонавты, артисты. Где он
сейчас? Бизнесменом в наше время быть горазд
опаснее. Странно, но жизнь нас с Женей уравняла
Она ничего не добилась, я ничего не потерял. Я сле
дил за ней издали, ожидая удобный момент, чтобы
подойти. Она должна была чего-то сильно хотеть. А
я на всякий случай прикидывал, как можно зарабо
тать деньги. И опять же ждал. В стране наступали
бо-ольшие перемены. Когда у нее появился первый
мужчина, я думал, что от ревности застрелюсь. Ни
чего, выжил, — усмехнулся он. — И опять реши.
подождать. Почему-то она его выбрала? Денег
парня не было, я навел справки. Причем его папаш
даже сидел в тюрьме. И сейчас еще сидит. Так что
Может, он умница необыкновенный? Или полово
гигант? Должен был быть какой-то принцип. В
всем должен быть принцип.

Ксения даже передернулась: какая странная лю
бовь. Не поймешь, чего в ней больше — рациональнс
го или чувственного. Гонялся бы он за кем-нибуд
другим, так нет же! А Звягин снова закурил. С ус
мешкой посмотрел на пачку, которую держал в руке

— Ей даже не пришлось приучать меня к други
сигаретам. Я выяснил заранее, что ей нравится. Пс
тому что потом в ее жизни появился второй. И о
курил точно такие же сигареты, как и первый. И
начал понимать принцип: все должны быть похс
жи. На что?

— На тебя! — не выдержала Ксения. — На теб
они должны были быть похожи! Их же всех звал
Шуриками!

— Какая чушь. Второй, между прочим, был е
двоюродным братом. Я этого не мог понять, и мн

иногда было противно. Но я уже не мог от нее ото-
рваться. В это время я наконец начал свое дело. Оказалось, что рациональность — это очень хорошо.
Спокойный расчет и разумный подход к проблеме.
Таланта бизнесмена у меня, между прочим, тоже
нет. Огромных денег я никогда не заработаю. Но
нормальной женщине хватило бы. Причем с лих-
вой. Вся проблема была в том, что у нее были деньги. И папины, и свои. Ее невозможно было купить.
Потому что она сама за все платила. Главное, что
она хотела сама за все платить.

30 : 75

— По-моему это глупо, Саша, — мягко сказала
Ксения.

— Глупо? А ты не глупо поступила, когда отдала
ей собственного мужа? Помнишь, что я тебе недавно
сказал: когда я его увидел, то подумал: «Пора!» Он
был слишком на меня похож, и я подумал, что теперь она захочет придерживаться штампа. До этого
я показывался Жене на глаза несколько раз. Но она
почему-то не реагировала. А рыжий мне очень нравился. Жаль. Потому что после него в ее жизни появилась ты, Черри. Почему вы в тот день поссорились?

— В какой день?

— Накануне ее последнего матча. Ты же ушла из
дома.

Ксения покраснела:

— Не буду я ничего говорить.

— Сначала она оставила тебя без мужа. Очень он
был ей нужен! Вас надо было поссорить, потому что
это ты была ей нужна.

— Откуда ты знаешь?

— Догадываюсь. Когда мы расставались, она сказала: «Вас, «шуриков», в моей жизни может быть сколько угодно, а Черри только одна».

— Да, так она мне и сказала, — призналась Ксения. — И я сбежала.

Звягин усмехнулся:

— Пожалуй, тебя она любила больше, чем нас всех. А, Черри?

— Перестань!

— Кстати, я не ожидал, что все произойдет в тот вечер. Просто пришел в бар. Я всегда показывался ей на глаза после разрыва с очередным любовником. Так, на всякий случай. И надо же: прорезало. Меня избрали. Это был второй черный день в моей жизни: меня снова не узнали. Но я и это пережил. И удачно подыграл, да?

— Но зачем, Саша?

— Как ты не понимаешь! К тому времени я понял про нее все. Ее слабости, ее привычки. Распущенность и эгоизм. Но чем больше понимаешь человека, тем больше его любишь. И я решил рискнуть. Сыграть по ее правилам, постепенно навязывая свои. Перевоспитать, — усмехнулся он. — Глупо, да? Увлекся. А ведь у нас все было неплохо. Я даже показал ей свою квартиру. Надеялся, что понравится. Приходилось, конечно, крутиться. Слава богу, что ее не интересовали мои дела. Генеральным директором я сделал старшего брата. А сам ушел в тень. Не то чтобы я прятался, просто понимал, что ей не нужна рядом личность. Человек, который сам может за все платить. Она признавала только игрушки.

— Значит, эти исчезновения, эти звонки...

— Работа, Черри, работа. Надо было держать все под контролем. Хотя я мог бы все бросить. В сущности, деньги — это всего лишь деньги.

— Если честно, я так и не поняла, почему вы расстались.

— И я не понял. Все было неплохо, я же сказал. Как у нормальных людей. Мне даже казалось, что мы женаты. И я предложил оформить отношения официально. Она отказалась.

— У Жени тоже был свой черный день: она тебя не узнала.

— Я считал только свои. Сначала я был в недоумении, когда она предложила расстаться. Почему? Не было никаких причин. «Видимо, время пришло», — сказала она. Какое время? Но я не решился спорить. Убедил себя в том, что она передумает. Поживет без меня месяц, другой — и передумает. Ведь со мной же было лучше! Должно было быть лучше! И я снова стал за ней следить. Просто ждал. И появился этот Герман. Совершенно неожиданно для меня. Я подумал: что ж, пусть узнает, что с ним хуже, чем со мной. Они должны были расстаться. Они и расстались.

— Что вы знаете про Германа Варда, Звягин? — неожиданно вмешался молчавший до сих пор следователь. — Ведь вы за ним следили.

— За ней. Это большая разница. Меня не интересовали его дела, понятно?

— И вы за нее не переживали?

— Я переживал только за то, что все это затянулось. Они должны были расстаться еще раньше. Но я дождался. И позвонил. Спросил: «Как насчет вернуться ко мне?» Потом предложил свои деньги и свои услуги. Это был третий черный день в моей жизни: Женю все это не интересовало. Смешно получилось, да? «Герой, я не люблю тебя». Но я не был героем — неприметная серость. Не знаю, что на меня нашло. Я понял, что еще одного мужчину в ее жизни просто не переживу. Я себя спасал, понимаете вы? Себя!

— Вы признаете, Звягин, что убили Евгени
Князеву? — напряженно спросил следователь.

— Черт с вами — признаю.

40 : 15

— Признаю.

И Ксении показалось, что все вздохнули с облегчением. И она, и следователь, и сам Александр Звягин.
Все-таки это он. Другого и быть не могло. То ли огромная любовь, то ли не менее огромная ненависть.

— А зачем вы, Звягин, украли у Попова телефон?

—Не украл, а взял. А что, сразу в петлю лезть?
Я думал, что убью ее — и мне станет легче. Не проще ли вообще остаться вовсе без тени, чем гоняться
за ней всю жизнь? Понимаете вы: я все время чувствовал себя каким-то ущербным. Да, я хотел семью,
хотел жену, хотел детей. Но прежде мне надо было
избавиться от этой проклятой тени. Я просто не мог
жить с мыслью, что эта женщина где-то ходит и кому-то принадлежит. Ну не мог, и все тут. И не ожидал, что все так обернется.

— Как именно?

— Ну, этот матч, неожиданная толпа журналис-
тов и поклонников. Не знаю, зачем я туда поехал и
зачем взял с собой нож. Я не думал, что убью ее. Я
позвонил ей по мобильнику Попова уже со стадиона. Спросил, не передумала ли она. Не начать ли
нам снова жить вместе. В последний раз спросил.
Она категорически сказала — нет. А потом я смотрел этот матч. Он же у нее был, талант! Я, зауряд-
ность, бездарь, захотел, чтобы она и умерла такой.
Победительницей. И тут эта толпа, которая ее окружила. Репортеры, желающие взять автограф. А ру-

ку носовым платком я обернул совершенно машинально. И ударил. Я почему-то знал, что там должно быть сердце. Анатомию, что ли, школьную, вспомнил? Но задержался на стадионе до тех пор, пока не прошел слух, что ее зарезали насмерть. И все. Что вы еще хотите?

— Подпишите, — следователь пододвинул к нему протокол, — ваши показания.

— Думаете, откажусь? — усмехнулся Звягин.

— Кто вас знает.

— В том-то и дело, что вы меня не знаете.

Он размашисто написал: «С моих слов записано верно. Александр Звягин».

— Что еще?

— А всех остальных вы зачем убили? Из ревности?

— Остальных?..

— Да. Согласно порядковым номерам. Один, два, три, четыре. Это что, акт возмездия?

— Это загадка. Мне и в этом расписаться? Но я не хочу. И, вообще, устал.

— Если вдруг вздумаете покончить с собой... — внимательно посмотрел на него следователь.

— Нет, этого не будет. У меня в жизни еще много незаконченных дел. Я отсижу свое и выйду совсем свободным.

— А как насчет вышки?

Он усмехнулся:

— А за что? За любовь? Женщины, которые, возможно, будут меня судить, отнесутся ко мне снисходительно. К тому же не забывайте, что я богатый человек. Я найму хорошего адвоката. Самого лучшего.

— Вы еще четверых убили. Причем, в определенной последовательности. На законченного маньяка тянет. А общество сурово к маньякам.

— Вот и ловите их.

— Я не понимаю вас, Звягин.

— Поймете.

— Ладно, в другой раз продолжим. Можете пока отправляться обратно в камеру. Кстати, как к вам там относятся? Жалобы есть?

— Жалоб нет. От маньяков все стараются держаться подальше.

— Я попрошу направить вас на обследование к психиатрам.

— Сомневаетесь по поводу моей нормальности? Тогда давайте все психбольное человечество разделим на категории: кто от какой мании страдает. Одни помешаны оттого, что влюблены, другие оттого, что любить не могут, не говоря уже о самой большой категории больных деньгами. Из всех современников я самый нормальный.

— Идите, Звягин.

Он обернулся в дверях:

— А тебе всего хорошего, Черри. Тебе повезло больше: чужими руками.

Она чуть не расплакалась. Обернулась к следователю:

— Что он хотел этим сказать?

6 : 6

— Нет, что он этим хотел сказать, Борис Витальевич? — Тот сидел подавленный над папкой, в которую вложил только что подписанные Александром Звягиным показания. — Борис Витальевич?

— Черри, а он прав... Он очень неглупый человек. Одним махом решил свою проблему... У него, кажется, получилось. Хотя от дурных мыслей все равно не избавиться. Нельзя запереть в себе на замок плохого человека и оставить только хорошего. Эта дрянь будет лезть в голову.

— Из темной стороны души. То, что невозможно сказать вслух.

— Что? О чем это ты?

— На сколько его посадят? — не стала ничего объяснять Ксения.

— Боюсь, что и здесь он прав. Легко отделается.

— Как же так? Убить нескольких человек...

— Каких это нескольких?

— Ну, как же? Сначала Женя, потом Попов, Толя, Генка и...

Она запнулась. Следователь посмотрел на Ксению очень печально:

— С самого начала в деле была одна неувязочка. Когда я увидел труп Владимира Попова, то подумал: случайность. Потом Воробьев. Уже насторожило. А после того как убили Рюмина и Муромского, я понял, что это система. Помнишь те ножички? Ножички-ножи...

— Что с ними? — вздрогнула Ксения.

— А ничего. С ножичками все в порядке. Били-то как, а? По-умному били. В спину твоей подружки ножичек-то почти вертикально вошел. И снова прав этот Звягин: случайность. Воткнул с силой, но бестолково. Плашмя надо было бить. Чтоб точнехонько под ребро. Как у Попова. Как у Воробьева. Как у рыжего твоего дружка. Как у... Воды налей себе.

— Спасибо, не надо.

— Чтобы так бить, долго тренироваться надо. И бить в живое не в первый раз.

— Но Звягин...

— Звягин про себя все знает. Ты иди сейчас, Черри.

— Куда?

— А что такое случилось с квартирой твоей подруги?

— Туда кто-то без меня вошел, — выдавила из себя Ксения.

— Пропало что-то?

— Я думала, что это Звягин. У него ключи.

— Какие ключи?

— С брелком. С серебряным, в виде теннисной ракетки. Он взял у Толи, когда... Словом...

— Из квартиры что-то пропало?

— Мне могло показаться. Из сейфа. Вроде бы в шкатулке стало меньше драгоценностей. Но ведь Элеонора Станиславовна сама могла их оттуда взять!

— Могла. Давно это было?

— Несколько дней назад.

— Почему же ты... Ах да! Муромский был еще жив, и ты подумала...

— Подумала. Я сегодня не ночевала дома

— А где?

— У бывшего мужа. В его квартире. Я печать с двери сняла, извините.

— А сегодня там же собираешься ночевать?

— Нет. К себе пойду. Звягин же в тюрьме. Он больше не придет, не развалится на кровати...

— Значит, к себе.

— Так я пошла?.. Подпишите пропуск.

Правой рукой он выдвинул ящик стола и что-то долго искал там. Лицо его Ксении не понравилось. И сам он дерганый какой-то. Жена, что ли, ушла? Впрочем, это его проблемы. Своих хватает. Думала закончить сегодня же, а вместо этого все опять свелось вничью. Нет никакой победы. Есть другое...

Тай-брейк

1 : 0

Вот уж с кем Ксения ожидала встретиться меньше всего, так это с Валентиной. Покинув кабинет следователя, решила зайти на ближайший рынок, потому что в доме со вчерашнего дня не было никакой еды. И возле прилавка с овощами столкнулась нос к носу с приятельницей.

— Валентина!

— Ксюша!

Они оглядели друг друга. Приятельница критически, а Ксения с откровенным недоумением:

— Ой, Валя, как ты можешь ходить на рынок на таких высоких каблуках!

— Всегда надо быть готовой к встрече с мечтой. Вдруг он тоже здесь что-нибудь покупает?

— Кто «он»?

— Мужчина. Любой. Тот, который мне понравится.

— С утра?!

— Во-первых, сейчас уже четыре часа дня. Во-вторых, те, которые замучены работой, мне не нужны. А вот ты как можешь ходить по улицам в таком виде? Зеленая вся! Глаза накрашены просто безобразно, тушь смазана, волосы отрасли. Ты когда в последний раз была у парикмахера?

— Я? Не помню. Но как ты здесь оказалась?

— Здрасьте! Я живу поблизости! Ты совсем, что ли, ничего не помнишь?

— Ах да! Конечно. Но почему ты не в Париже? Ты ведь собиралась уехать.

— Уехала, как же! Все из-за тебя.

— Из-за меня?

— Ты же привела ко мне этого зеленоглазого! Я отменила поездку, поссорилась со своим богатым мужиком и все ждала, что он вернется. Не мужик, конечно, Герман. А он, сволочь, мало того что исчез, еще и камушки мои прихватил!

— Какие камушки?

— Так, мелочь. Сережечки, пару колечек. На память, наверное, — усмехнулась приятельница.

— Почему же ты в милицию не заявила?

— Стоит таскаться к следователю из-за ерунды! Как пришло, так и ушло. Пока я еще в форме, я все верну! Но зеленоглазый-то каков? Хоть и сволочь! Но как же он мне нравился!

— А может, ты куда-нибудь засунула свои колечки с сережечками?

— Знаешь, я легкомысленная, но не дура. Когда мужик исчезает, не оставив обратного адреса, то хоть пиши ему, хоть свищи. Так вернется он или не вернется, как думаешь?

— Герман? Но ты же сама говоришь, что он сволочь!

— А у меня других и не было. Даже тот, который эти колечки с сережечками и подарил — все равно сволочь. Только с ним ко всему прочему было скучно. Так где он?

— Не знаю. Я у него ни разу не была.

— Ага. Значит, снял квартиру на те денежки, что выручил от продажи моих камешков. Что ж, пусть считает, что я ему заплатила. Зайдешь?

— Что, сейчас?

— Поболтаем. А вечером гости придут. Сволочей назвала — полно!

— Нет уж, — вздохнула Ксения. — Мне сейчас не до этого.

— Ну ты все равно позвони. И Герману привет передай. Скажи, что я не в обиде.

— Легкий ты человек, Валентина!

— А как же? Тяжелого-то на руки не подхватишь!

Она рассмеялась, махнула Ксении рукой: «Пока, пока!» Ее яркие платиновые волосы мелькнули в толпе. Ксения увидела, как несколько мужчин обернулись на ее призывную улыбку. Унылую, серо одетую толпу на мгновенье рассекли запах искристых духов и брызги смеха. Потом волны уныния вновь сомкнулись, и толстые тетки, нагруженные сумками, с удвоенной энергией хлынули к прилавкам. Может быть, они тоже считали, что все мужики сволочи, но каждый день терпеливо таскали тяжким трудом добытый мед в пустые соты семейного уюта.

2 : 0

«Вот оно как, значит», — думала Ксения под впечатлением разговора с Валентиной. Неужели Герман и у Женьки прихватил что-то «на память»? Не из-за этого ли они поругались? И эта шкатулка в сейфе, в которой драгоценностей явно не хватало! Кто же он такой, этот Герман?

Телефонный звонок застал ее врасплох. Ксения не хотела брать трубку, но потом решилась. И неожиданно услышала женский голос:

— Слава богу! Черри, вы дома! Вчера звонила весь вечер, но не застала.

— Я ночевала в другом месте.

— Но кто же тогда брал трубку?

— Брал трубку?!

— Да. Но ничего не говорил. Я несколько раз спросила: «Черри, это вы?» Извините меня за вчерашнее. Я так внезапно уехала. Кажется, забрызгала вас грязью. Но тот молодой человек...

— Герман?

— Да, Герман. Я просто не могла не позвонить, потому что Женя... Короче, милиции я об этом не рассказала. Несколько лет назад я отдыхала в Сочи. Ну, вы должны понимать, какие там нравы. Тем более когда в семье такие отношения, как у меня, и женщина одна едет отдыхать. Совершенно ясно, что она рассчитывает на любовное приключение. А этот молодой человек удивительно красив. Кажется, он специализируется на таких женщинах, как я, — обеспеченных, замужних. Не могу ничего сказать: я прекрасно провела время. Но у меня пропали драгоценности.

— Что? Серьги, кольцо?

— Несколько довольно дорогих вещиц, — уклончиво сказала дама.

— И вы не заявили в милицию.

— Во-первых, я не была уверена до конца. Я могла их и потерять. И кто-то другой вполне мог их украсть. Во-вторых, из-за мужа. Он может сколько угодно дарить бриллианты своим любовницам, но чтобы я оставила их какому-то мужчине... Я сказала, что просто потеряла их. Вы меня слушаете?

— Да, слушаю.

— И вдруг прихожу на стадион, на матч Евгении, и вижу на трибуне этого молодого человека. Я, разумеется, хотела уйти, но потом поняла, что они вместе. И не могла не рассказать Жене о том летнем приключении.

— И что?

— Она не поверила. А потом на фотографии в журнале его случайно узнала еще одна женщина. И подошла к Жене. Тогда Женя позвонила мне и выяснила все подробности.

— Но почему она в милицию не заявила? Не Женя, а та, другая женщина?

— По той же причине, что и я. Она замужем. Этот Герман имел дело только с замужними женщинами. Очень верный расчет. Вы меня поняли?

— И сейчас вы ничего не сказали следователю...

— Из-за пары колечек иметь такие неприятности в семье... Знаете, Черри, я просто не могу себе этого позволить.

— А у Жени тоже что-то пропало, не знаете, случайно?

— Похоже, что да. Она позвонила мне и сказала, что едет в Сочи. Выяснила, в какой именно гостинице я останавливалась.

— Все ясно, — упавшим голосом сказала Ксения.

— Не подпускайте к себе этого молодого человека.

— Вы вчера испугались, что он вас узнает?

— Боюсь, что таких, как я, у него было великое множество. Он просто не может всех помнить в лицо. Вчера... Это был какой-то импульс. Я испугалась. И мне не хотелось с ним разговаривать.

— Хорошо, я поняла. А что Женя хотела выяснить в Сочи?

— Наверное, обратиться в милицию. Не мог же он быть совсем чистым. Кто-то из нас, обманутых женщин, мог оказаться и посмелее. Женя как раз выясняла, насколько серьезные у Германа проблемы с законом. Но вскоре после того как Женя вернулась из Сочи, ее убили.

— Что ж, спасибо.

— Не за что. Я понимаю, что это он мог Женю убить...

— Нет, не он. Уже нашли.

— Да? Как странно. Мне всегда казалось, что этот юноша удивительно жесток. Он словно обращен к миру какой-то не той стороной.

— Обратной, наверное.

— Какой? Впрочем, не важно. Он говорит откровенно циничные вещи и ведет себя так цинично. И, знаете, Черри, в этом что-то есть. Какое-то жуткое обаяние. Я до сих пор не могу его забыть. Вчера мне словно иголку в сердце воткнули. И я сбежала.

— Еще раз спасибо. До свидания.

— Позвоните мне как-нибудь.

Ксения положила трубку. Ничего они не понимают. Сами же напрашивались. Герман никогда никому не навязывался. Валентина, по крайней мере, призналась, что не в обиде. А эта...

2 : 1

Ей было не по себе. Еще одну очень важную вещь она узнала из телефонного разговора: кто-то ночью брал телефонную трубку и молчал в нее. А до этого кто-то лежал на кровати и курил. Интересно, когда арестовали Звягина? Скорее всего, еще вчера днем, потому что ночь он провел в тюрьме.

А ее, Ксению, здесь ждали.

Ах она дуреха! Почему-то вспомнился магазин, мясной прилавок, продавщица, уронившая нож после слишком откровенных и громких слов Германа. Звук падающего ножа. Вот оно. Герман — и этот звук. В памяти Ксении они соединились два раза. Вот оно, значит, как? Но почему?!

Ее стало знобить. «Зачем я сегодня сюда пришла? — думала Ксения. — Надо звонить. Нет, сначала в ванну. Согреюсь, потом позвоню. Только согреюсь. А то зубы стучат. Ни слова не смогу сказать».

Согреться она не могла долго, целых двадцать минут. Лежала в пышной пене и не хотела ни о чем думать. Даже о том, что надо найти в себе силы подойти к телефону и набрать номер. Подойти и набрать.

Ксения долго себя уговаривала. Потом вытерлась, надела халат и вышла из ванной.

2 : 2

В гостиной, в мягком кресле, подбрасывая в руке серебряный брелок в форме теннисной ракетки, сидел Герман.

— Здравствуй, Черри, проходи, не стесняйся.
— Как ты... — Она не договорила. Ну что за глупая привычка?
— Ну-ну, развивай свою мысль.
— Герман, ты...
— Вор, да?
— Ты...
— Убийца, правильно? — Странно, но Ксения его совсем не боялась. Попова боялась, когда думала, что он придет ее убивать, а Германа — нет. Подошла, села в другое кресло: — Я сегодня встретилась с Валентиной. А потом звонила бывшая любовница моего мужа. Моего мертвого мужа. Она тебя узнала.
— Узнала? — удивился он.
— Она отдыхала в Сочи.
— Вспомнил. Та дамочка в машине, которая вчера окатила нас грязью. Как раз тот тип, который я успешно эксплуатировал с тех самых пор, как понял, что для мужчины паршиво иметь зеленые глаза. Богатая сучка, которой до чертиков скучно.

Он высоко подбросил серебряный брелок, точным движением поймал его, потом с размаху швырнул на журнальный столик. Серебряная безделушка звякнула жалобно и отскочила на самый край, царапнув полировку. Герман посмотрел на Ксению:
— Ну? И ты решила меня милиции сдать?
— Но ты же не виноват, что так получилось? С теми женщинами?
— Я вообще не виноват в том, что родился. Думаешь, сейчас буду исповедоваться? Расскажу о своем печальном детстве, о папаше-алкаше и братце-наркомане? Об учительнице английского, которая первой оценила цвет моих глаз? О дополнительных занятиях после уроков, о том, что моя первая любовь начиналась не со вздохов на скамейке, а с того, чего другие долго добиваются, а поэтому и ценят? Нет, Черри, я не сентиментален. Не буду перед тобой сопли распускать. Не было этого никогда и сейчас не будет.

— Бедненький.
— Что-о?!
— Почему же ты уехал из родного города?
— Я не уехал. Я сбежал. А начал с того, что прекрасно устроился. Сначала работал спасателем на пляже, присматривался к женщинам. Особенно к тем, которые не были осторожны настолько, чтобы приезжать на юг без золотых вещей. Таскали на себе все эти колечки, серьги, браслеты. Сначала я просто просил подарить на память какую-нибудь вещицу. В знак того, что любовь была настоящей, и через год новая встреча неизбежна. Дарили. Но потом я понял их психологию: все эти дамы отрывались на отдыхе на полную катушку после своей домашней тюрьмы. Их браки были клеткой, откуда мужья отпускали своих благоверных на пару недель, рассчитывая на молчание и терпение в течение всего следующего года. И я понял, что могу брать и больше. Причем без всяких просьб и объяснений. Но все рано или поздно заканчивается. Одна дамочка решила меня наказать и обратилась в милицию. Должно было состояться опознание.
— И что? — спросила Ксения.
— А ничего. Как видишь, я здесь, свободен, весел, а главное, с тобой. Ты рада?
— Я так понимаю, Герман, что теперь моя очередь?
— Куда? На тот свет? Не спеши.
— Почему же ты не с меня начал?
— Я начал, Черри. Но получилось глупо.
— Женя узнала, да? Про твои подвиги?
— Мне ничего об этом не известно. Она просто сказала, что из квартиры пропали некоторые драгоценности и попросила меня убраться вслед за ними. Очень логично. Я решил выяснить, в чем дело, и на следующий день пошел на стадион. Я крутился возле раздевалки и вдруг узнал того парня.

— Звягина?
— Да. Мне повезло, что я его узнал.

3 : 2

— Повезло. Я же не такой дурак, как все ее предыдущие «шурики». Ха-ха! Это надо же было придумать! Я почуял его сразу и сразу же понял, что он псих. Подумал было, что Звягин хочет меня убить. Но потом понял, что совершенно ему не интересен. И он прав: после меня были бы другие. Умный мужик. Сразу сообразил, что есть зло, и решил срубить его под корень. Бац — и в дамках. Отсидит свое и успокоится. А здорово он ее, а? Сначала я просто обрадовался, что одной проблемой стало меньше. Хвала психам за то, что они есть! Но потом всплыло это завещание. Это ж такие деньги, Черри! Сомнительная бумажка, которая после смерти синьоры Ламанчини стала вдруг весьма ценной. А до того дама могла и возникнуть. Я хотел было с ней сблизиться, но сама помнишь, какая это оказалась железобетонная особа. Похоже, она не любила зеленых глаз. Вообще никаких. Но тут я вспомнил, что есть еще один псих — Женькин двоюродный братец. Помнишь, я тебе говорил, что она была однажды со мной откровенна? Похвасталась романом с собственным же родственничком. Мол, как низко я пала! Странная вещь: имея такую кучу комплексов она придумывала себе разного рода грехи. От скуки, думаю. Ведь она в сущности была скучнейшим порядочнейшим человеком, не способным ни на какую страсть, и всю жизнь доказывала окружающим свою распущенность. Из-за матери, как я полагаю. Назло. Упивалась собственными придуманными пороками. Ей нужно было выйти замуж за этого Звягина и успокоиться. А она решила, что интереснее закрутить любовь с собственной же подружкой. Понимаю: это модно. Всякие нестандартные ориентации. Если бы узнала ее мать, она бы в обморок упала.

— Она утонула, Герман, — сказала Ксения.

— Что?!

— У Элеоноры Станиславовны от всего этого стало плохо с сердцем. Когда Анатолий начала рассказывать гадости. Она захлебнулась.

— Ну да. Этот второй номер тоже был не дурак. Женька любила с ним болтать. Может, потому, что он все время молчал? Но догадался, что после смерти тетки — он единственный прямой наследник. Его надо было убирать.

— А Попов?

— Что Попов?

— Ты же его убил первым?

— А я ведь к тебе шел в тот день, Черри. И в подъезде наткнулся на него. Тебе повезло.

4 : 2

— Тебе повезло целых три раза. Первый раз в тот самый день. Я узнал о завещании и понял: надо начинать с тебя. Это же половина всего! Простая математика. И я прекрасно помню, как входит нож в мягкое женское тело! Это так просто. Надо долго тренироваться, а потом попробовать только один-единственный раз... Я взял нож и пошел к тебе. Стоял в подъезде, долго стоял и... Не мог, Черри. Мне надо было нажать на кнопку, вызвать лифт. Ты бы сама мне открыла. И вот я стоял перед этой кнопкой, уговаривал сам себя, доказывал сам себе.

И считал. Уменьшать претендентов наполовину или сделать из половины целое? Черт меня возьми! Воля не слушалась разума. У меня, который всю жизнь считал себя сильной личностью! Я так и застрял возле этой проклятой кнопки. Почему? Не знаю. И вдруг появился он. Этот придурок с рыбьими глазами. Какого черта? Я только подумал: ведь он один из этих, из претендентов на мою половину. И мне вдруг стало так легко, Черри! Рука сама поднялась. Не к кнопке, а та, что с ножом. Ведь он не знал меня в лицо. Повернулся спиной, нажал на ту самую кнопку... Я посадил его мертвого на батарею. Подумал: примут за бомжа, света в подъезде нет. Ура, мне не надо было подниматься наверх, к тебе. Потом эйфория, конечно, прошла. Я себя спросил: что ты, дурак, наделал? И разум опять стал делать подсчеты. Складывать, делить и умножать. И я снова пошел к тебе. На этот раз все-таки сумел нажать на кнопку.

— Но у тебя не было с собой ножа, Герман, — сказала Ксения.

— Что? Ножа? Нет, ножа не было. Разве в этой квартире мало ножей?

— Почему ты его бросил?

— Ты поняла?

— Не тогда. Потом. Почему?

— Понимаешь, Черри, ты не сделала мне ничего плохого. Ничего. Даже глазки не строила, когда мы жили в одной квартире. Все получилось само собой. И если бы не повторилось, ты не стала бы делать из меня злодея. Ну, было и было. Помнишь ту последнюю нашу ночь? Ведь я спросил: что будет, если у меня ничего не получится? Если я просто отвернусь к стене и усну? И ты сказала, что тоже просто уснешь, а утром приготовишь мне завтрак. И я понял, что так оно и будет. Тебе не надо от меня той любви, с которой в моей жизни все и начиналось. Тебе нужно было понимание и защита. Как от человека, не от игрушки. И ты спокойно повернулась ко мне спиной и говорила о том, как жаль, что не я был рядом в тот страшный вечер, когда убили Попова. Я держал нож в руке, а рука вдруг разжалась. И я подумал: все равно между мной и деньгами стоит Женькин двоюродный брат. Можно же и отложить...

Он замолчал, а через несколько минут заговорил вкрадчиво и нежно:

— Помнишь тот вечер? Я дождался, когда братец приедет из Италии и пойдет к тебе отношения выяснять. Он поднялся наверх, а я стоял на улице, под окнами твоей спальни, и все еще пытался правильно сосчитать, что мне выгоднее. А потом в спальне загорелся ночник. И мне стало уже не до устного счета. Я ведь знал, что там спальня. И когда свет погас, вошел в подъезд и спрятался за дверью.

— Неужели ты мог подумать, что...

— А не надо думать. Не получается. Я просто очень сильно захотел его зарезать.

4 : 3

— Зачем ты убил Андрея?.. Моего мужа.

— А как ты думаешь?

— Герман, неужели ты стал ревновать?!

— Не то, Черри. — Он поморщился. Потом вдруг рассмеялся. В зеленых глазах заплясали знакомые болотные огоньки: — Должен же я был сделать для тебя что-то хорошее?

— Хорошее?!

— Неужели ты никогда не хотела, чтобы его просто не существовало? Что, стыдно признаться?

— Откуда ты знаешь?

— О чем?

— О ней. Обратной стороне души. Той, которую никогда не видно.

— Как у Луны, да? А ты умнеешь, Черри. Я рад. Тебе давно пора было проснуться. Да, ты права. Есть человек нормальный, разумный, логичный, тот, каким его видят все. И каким он сам себя хочет видеть. И он никогда не поворачивается к людям обратной стороной. От себя самого прячет ту, обратную сторону, но знает, что она есть. Знает. А меня с самого детства как развернуло, так и...

— А там, на обратной стороне, все хорошее, да?

— Не знаю я, что там. Но твоего бывшего прирезал с удовольствием. Рыжего было жалко. Я понимал, что его врасплох не застанешь. Сильный мужик. Но он запутался в денежных делах. Из-за своей бабы. Я пришел и предложил ему помочь с деньгами. Он обрадовался и потерял осторожность.

— Ты сказал, что это Андрей их всех убил?

— Что? Все время забываю, как его зовут. Номер четыре. Но у меня уже не было выбора. Надо было косить под маньяка. По порядку: один, два, три, четыре. Сначала должен был быть рыжий. Чтобы на Звягина все повесить. Мол, сначала убил Женьку, а потом всех, кто с ней спал. Из ревности. А у меня железное алиби: я последний. Звягина должны были арестовать раньше, чем до меня дело дойдет. Я все рассчитал. Иногда лучше быть последним, чем первым.

— Это ты ему звонил?

— А кто же. Он совсем спятил: купил пистолет. И сразу поверил, что это твой бывший всех убивает. Что вы договорились. И рванул сюда. Я даже подождал: вдруг он кого-нибудь пристрелит.

— Меня, например, да?

— А что ты хочешь? Чтобы я все время разворачивался к тебе той, другой стороной? Хорошей? Но он выскочил из подъезда как угорелый. Я понял, что все придется делать самому.

— Зачем же ты положил его к моей двери?

— Ха-ха! — Его глаза опять странно блеснули. — Мы на пару славно прокатились в лифте. И, честное слово, я был рад, что он мертвый, а я живой. Ведь я тебе нужнее. Ты выиграла это очко: его больше нет. Есть я.

— Нет, Герман, — сказала Ксения. — Я проиграла. У нас с ним все могло быть хорошо. С ним, а не с тобой.

4 : 4

— Да что все-то? Что? — разозлился он. — И чем ты опять недовольна?

— Ты меня ждал этой ночью.

— Я просто не мог отделаться от мысли, что сделал что-то не так. Ты так сильно кричала. На улице, при всех. И я понял: она наконец свободна. Как я не боюсь сделать то, что никогда не сделают другие, так и она перестала бояться. Теперь вокруг нас по-настоящему никого нет. Ведь так?

— Не знаю.

— Так. Мы свободны и богаты.

— Еще нет.

— Остался маленький пустячок. Вопрос времени.

— И что ты хочешь делать?

— Уедем, — решительно сказал он. — За границу. Ты помнишь, как там хорошо. Звягин будет сидеть в тюрьме за все эти трупы, ты получишь наследство.

— А там? Что делать?

— Жить, Черри.

— Вместе?

— Как хочешь. Мы могли бы стать парочкой веселых авантюристов. С богатыми не скучно.

— Ты читал плохие книги все эти дни, Герман.

— Думаешь? Почему плохие?

— Потому что ты все равно ребенок. Робин Гуда из тебя не получится. Даже если ты убил справедливо, как тебе кажется. Но ты убил.

— Черри!

— И никакой ты не супермен. Ты ошибся. Следователь все понял.

— Что «все»? — насторожился Герман. Ксения увидела, как потемнели его глаза. Казалось, расширившийся зрачок сейчас выплеснется наружу. Из болотной зелени прямо в чистейший белок. Ему тоже бывало страшно. — Что он понял?

— Что Женю и всех остальных мужчин убил не один и тот же человек.

— Но почему?! Разве я что-то не так сделал?!

— Ты сделал так, как только ты мог сделать. Потому что знаешь, как в живое тело входит нож. И ты вполне еще можешь стать свободным. Только через много-много лет. И то если среди судей окажутся любительницы зеленых глаз. Впрочем, я всегда говорила, что у тебя высокий процент попадания.

— Ты все врешь.

— Нет. И потом это. — Ксения кивнула на ключи. Серебряный брелок по-прежнему валялся на столе. — Зачем ты их взял? Боялся, что я тебя не впущу? Или надеялся, что обратная сторона твоей души вдруг возьмет и задремлет? А в квартире по-прежнему полно ножей...

— Я сейчас выброшу его в окно! — вскочил с кресла Герман.

— Но я-то теперь знаю, что это ты его взял. Из кармана убитого Толика Воробьева.

— И ты?..

— Я его любила, Герман. Не Толика, нет. Своего бывшего. Темной стороной или светлой, но любовь, похоже, одна во всей душе. И я бы с собой справилась. Я бы его простила.

— Значит, я сяду, а ты останешься здесь, в этих хоромах, при деньгах?

Ксения видела, что он начинает злиться. В самом деле, сколько же сил вложено во все это! Похоже, что он, как и Женя, играл последний в жизни матч. И все получалось. До сих пор.

— Так вышло, Герман, — сказала она.

— Ну уж нет.

Ксения всегда чувствовала, когда он принимал какое-то решение. Мгновенно и без всяких колебаний. Вот и сейчас поднялся с кресла и сказал:

— Пойдем прогуляемся, Черри.

4 : 5

— Куда? — спросила она.

— В последний путь. — Он уже опять весело смеялся.

— Что, прямо так? — Ксения показала на свой халат и голые ноги.

— А теперь уже все равно. Но если хочешь, надень куртку.

— Я вообще никуда не хочу идти!

— Пойдешь! Одевайся! Иначе я тебя так потащу.

Она, всхлипывая, пошла в спальню.

— Отвернись.

— Меня это не волнует. Твои ноги. И все остальное. Было и прошло.

Ксения натянула джинсы и свитер. Ветер швырял в окно снежную крупу, а дома было тепло, хоть и страшно.

— И что теперь? — спросила она.

— Идем.

Он не дал ей закрыть квартиру. Просто вытащил на лестничную клетку и прикрыл за собой дверь. Потом затолкнул в лифт. Ксения думала, что они едут вниз, на выход, но Герман нажал кнопку самого верхнего этажа. Она ничего не поняла, особенно когда он стал подталкивать ее к лестнице наверх, на чердак.

— Куда мы, Герман? Зачем?

— Я хочу Москву посмотреть.

— Сверху?!

— Красиво же.

— Но...

— Помолчи. Ты же тепло оделась.

С замком двери, которая вела на крышу, Герман справился легко. «Большая практика», — подумала Ксения и сама себе удивилась: какие мелочи лезут в голову! Ветер на крыше был такой, что Ксения испугалась: вот-вот сдует. Она изо всех сил уцепилась за кожаную куртку Германа. А тот вдруг пошел к самому краю. Ксения потащилась за ним, потому что боялась упасть. Герман вдруг посмотрел вниз и крикнул:

— Привет!

«Кому это он?» — подумала Ксения, но в такой темноте виден был только город. Грандиозные очертания, угадывавшиеся в пятнах и потоках электрического света. Яркие витрины и огни, много огней. И Герман засмеялся:

— Красиво же? А, Черри? Красиво!

— Холодно, — поежилась она.

— Глупышка! Змерзла? — Он заботливо поправил на шее у Ксении шарф. Потом вдруг потянул за концы и она закашлялась.

— Нам с тобой пора.

— Вниз?

— Да, вниз.

И вдруг он толкнул Ксению к самому краю.

— Господи! — вскрикнула она.

— Его нет, — очень спокойно сказал Герман.

— Герман!

— Его тоже сейчас не будет.

— Но я-то здесь при чем?!

— Я всегда хотел сделать для тебя что-то хорошее. Давай, тебе ведь тоже это все надоело.

— Нет!

— Это просто страх, Черри. Но это не больно.

Герман обнял ее и прижал к себе. Очень ласково. Ксения почувствовала его теплое, сильное плечо в черной коже.

5 : 5

«А может быть?..» — подумала она. И все вдруг стало очень просто. Какая разница, когда? За что она цепляется, когда ничего уже не осталось? За Лидушу? Но она ей никто! Ни сестра, ни родственница, ни даже близкая подруга. Ведь кроме Германа ничего больше нет, а он сейчас уходит. Ему назад нельзя. Он должен остаться свободным.

Ксения зажмурилась.

— Готова? — спросил Герман.

— Да.

— Прыгаем.

Он почему-то не дошел до края одного шага. Ксения подумала, что обрушившийся грохот — это ад, в котором она должна была оказаться сразу после смерти. Только почему не было полета? Сразу смерть. Герман, во всяком случае, умер. Ксения упала вместе с ним, потому что изо всех сил держалась за его плечо. Только упала не вниз, на асфальт, а на холодную, скользкую крышу. И открыла глаза. Следователь стоял совсем близко, с пистолетом в руке и отчего-то морщился. Ксении показалось, что он тоже хочет заплакать.

— Борис Витальевич?! Зачем?!

6 : 5

А потом вдруг с языка сорвалось совсем глупое:

— Вас же с работы уволят!

— Она была на юге, — сказал следователь обреченно.

— Ну и что?! — В ушах у Ксении все еще стоял этот ужасный грохот. Она почти кричала.

— В Сочи.

— Ну и что?!

— Они же могли там...

— Не обязательно же!

— Могли. У нее кольцо пропало. Дорогое. Говорит, потеряла.

— Но может быть, она и на самом деле потеряла!!!

И Ксения заревела, потому что даже в темноте было видно, как из тела Германа натекает большая лужа крови. За эти дни она видела столько мертвецов, что поняла сразу: он умер.

— Боже мой, ну зачем!

— Он тебя с крыши хотел столкнуть, — устало сказал следователь.

— Неправда! Он и сам хотел прыгнуть! Сам!

— Откуда ты знаешь? Отойди подальше от края.

— Да, может, мне туда и хочется?!

Ксения приподнялась с холодной крыши, оторвавшись от Германа, и почувствовала, как следователь схватил ее за плечо:

— Не дури.

— Но дальше же ничего нет!

— А ты откуда знаешь?

— Отпустите меня!

— Отпустить? Давай!

Пальцы разжались, и Ксения почувствовала, что он ее даже подтолкнул. И она попятилась, потому что поняла: одной страшно. Даже в смерти одной страшно. А она дуреха и трусиха. И придется жить дальше.

— Все? — спросил ее следователь.

— Да.

— Тогда пойдем вниз.

— А он? — кивнула Ксения на тело Германа.

— Я позвоню.

— Что мне сказать, чтобы вам ничего не было?

— А откуда ты знаешь, что я хочу, чтобы мне ничего не было? Я как раз хочу, чтобы мне было.

...Потом Ксения пила горячий кофе и думала о том, что там, внизу, должно быть, холодно. И что ей, кажется, снова повезло.

— Откуда вы здесь? — наконец спросила она.

— Оперативник из Сочи приехал. Герман Вард там женщину убил. Не доказано с точностью, но я уверен, что он, больше некому. Удар похож. И мотив. Она заявила в милицию о пропаже своих драгоценностей. И я подумал, что деваться ему некуда кроме как сюда. В душе что-то поднялось... Злое. Как подумаю про Машку, про эти Сочи...

— Это звягинский пистолет, да? Вы его сегодня рукой все время в столе искали.

— Не могу. Ничего не могу с собой сделать. Так хотелось его убить. Какой я к черту теперь законник? Я просто человек. Такая же мразь, как оказалось...

— Он все равно не хотел жить.

— Да, но это ему решать, Черри. Только ему, а не кому-то другому. Ты меня поняла?

Ксения кивнула и отхлебнула еще один глоток горячего кофе...

Сет и матч-бол

7 : 5

На следующий день она забирала из больницы Лидушу. Та немного повеселела и даже в такси все время спрашивала:

— Правда, что мы справимся, правда?

— Да, конечно, — отвечала Ксения, но еще чувствовала в душе поднятую этой безумной ночью муть. У нее еще не появилось желания жить. «Все равно я уже умерла, — говорила сама себе Ксения. — Это только моя оболочка, которая делает то, что ей положено делать».

Оболочка меж тем неплохо со всем справлялась. Привела квартиру в божеский вид, позвонила с утра в агентство недвижимости. Теперь у Ксения были две квартиры, от которых она хотела поскорее избавиться. И она была уверена в том, что в финансовых делах выкрутится. Заплатит Лидушин долг и даже с процентами, если потребуется. А та неуверенно вошла в прихожую:

— Неужели я здесь буду жить? А, Ксюша?

— Здесь маленькому будет хорошо.

— А ты? Ты же меня не оставишь?

— Что, одна не справишься?

— Ой, что ты! Я же ничего не умею!

— Так и я не умею.

— Научимся. Сначала я, потом ты.

И вдруг Ксения поняла, что Лидуша права. Обоим надо учиться ухаживать за ребенком. И Лидуше, и ей. Потому что иногда все начинается там, где, казалось, должно закончиться. Даже если позади был самый трудный в жизни матч, всегда найдутся силы на то, чтобы начать игру сначала.

Литературно-художественное издание

Наталья Андреева

КЕН

Роман

Художник *Г. Генераленко*
Технический редактор *Э. Соболевская*
Корректор *И. Мокина*
Компьютерная верстка *Н. Молокановой*
Компьютерный дизайн *Е. Коляда*

ООО «Издательство Астрель»
143900, Московская обл., г. Балашиха,
пр-т Ленина, д. 81

ООО «Издательство АСТ»
667000, Республика Тыва, г. Кызыл,
ул. Кочетова, д. 28

Наши электронные адреса:
www.ast.ru
E-mail: astpub@aha.ru

Отпечатано с готовых диапозитивов
в ОАО «Рыбинский Дом печати»
152901, г. Рыбинск, ул. Чкалова, 8.